O XARÁ

JHUMPA
LAHIRI

O XARÁ

Tradução
Rafael Mantovani

Texto fixado conforme as regras do novo Acordo Ortográfico da Língua Portuguesa (Decreto Legislativo nº 54, de 1995).

Editor responsável: Estevão Azevedo
Editor assistente: Juliana de Araujo Rodrigues
Preparação: Tomoe Moroizumi
Revisão: Huendel Viana, Vanessa C. Rodrigues
Diagramação: Negrito Produção Editorial
Capa: Adriana Bertolla Silveira
Tratamento de imagem da capa: Paula Korosue
Imagem da capa: *Female Infanticide*, de Rani Jha/ Ethnic Arts Foundation

Título original: *The namesake*

CIP-BRASIL. CATALOGAÇÃO NA PUBLICAÇÃO
SINDICATO NACIONAL DOS EDITORES DE LIVROS, RJ

L173x
Lahiri, Jhumpa, 1967-
O xará / Jhumpa Lahiri ; tradução Rafael Mantovani. - 1. ed. - São Paulo : Editora Globo, 2014.
344 p. : il. ; 21 cm.

Tradução de: The namesake
ISBN 978-85-250-5732-7

1. Romance inglês. I. Mantovani, Rafael. II. Título.

14-13063 CDD: 823
CDU: 821.111-3

1ª edição, 2014

Direitos exclusivos de edição em língua portuguesa para o Brasil adquiridos por
EDITORA GLOBO S.A.
Av. Jaguaré, 1485
São Paulo-SP 05346-902
www.globolivros.com.br

Para Alberto e Octavio, a quem chamo por outros nomes.

O leitor deve perceber por conta própria que não poderia ter acontecido de outro modo, e que dar-lhe qualquer outro nome estava totalmente fora de questão.

Nikolai Gógol, "O capote"

1.

1968

Numa noite abafada de agosto, duas semanas antes da data prevista para o parto, Ashima Ganguli está de pé na cozinha de um apartamento na Central Square misturando cereal Rice Krispies, amendoins Planters e cebola roxa picada numa vasilha. Acrescenta sal, suco de limão, fatias finas de pimenta chili verde, desejando que houvesse óleo de mostarda para acrescentar à receita. Ashima tem consumido esse preparado durante toda a sua gravidez, uma despretensiosa imitação do lanche vendido em cones de jornal por alguns centavos nas calçadas de Calcutá e em plataformas ferroviárias de toda a Índia. Mesmo agora, quando quase não há mais espaço dentro de seu corpo, é a única coisa pela qual sente desejo. Experimentando com a mão em concha, ela franze a testa; como sempre, está faltando alguma coisa. Ela lança um olhar vazio para os ganchos atrás do balcão onde estão pendurados seus utensílios de cozinha, todos cobertos por uma leve camada de gordura. Enxuga o suor do rosto com a ponta solta do sári. Seus pés inchados doem ao pisar o chão de linóleo pontilhado de cinza. Sua pelve dói com o peso do bebê. Ela abre um armário cujas prateleiras forradas com um papel quadriculado amarelo e branco encardido ela quer trocar faz tempo e estende a mão para pegar outra cebola, franzindo a testa outra vez enquanto retira a fresca casca magenta. Um calor curioso inunda seu abdome, seguido de uma contração tão forte que ela dobra o corpo para a frente, gemendo sem som, e solta a cebola, que cai com um baque no chão.

A sensação passa, mas logo é seguida por um espasmo mais longo de desconforto. No banheiro ela descobre, em sua calcinha, uma camada espessa de sangue amarronzado. Ela grita chamando o marido, Ashoke, um doutorando em engenharia elétrica no MIT, que está estudando no quarto. Está debruçado sobre uma mesa baixa; na borda da cama deles, dois colchões de solteiro lado a lado, sob uma colcha de *batik* vermelha e roxa, lhe servem de cadeira. Quando ela chama Ashoke, não diz seu nome. Ashima nunca pensa no nome do marido quando pensa nele, embora saiba muito bem qual seja. Adotou o sobrenome dele, mas recusa-se, por decoro, a pronunciar seu primeiro nome. Não é o tipo de coisa que uma esposa bengali faz. Como um beijo ou uma carícia num filme hindu, o nome de um marido é algo íntimo e portanto velado, sutilmente encoberto. E então, em vez de dizer o nome de Ashoke, ela pronuncia a interrogação que passou a substituí-lo, que se traduz mais ou menos como "Você está me ouvindo?".

Ao amanhecer, um táxi é chamado para transportá-los pelas ruas desertas de Cambridge, subindo a avenida Massachusetts e passando pelo Harvard Yard, até o hospital Mount Auburn. Ashima dá entrada na recepção, respondendo a perguntas sobre a frequência e duração das contrações, enquanto Ashoke preenche os formulários. É colocada numa cadeira de rodas e conduzida pelos corredores brilhantes sob uma luz forte até um elevador mais espaçoso que sua cozinha. No andar da maternidade ela é instalada numa cama ao lado de uma janela, num quarto no fim do corredor. Pedem que ela tire seu sári de seda de Murshidabad e vista uma camisola florida de algodão que, para seu leve constrangimento, só chega até os joelhos. Uma enfermeira se oferece para dobrar o sári, mas, exasperada com os cinco metros e meio de tecido escorregadio, acaba enfiando o material na valise azul-ardósia de Ashima. Seu obstetra, o dr. Ashley, homem de uma beleza esguia estilo Lord Mountbatten, com cabelos finos cor de areia que ele afasta das têmporas, chega para examiná-la. A cabeça do bebê está na posição certa, já começou a descer. Ele lhe diz que ela ainda está no começo do trabalho de parto, com três centímetros de dilatação, começando a afunilar. "O que isso quer dizer, dilatação?", ela pergunta, e o dr. Ashley ergue dois dedos lado a lado, depois os separa, explicando a coisa inimaginável que o corpo dela precisa fazer para o bebê passar. O processo vai levar algum tempo, o dr. Ashley diz; por esta ser sua primeira gravidez, o trabalho de parto pode levar vinte e quatro horas, às vezes mais. Ela procura o rosto de Ashoke, mas ele foi para trás da cortina que o médico fechou. "Eu volto", Ashoke diz a ela em bengali, e então uma enfermeira acrescenta: "Não se preocupe, sr. Ganguli. Ela ainda tem um longo caminho pela frente. A gente assume a partir daqui".

Agora ela está sozinha, entre cortinas que a separam de outras três mulheres no quarto. O nome de uma das mulheres, ela depreende de trechos de conversa, é Beverly. A outra é Lois. Carol está deitada à sua esquerda. "Droga, seu maldito, que inferno", ela ouve uma delas dizer. E então uma voz de homem: "Eu te amo, meu bem". Palavras que Ashima nunca ouviu nem espera ouvir de seu marido; não é assim que eles são. É a primeira vez na vida que ela dorme sozinha, cercada de estranhos; dormiu a vida toda num quarto com os pais ou com Ashoke ao seu lado. Queria que as cortinas estivessem abertas para poder conversar com as mulheres americanas. Quem sabe uma delas já deu à luz antes e pode dizer a ela o que está por vir. Mas ela entendeu que os americanos, apesar de suas demonstrações públicas de afeto, de suas minissaias e biquínis, apesar de andarem na rua de mãos dadas e deitarem uns em cima dos outros no parque de Cambridge, preferem sua privacidade. Ela estende os dedos sobre o enorme tambor esticado que a sua cintura se tornou, perguntando-se onde estão os pés e as mãos do bebê nesse momento. A criança não está mais agitada; nos últimos dias, além das mexidas ocasionais, ela não sentiu socos nem chutes, nem nada pressionando suas costelas. Ashima se pergunta se é a única pessoa indiana no hospital, porém um leve movimento do bebê a faz lembrar que, tecnicamente, não está sozinha. Estranha o fato de que sua criança nascerá num lugar onde as pessoas geralmente entram para sofrer ou para morrer. Não há nada que a conforte nos azulejos esbranquiçados do piso, nos painéis esbranquiçados do teto, nos lençóis brancos bem presos na cama. Na Índia, ela pensa, as mulheres vão dar à luz na casa dos pais, longe do marido, dos cunhados e dos sogros, longe dos afazeres domésticos, retrocedendo brevemente à infância quando o bebê chega.

Outra contração começa, mais violenta que a última. Ela grita, apertando a cabeça no travesseiro. Seus dedos seguram com força as barras frias da cama. Ninguém a ouve, nenhuma enfermeira corre para o seu lado. Ela foi instruída a contar a duração das contrações e, por isso, consulta seu relógio, presente de despedida dos pais, colocado em seu pulso da última vez em que ela os viu, entre lágrimas e a confusão do aeroporto. Foi só a bordo do avião, voando pela primeira vez na vida num BOAC VC-10, a cuja decolagem ensurdecedora fora assistida por vinte e seis membros de sua família no terraço do aeroporto Dum Dum, enquanto ela cruzava o céu sobre regiões da Índia onde jamais pisara, e depois ainda mais longe, já não mais na Índia, que ela notara o relógio entre a profusão de pulseiras matrimoniais em ambos os braços: ferro, ouro, coral, concha. Agora, além disso tudo, ela está usando uma pulseira de plástico com uma etiqueta escrita à máquina, identificando-a como paciente do hospital. Ela deixa o relógio virado para o lado de dentro do pulso. No verso, cercadas pelas palavras à *prova d'água*, *antimagnético* e *proteção contra choque*, estão inscritas suas iniciais de casada, A. G.

Segundos americanos fazem tique-taque em seu pulso. Por meio minuto, uma faixa de dor envolve seu abdome, irradiando-se para as costas e depois para as pernas. E então, novamente, o alívio. Nas mãos ela calcula que horas são na Índia. A ponta de seu polegar vai subindo pelas riscas marrons gravadas no torso dos dedos e para no meio do terceiro: são nove horas e meia a mais em Calcutá, já é noite, oito e meia. Nesse exato instante, na cozinha do apartamento de seus pais, na rua Amherst, uma criada serve o chá em copos fumegantes depois do jantar e arruma biscoitos Maria numa bandeja. A mãe, que muito em breve será avó, está parada diante do espelho da penteadeira, desembaraçando com os dedos seus cabelos que vão até a cintura, ainda mais pretos do que grisalhos. O pai está perto da janela, curvado sobre sua prancheta manchada de tinta, desenhando, fumando, ouvindo a *Voz da América*. O irmão mais novo, Rana, está estudando na cama para uma prova de física. Ela visualiza claramente o chão cinza de cimento da sala de estar dos pais, sente esse frio sólido sob os pés mesmo nos dias mais quentes. Uma enorme fotografia em preto e branco do falecido avô paterno assoma num dos lados, na parede de estuque cor-de-rosa. Do lado oposto há um nicho protegido por vidraças foscas, abarrotado de livros, papéis e as latas de aquarela de seu pai. Por um instante o peso do bebê desaparece, suplantado pela cena que surge diante de seus olhos, só para ser suplantado outra vez por um trecho azul do rio Charles, pelas copas de árvores cheias e verdes, pelos carros que sobem e descem o Memorial Drive.

Em Cambridge são onze da manhã, já é hora do almoço no dia acelerado do hospital. Uma bandeja com suco quente de maçã, gelatina, sorvete e frango assado frio é trazida à cabeceira de sua cama. Patty, a enfermeira simpática com um anel de noivado e franja de cabelos ruivos sob a touca, diz a Ashima para só comer a gelatina e tomar o suco de maçã. Tanto faz. Ashima não teria tocado no frango de qualquer modo, mesmo que lhe permitissem; os americanos comem frango com pele, embora Ashima recentemente tenha encontrado um açougueiro gentil na rua Prospect disposto a tirar a pele para ela. Patty vem afofar os travesseiros, arrumar a cama. O dr. Ashley enfia a cabeça entre as cortinas de vez em quando.

"Não precisa se preocupar", ele diz numa voz cantada, encostando o estetoscópio na barriga de Ashima, dando-lhe tapinhas na mão e admirando suas várias pulseiras. "Tudo parece perfeitamente normal. Esperamos um parto perfeitamente normal, sra. Ganguli."

Mas nada parece normal para Ashima. Nos últimos dezoito meses, desde que ela chegou a Cambridge, nada parece nem um pouco normal. Não é tanto a dor. À dor ela sabe que, de algum modo, vai sobreviver. É a consequência: ser mãe numa terra estrangeira. Pois uma coisa era estar grávida, passar as manhãs enjoada na cama, as noites de insônia, as costas latejando de leve, as incontáveis idas ao banheiro. Durante toda essa experiência, apesar do desconforto cada vez maior, ela se espantava com a capacidade de seu corpo de gerar vida, exatamente como a mãe e a avó e as bisavós tinham feito. O fato de aquilo estar acontecendo tão longe de casa, sem ser acompanhada e monitorada pelas pessoas que amava, tornava tudo ainda mais milagroso. Mas ela tem pavor de criar um filho num país onde não possui nenhum parente, onde conhece tão pouco, onde a vida parece tão incerta e austera.

"Que tal andar um pouquinho? Talvez te faça bem", Patty pergunta ao voltar para retirar a bandeja do almoço.

Ashima ergue o olhar de uma edição surrada da revista *Desh* que trouxera para ler no avião para Boston e da qual ainda não conseguira se desfazer. As páginas impressas em letras bengalis, levemente ásperas ao toque, são um perpétuo conforto para ela. Já leu uma dúzia de vezes cada um dos contos, poemas e artigos. Há na página onze um desenho a bico de pena de seu pai, ilustrador da revista: uma vista do horizonte do norte de Calcutá, desenhada do telhado do apartamento deles numa manhã de neblina em janeiro. Ela ficara atrás do pai enquanto ele desenhava, observando-o debruçado sobre o cavalete, com um cigarro entre os lábios, os ombros embrulhados num xale preto de caxemira.

"Sim, tá bom", diz Ashima.

Patty ajuda Ashima a sair da cama, enfia seus pés um por vez num par de chinelos, cobre seus ombros com uma segunda camisola. "Pense uma coisa", diz Patty enquanto Ashima se esforça para ficar de pé. "Daqui a um ou dois dias, você vai ter metade do tamanho." Ela toma o braço de Ashima enquanto as duas saem do quarto para o corredor. Após alguns metros Ashima para, as pernas trêmulas enquanto outra onda de dor perpassa seu corpo. Ela balança a cabeça e seus olhos se enchem de lágrimas. "Não consigo."

"Consegue sim. Aperte minha mão. Aperte com a força que você quiser."

Após um minuto elas voltam a andar, indo em direção ao posto de enfermagem. "Está torcendo para ser menino ou menina?", Patty pergunta.

"Contanto que tenha dez dedo na mão e no pé", Ashima responde. São esses detalhes anatômicos, esses sinais específicos de vida, o que ela mais tem dificuldade de visualizar quando imagina o bebê em seus braços.

Patty abre um sorriso, meio grande demais, e de repente Ashima percebe seu erro, sabe que deveria ter dito "dedos", "mãos" e "pés".

Esse erro lhe causa quase tanta dor quanto sua última contração. Inglês era a sua área. Em Calcutá, antes de se casar, estava cursando uma faculdade. Dava aulas particulares em domicílio para crianças do bairro, em suas varandas e camas, ajudando-as a decorar Tennyson e Wordsworth, a pronunciar palavras como *sign* e *cough*, a entender a diferença entre a tragédia aristotélica e a shakespeariana. Mas em bengali, um dedo também pode significar dedos, pé também pode significar pés.

Foi depois de uma aula particular que, certo dia, a mãe de Ashima a recebeu na porta e a mandou ir direto para o quarto se arrumar; havia um homem esperando para vê-la. Era o terceiro em três meses. O primeiro tinha sido um viúvo com quatro filhos. O segundo, um cartunista de jornal que conhecia o pai dela, fora atropelado por um ônibus na Esplanade e perdera o braço esquerdo. Para seu grande alívio, ambos a haviam rejeitado. Ela tinha dezenove anos, estava no meio dos estudos e não tinha pressa de noivar. E assim, obediente mas sem expectativa, desembaraçou o cabelo e refez sua trança, limpou o *kohl* borrado embaixo dos olhos, cobriu a pele com pó de Cuticura usando uma almofadinha de veludo. Dobrou e enfiou na anágua o sári transparente verde-papagaio que sua mãe deixara estendido na cama. Antes de entrar na sala, Ashima parou no corredor. Escutou a mãe dizer: "Ela gosta de cozinhar, e é excelente no tricô. Em uma semana terminou este cardigã que estou vestindo".

Ashima sorriu, achando graça na conversa de vendedora da mãe; levara mais de meio ano para terminar o cardigã, e sua mãe ainda teve que fazer as mangas. Ao olhar de relance para o lugar no chão onde os visitantes costumavam tirar os chinelos, ela notou, ao lado de dois pares de *chappals*, um par de sapatos masculinos que não eram parecidos com nada que ela tivesse visto nas ruas, bondes e ônibus de Calcutá, ou mesmo nas vitrines de Bata. Eram sapatos marrons com saltos pretos, cordões e costura na cor *off-white*. Havia uma série de buracos em relevo, do tamanho de lentilhas, dos dois lados de cada sapato, e nas pontas, um belo desenho no couro como se feito com uma agulha. Ao olhar mais de perto ela viu a assinatura do sapateiro grafada do lado de dentro, em letras douradas, quase totalmente apagadas: alguma coisa e filhos, dizia. Viu o tamanho, oito e meio, e as iniciais USA. E enquanto a mãe continuava a enumerar seus méritos, Ashima, sem conseguir resistir a um impulso repentino e poderoso, pôs os pés dentro dos sapatos que estavam no chão. O resto de suor dos pés do dono misturou-se ao dela, fazendo seu coração disparar; era a coisa mais próxima do toque de um homem que ela já tinha sentido. O couro era enrugado, pesado, e ainda estava quente. No sapato direito ela notara que um dos cadarços em zigue-zague tinha pulado um buraco, e essa desatenção a deixou mais à vontade.

Ela descalçou os sapatos e entrou na sala. O homem estava sentado numa cadeira de ratã e seus pais, na beira da cama de solteiro onde o irmão dela dormia à noite. Era um pouco gordinho, com a aparência de um acadêmico, porém ainda jovem, com óculos pretos de aro grosso e um nariz pontudo e proeminente. Um bigode bem aparado, emendado com a barba que lhe cobria apenas o queixo, dava-lhe um ar elegante, vagamente aristocrático. Usava meias marrons, calças marrons e uma camisa listrada verde e branca, e olhava cabisbaixo para os joelhos.

Ele não ergueu o rosto quando ela apareceu. Embora ela tenha notado seu olhar acompanhando-a ao atravessar a sala, quando conseguiu olhar para ele outra vez, de relance, ele já estava novamente indiferente, concentrado em seus joelhos. Limpou a garganta como se fosse falar, porém não disse nada. Em vez disso foi o pai dele quem falou, dizendo que o filho tinha estudado no St. Xavier's, depois no B. E. College, e se formado em primeiro lugar em ambas as instituições. Ashima sentou-se e alisou as dobras de seu sári. Sentiu a mãe observá-la com aprovação. Ashima, com um metro e sessenta e dois de altura, era alta para uma mulher bengali, e tinha quarenta e cinco quilos. Sua pele era mais escura do que clara, mas ela tinha sido comparada, em mais de uma ocasião, à atriz Madhabi Mukherjee. Suas unhas eram admiravelmente compridas, seus dedos, como os do pai, artisticamente finos. Eles perguntaram sobre os estudos dela e pediram que recitasse algumas estrofes de "Os narcisos". A família do homem morava em Alipore. O pai era fiscal de direitos trabalhistas no departamento aduaneiro de uma transportadora. "Meu filho está morando fora há dois anos", disse o pai do homem, "fazendo doutorado em Boston, na área de fibras ópticas." Ashima nunca tinha ouvido falar de Boston, nem de fibras ópticas. Perguntaram-lhe se estava disposta a viajar de avião, e depois se conseguiria morar numa cidade com invernos severos e muita neve, vivendo sozinha.

"Ele não vai estar lá?", perguntou, apontando para o homem cujos sapatos ela tinha calçado por um breve instante, e que ainda não lhe dirigira palavra alguma.

Foi só após o noivado que ela soube o nome dele. Uma semana depois, os convites foram impressos, e duas semanas depois disso ela foi adornada e arrumada por inúmeras tias, inúmeras primas que zanzavam à sua volta. Estes foram seus últimos momentos como Ashima Bhaduri, antes de tornar-se Ashima Ganguli. Seus lábios foram escurecidos, a testa e as bochechas foram pontilhadas com pasta de sândalo, os cabelos foram enrolados, amarrados com flores e presos com cem grampos que levariam uma hora para serem tirados depois que o casamento finalmente acabasse. Sua cabeça foi coberta com uma rede escarlate. O ar estava úmido e, apesar dos grampos, o cabelo de Ashima, o mais grosso dentre o de todas as primas, não ficava assentado. Ela vestiu todos os colares e pulseiras que estavam destinados a passar a maior parte da vida numa gaveta de segurança num cofre de banco na Nova Inglaterra. Na hora marcada, sentaram-na em cima de um *piri* que seu pai tinha decorado, içaram-na a um metro e meio do chão e carregaram-na para conhecer o noivo. Ela escondeu o rosto com uma folha de bétele em forma de coração e manteve a cabeça baixa até completar sete voltas ao redor dele.

A treze mil quilômetros dali, em Cambridge, ela o conheceu de fato. À noite cozinha para ele, tentando agradá-lo com o açúcar, a farinha, o arroz e o sal não racionados e notavelmente imaculados que ela mencionou à mãe na primeira carta que escreveu para casa. Agora ela já aprendeu que o marido gosta da comida meio salgada, que seu ingrediente preferido no curry de cordeiro são as batatas, e que ele gosta de terminar o jantar com uma última porção de arroz e *dal*. À noite, deitado ao seu lado na cama, ele a ouve descrever os acontecimentos de seu dia: suas caminhadas pela avenida Massachusetts, as lojas que ela visita, os hare krishnas que a atormentam com seus panfletos, os sorvetes de pistache que ela saboreia na Harvard Square. Apesar de sua renda escassa de pós-graduando, ele separa dinheiro para enviar a cada alguns meses para o pai, para ajudá-los a construir um anexo na casa. Ele é meticuloso com suas roupas; a primeira discussão deles foi a respeito de um suéter que ela deixara encolher na máquina de lavar. Assim que chega em casa, da universidade, a primeira coisa que ele faz é pendurar a camisa e as calças e vestir um pijama com cintura de cordão, e um pulôver nos dias frios. Aos domingos, passa uma hora ocupado com suas latas de graxa e seus três pares de sapatos, dois pretos e um marrom. Os marrons são os que ele estava usando quando veio vê-la pela primeira vez. A imagem dele de pernas cruzadas sobre os jornais espalhados no chão, esfregando cuidadosamente o couro com uma escova, sempre a lembra da indiscrição que ela cometeu no corredor da casa dos pais. É um momento que ainda a choca e que ela prefere, apesar de tudo o que lhe conta à noite sobre a vida que eles agora compartilham, guardar para si mesma.

Em outro andar do hospital, numa sala de espera, Ashoke está debruçado sobre uma edição do *Boston Globe* do mês anterior, abandonado numa cadeira vizinha. Lê sobre as revoltas que aconteceram durante a Convenção Democrática Nacional em Chicago e sobre o dr. Benjamin Spock, o pediatra, sentenciado a dois anos de prisão por ameaçar aconselhar quem recusasse o alistamento. O Favre Leuba em seu pulso está seis minutos adiantado em relação ao grande relógio cinza na parede. São quatro e meia da manhã. Uma hora antes, Ashoke estava dormindo um sono pesado em casa, com o lado de Ashima da cama coberto de provas que ele estivera corrigindo tarde da noite, quando o telefone tocou. Ashima estava com bastante dilatação e sendo levada para a sala de parto, disse a pessoa do outro lado da linha. Ao chegar ao hospital, informaram-lhe que ela já estava fazendo força para ter o bebê, que agora poderia ser a qualquer momento. Qualquer momento. E, no entanto, parecia ter sido há poucos dias, em certa manhã de inverno com o céu cor de aço, enquanto as janelas da casa eram apedrejadas com granizo, que ela havia cuspido o chá, acusando-o de colocar sal em vez de açúcar. Para provar que tinha razão, ele tomara um gole do líquido doce da xícara dela, mas ela insistira que estava amargo e despejara o chá na pia. Essa tinha sido a primeira coisa que despertara suas suspeitas, depois confirmada pelo médico, e a partir de então ele acordava com o barulho de Ashima vomitando toda manhã, quando ela ia escovar os dentes. Antes de sair para a universidade, ele deixava uma xícara de chá ao lado da cama, onde ela ficava deitada, lânguida e em silêncio. Muitas vezes, quando voltava à noite, ele ainda a encontrava deitada ali, o chá intocado.

Ele agora está desesperado para tomar uma xícara de chá, por não ter conseguido preparar uma antes de sair de casa. No entanto, a máquina no corredor só serve café, morno no melhor dos casos, em copos de papel. Ele tira seus óculos de aro grosso, feitos numa ótica em Calcutá, limpa as lentes com o lenço de algodão que sempre traz no bolso, A de Ashoke bordado por sua mãe com uma linha azul-clara. Seus cabelos pretos, normalmente penteados para trás com esmero a partir da testa, estão desgrenhados, com tufos arrepiados. Ele se levanta e começa a andar de um lado para o outro, como fazem os outros futuros pais. Até agora, a porta da sala de espera se abriu duas vezes, e uma enfermeira anunciou que um deles teve um menino ou uma menina. Há uma série de apertos de mãos, tapinhas nas costas, antes de o pai ser levado para fora. Os homens esperam com charutos, flores, agendas de endereços, garrafas de champanhe. Fumam cigarros e deixam as cinzas cair no chão. Ashoke é indiferente a esses comportamentos. Não fuma nem bebe nenhum tipo de álcool. É Ashima quem guarda todos os endereços deles, num pequeno caderno que leva na bolsa. Nunca lhe ocorreu comprar flores para a mulher.

Ele volta para o *Globe*, ainda andando de um lado para o outro enquanto lê. Um pequeno problema na perna faz o pé direito de Ashoke arrastar-se quase imperceptivelmente a cada passo. Desde a infância ele tem o hábito e a capacidade de ler enquanto anda, segurando um livro na mão a caminho da escola, de um cômodo para o outro na casa de três andares dos pais em Alipore, ou enquanto sobe e desce as escadas de argila vermelha. Nada o tirava da leitura. Nada o distraía. Nada o fazia tropeçar. Na adolescência leu toda a obra de Dickens. Leu autores mais novos também, Graham Greene e Somerset Maugham, todos comprados em sua banca favorita na rua College, com dinheiro que ganhava no *pujo*. Mas ele gostava dos russos mais que tudo. Seu avô paterno, um ex-professor de literatura europeia na Universidade de Calcutá, lia trechos deles em voz alta em traduções inglesas quando Ashoke era menino. Todo dia na hora do chá, enquanto seus irmãos e irmãs jogavam kabadi e críquete lá fora, Ashoke ia para o quarto do avô e, por uma hora, o avô lia deitado de costas na cama, com os tornozelos cruzados e o livro aberto apoiado no peito, e Ashoke encolhido ao seu lado. Durante essa hora, Ashoke era surdo e cego para o mundo ao seu redor. Não ouvia os irmãos e irmãs rindo no telhado, nem notava o quarto minúsculo, empoeirado e abarrotado onde seu avô lia. "Leia todos os russos, e depois leia de novo", o avô disse. "Eles nunca vão te deixar na mão." Quando o inglês de Ashoke ficou bom o suficiente, ele começou a ler os livros sozinho. Foi caminhando em algumas das ruas mais movimentadas e barulhentas do mundo, na Chowringhee e na Gariahat Road, que ele leu páginas de *Os irmãos Karamázov*, *Anna Karenina* e *Pais e filhos*. Uma vez, um jovem primo tentou imitá-lo, caiu da escada de argila vermelha na casa de Ashoke e quebrou um braço. A mãe de Ashoke sempre esteve convencida de que seu filho mais velho seria atropelado por um ônibus ou um bonde, com o nariz enterrado em *Guerra e paz*. Que ele estaria lendo um livro no momento de sua morte.

Um dia, nas primeiras horas de 20 de outubro de 1961, isso quase aconteceu. Ashoke tinha vinte e dois anos e estudava no B. E. College. Viajava no trem 83 Up Howrah-Ranchi Express para visitar os avôs nas férias; eles tinham se mudado de Calcutá para Jamshedpur quando seu avô se aposentou da universidade. Ashoke nunca passara as férias longe da família. Mas seu avô recentemente ficara cego e solicitara especificamente a companhia de Ashoke, para ler o *Statesman* para ele de manhã, Dostoiévski e Tolstói à tarde. Ashoke aceitou o convite com entusiasmo. Levou duas malas, uma com roupas e presentes, a outra, vazia. Pois seria nesta visita, dissera o avô, que os livros de sua estante com portas de vidro, colecionados ao longo de uma vida inteira e trancados à chave, seriam dados ao neto. Os livros lhe tinham sido prometidos durante toda a sua infância, e Ashoke, até onde sua memória alcançava, os cobiçava mais do que qualquer outra coisa no mundo. Já tinha ganhado alguns nos últimos anos, em aniversários e outras ocasiões especiais. Mas agora que chegara o dia de herdar o restante, um dia em que o avô já não podia mais ler os livros sozinho, Ashoke estava triste e, ao guardar a mala vazia embaixo de seu assento, ficou desconcertado com sua leveza, pesaroso com as circunstâncias que fariam com que ela voltasse cheia.

Ele levou um único livro na viagem, uma coletânea de contos de Nikolai Gógol, uma edição de capa dura que o avô lhe dera quando ele se formara no décimo segundo ano. Na folha de rosto, sob a assinatura do avô, Ashoke escreveu sua própria. Por causa da paixão de Ashoke por esse livro específico, a lombada rachara recentemente, ameaçando dividir o volume em duas partes. Seu conto preferido no livro era "O capote", e foi esse que Ashoke começou a reler quando o trem partiu da estação Howrah tarde da noite, acompanhado de um apito prolongado e ensurdecedor, para longe de seus pais e seus seis irmãos mais novos, que tinham vindo se despedir e se amontoado na janela até o último instante, acenando para ele na penumbra da longa plataforma. Ele lera "O capote" inúmeras vezes e tinha certas frases e palavras gravadas na memória. Toda vez era cativado pela absurda, trágica mas estranhamente inspiradora história de Akáki Akakiévitch, o protagonista pobre que leva uma vida modesta copiando documentos escritos pelos outros e sendo ridicularizado por praticamente todo mundo. Seu coração se abria para o pobre Akáki, um humilde amanuense assim como o pai de Ashoke tinha sido no começo de sua carreira. Toda vez, ao ler o trecho do batismo de Akáki e a série de nomes esdrúxulos que sua mãe tinha rejeitado, Ashoke ria em voz alta. Tinha calafrios com a descrição do dedão do pé do alfaiate Petróvitch, "com sua unha deformada, grossa e dura feito o casco de uma tartaruga". Sua boca salivava com a vitela fria, os doces cremosos e o champanhe que Akáki consumiu na noite em que seu precioso capote foi roubado, apesar de o próprio Ashoke jamais ter experimentado essas coisas. Ashoke sempre ficava devastado quando Akáki era roubado numa "praça que lhe parecia um deserto pavoroso", deixando-o com frio e vulnerável, e a morte de Akáki, algumas páginas depois, nunca deixava de encher seus olhos de lágrimas. Em alguns aspectos, a história fazia menos sentido cada vez que a lia. As cenas que ele imaginava tão vividamente, e absorvia tão completamente, ficavam mais elusivas e profundas. Da mesma forma que o fantasma de Akáki assombrava as páginas finais, assombrava também um lugar no fundo da alma de Ashoke, iluminando tudo o que era irracional, tudo o que era inevitável no mundo.

Lá fora, a paisagem escurecia rapidamente, e as esparsas luzes da Howrah cediam lugar ao nada. Ele tinha um leito de segunda classe no sétimo vagão, atrás do vagão com ar-condicionado. Por causa da época do ano, o trem estava especialmente lotado, especialmente barulhento, cheio de famílias de férias. Crianças pequenas vestiam suas melhores roupas, as meninas usavam fitas de cores vivas no cabelo. Embora ele tivesse jantado antes de partir para a estação, havia aos seus pés uma marmita de quatro andares abarrotada de comida feita por sua mãe, para o caso de a fome atacá-lo à noite. Ele dividia seu compartimento com outras três pessoas. Havia um casal *bihari* de meia-idade que, como ele deduziu ouvindo sua conversa, acabara de casar a filha mais velha, e um simpático empresário bengali de meia-idade e barriga protuberante, que trajava terno e gravata, chamado Ghosh. Ghosh contou a Ashoke que retornara recentemente à Índia após passar dois anos na Inglaterra, trabalhando graças a um programa de incentivo do governo, mas que voltara porque sua mulher sentia uma tristeza inconsolável no exterior. Ghosh falava da Inglaterra com respeito. As ruas, vazias, que brilhavam de tão limpas, os carros pretos lustrosos, as fileiras de casas brancas reluzentes, ele disse, pareciam um sonho. Os trens partiam e chegavam no horário certo, disse Ghosh. Ninguém cuspia nas calçadas. Seu filho nascera num hospital britânico.

"Já viu muita coisa neste mundo?", Ghosh perguntou a Ashoke, desamarrando os cadarços e instalando-se de pernas cruzadas no beliche. Tirou do bolso do paletó um maço de cigarros Dunhill, oferecendo-os para as pessoas do compartimento antes de acender um para si.

"Fui uma vez para Délhi", respondeu Ashoke. "E ultimamente tenho ido uma vez por ano para Jamshedpur."

Ghosh esticou o braço para fora da janela, batendo noite adentro a ponta em brasa de seu cigarro. "Não este mundo", ele disse, olhando decepcionado para o interior do trem. Inclinou a cabeça na direção da janela. "Inglaterra. Estados Unidos", disse, como se as vilas sem nome por quais passavam tivessem sido substituídas por esses países. "Você já pensou em ir para lá?"

"Meus professores mencionam isso de vez em quando. Mas eu tenho uma família", disse Ashoke.

Ghosh franziu a testa. "Já é casado?"

"Não. Mãe e pai e seis irmãos. Eu sou o mais velho."

"E daqui a alguns anos estará casado e morando na casa dos seus pais", especulou Ghosh.

"Imagino que sim."

Ghosh balançou a cabeça. "Você ainda é jovem. Livre", disse, espalmando as mãos num gesto enfático. "Faça um favor para si mesmo. Antes que seja tarde demais, sem pensar muito nisso no começo, pegue um travesseiro e um cobertor e vá ver o mundo, tudo o que você puder. Você não vai se arrepender. Um dia vai ser tarde demais."

"Meu avô sempre diz que é para isso que servem os livros", disse Ashoke, aproveitando a oportunidade para abrir o livro que tinha nas mãos. "Para viajar sem sair do lugar."

"Cada um com o seu prazer", disse Ghosh. Inclinou a cabeça para o lado num gesto polido e deixou o resto do cigarro cair de seus dedos. Enfiou a mão numa bolsa a seus pés e tirou seu diário, abrindo na página do dia 20 de outubro. A página estava em branco, e nela, com uma caneta-tinteiro cuja tampa ele desenroscou solenemente, escreveu seu nome e endereço. Arrancou a página e entregou-a a Ashoke. "Se um dia você mudar de ideia e precisar de contatos, me avise. Moro em Tollygunge, logo atrás da garagem dos bondes."

"Obrigado", disse Ashoke, dobrando o papel e colocando-o atrás da capa do livro.

"Que tal um carteado?", Ghosh sugeriu. Ele tirou do bolso do paletó um baralho surrado, com a imagem do Big Ben no verso. Mas Ashoke recusou educadamente, pois não conhecia nenhum jogo de cartas e, além disso, preferia ler. Um por um os passageiros escovaram os dentes no vestíbulo, vestiram seus pijamas, fecharam as cortinas em volta de seus compartimentos e foram dormir. Ghosh se ofereceu para ficar com o leito de cima no beliche, subiu a escada descalço, o paletó cuidadosamente dobrado e guardado, e deixou a janela inteira para Ashoke. O casal *bihari* dividiu alguns doces de uma caixa e bebeu água do mesmo copo, sem que nenhum deles pusesse a boca na borda; depois também se instalaram em seus beliches, apagaram as luzes e viraram o rosto para a parede.

Ashoke continuou a ler, ainda sentado, sem trocar de roupa. Uma única lâmpada pequena lançava um brilho fraco sobre sua cabeça. De quando em quando ele olhava pela janela aberta a noite retinta de Bengala, os vagos contornos de palmeiras e casas simplíssimas. Virava com cuidado as páginas macias e amarelas do livro, algumas com delicados buracos feitos por traças. Os bufos da locomotiva eram reconfortantes, poderosos. No fundo do peito ele sentia o tranco das rodas. Centelhas da chaminé passavam por sua janela. Uma fina camada de fuligem grudenta salpicou um dos lados de seu rosto, sua pálpebra, seu braço, seu pescoço; a avó insistiria para que ele se esfregasse com uma barra de sabão Margo assim que chegasse. Imerso nas agruras indumentárias de Akáki Akakiévitch, perdido nas largas avenidas de São Petersburgo cheias de neve branca e vento, sem saber que um dia ele próprio moraria num lugar com neve, às duas e meia da manhã Ashoke ainda estava lendo e era um dos poucos passageiros acordados no trem, quando a locomotiva e sete vagões descarrilaram da ferrovia de bitola larga. O som foi como o de uma bomba explodindo. Os quatro primeiros vagões capotaram numa vala ao longo do trilho. O quinto e o sexto, contendo os passageiros de primeira classe e os dos leitos com ar-condicionado, entraram um dentro do outro, matando os passageiros durante o sono. O sétimo, onde Ashoke estava sentado, capotou também, arremessado para longe no campo, por causa da velocidade da batida. O acidente aconteceu a duzentos e nove quilômetros de Calcutá, entre as estações de Ghatshila e Dhalbumgarh. O telefone portátil do guarda do trem não funcionava; foi só após correr quase cinco quilômetros do local do acidente, até Ghatshila, que o guarda conseguiu transmitir o primeiro pedido de ajuda. Mais de uma hora se passou até o resgate chegar trazendo lampiões, pás e machados para retirar os corpos dos vagões.

Ashoke ainda se lembra dos gritos deles, dos homens perguntando se havia alguém vivo. Lembra que tentou gritar de volta, sem conseguir, sua boca emitindo apenas um arquejo muito fraco. Lembra-se do som de pessoas semimortas ao seu redor, gemendo e batendo nas paredes do trem, pedindo ajuda com sussurros roucos, palavras que só aqueles que também estavam presos e feridos podiam escutar. Seu peito e a manga direita da camisa estavam empapados de sangue. Parte de seu corpo fora lançada para fora da janela. Lembra-se de não conseguir ver nada; nas primeiras horas pensou que talvez, assim como o avô a quem estava indo visitar, tivesse ficado cego. Lembra-se do cheiro ácido das chamas, do zumbido das moscas, do choro das crianças, do gosto de pó e sangue em sua língua. Eles estavam no meio do nada, em algum lugar no campo. Zanzando à sua volta havia aldeões, inspetores de polícia, uns poucos médicos. Ele se lembra de ter acreditado que estava morrendo, que talvez já estivesse morto. Não sentia a metade de baixo de seu corpo, e por isso não sabia que os membros mutilados de Ghosh estavam estirados sobre suas pernas. Por fim ele viu o azul frio e hostil da alvorada, com a lua e poucas estrelas ainda no céu. As páginas do livro, que fora arremessado de sua mão, tremulavam em dois pedaços a poucos metros do trem. O brilho de um lampião de busca pousou brevemente sobre as páginas, distraindo por um instante um dos homens do resgate. "Nada aqui", Ashoke ouviu alguém dizer. "Vamos continuar."

Mas a luz do lampião demorou-se ali, apenas por tempo suficiente para que Ashoke levantasse a mão, um gesto que ele achou que fosse consumir o pequeno fragmento de vida que lhe restava. Ainda estava segurando uma única página de "O capote", amassada com força em seu punho, e quando levantou a mão, o maço de papel caiu de seus dedos. "Espera!", ele ouviu uma voz gritar. "O cara perto daquele livro se mexeu. Eu vi."

Ele foi retirado dos destroços, estendido numa maca, transportado em outro trem para um hospital em Tatanagar. Fraturara a pélvis, o fêmur direito e três das costelas do lado direito. Passou o ano seguinte deitado de costas, com a recomendação de ficar o mais imóvel possível, enquanto os ossos de seu corpo se consolidavam. Havia o risco de perder os movimentos da perna direita para sempre. Foi transferido para a Faculdade de Medicina de Calcutá, onde dois parafusos foram colocados em seus quadris. Em dezembro ele estava de volta à casa dos pais em Alipore, carregado pelo pátio e pelas escadas de argila vermelha feito um cadáver, alçado nos ombros de seus quatro irmãos homens. Três vezes ao dia era alimentado com uma colher. Urinava e defecava num penico de lata. Médicos e visitantes iam e vinham. Até seu avô cego de Jamshedpur veio vê-lo. Sua família guardara os recortes de jornal. Numa foto, ele observava o trem esfrangalhado, uma pilha retorcida em contraste com o céu, e os seguranças sentados sobre os pertences sem dono. Descobriu que fixas e rebites tinham sido encontrados a vários metros do trilho principal, levantando a suspeita, jamais confirmada depois, de uma sabotagem. Que corpos tinham sido mutilados e ficado irreconhecíveis. "Veranistas têm encontro marcado com a morte", escrevera o *Times of India*.

No começo, durante a maior parte dos dias, ele ficava olhando para o teto de seu quarto, para as três pás beges do ventilador que giravam no centro, com suas bordas sujas. Ouvia a folha de cima de um calendário raspar na parede atrás dele quando o ventilador estava ligado. Virando o pescoço para a direita, tinha uma vista da janela com um frasco empoeirado de Dettol no parapeito e, se as persianas estivessem abertas, dava para ver o concreto do muro que rodeava a casa e as lagartixas marrom-claras que passeavam por ali. Ouvia o desfile constante de sons lá fora, passos, sininhos de bicicletas, o grasnido incessante de corvos e das buzinas de riquixás na rua tão estreita que não cabiam táxis. Ouvia a água do poço da esquina sendo bombeada em jarros. Ouvia, todo fim de tarde, uma concha sendo soprada na casa ao lado para assinalar a hora da oração. Sentia o cheiro, embora não visse o lodo verde brilhante que se acumulava na vala aberta do esgoto. A vida dentro da casa seguia em frente. Seu pai ia e voltava do trabalho, seus irmãos e irmãs, da escola. Sua mãe trabalhava na cozinha, vinha ver como ele estava periodicamente, seu colo manchado de cúrcuma. Duas vezes por dia a empregada torcia trapos em baldes d'água e limpava o chão.

Durante o dia ele ficava grogue, sob efeito dos analgésicos. À noite sonhava que ainda estava preso dentro do trem ou, o que era pior, que o acidente nunca acontecera; sonhava que ele estava andando na rua, ou tomando um banho, ou sentado de pernas cruzadas no chão, comendo um prato de comida. E então acordava, coberto de suor, com lágrimas escorrendo no rosto, convencido de que nunca mais poderia fazer essas coisas na vida. Por fim, numa tentativa de evitar os pesadelos, começou a ler, tarde da noite, que era quando seu corpo estático sentia-se mais irrequieto, sua mente mais ágil e clara. No entanto se recusava a ler os russos que seu avô deixara na cabeceira da cama, ou qualquer outro romance, aliás. Esses livros, ambientados em países que ele nunca tinha visto, só o faziam lembrar que estava confinado. Em vez disso ele lia seus livros de engenharia e resolvia equações sob a luz de uma lanterna, fazendo o possível para se manter em dia com os cursos. Nessas horas silenciosas, muitas vezes pensava em Ghosh. "Pegue um travesseiro e um cobertor", ouvia Ghosh dizer. Lembrava do endereço que Ghosh anotara numa página de seu diário, algum lugar atrás da garagem dos bondes em Tollygunge. Agora era o lar de uma viúva, de um filho sem pai. Todo dia, para levantar seu ânimo, sua família lhe lembrava do futuro, do dia em que ele ficaria em pé sem ajuda e atravessaria o quarto andando. Era por isso que seu pai e sua mãe rezavam todos os dias. Era por isso que a mãe deixara de comer carne às quartas-feiras. Mas conforme os meses passavam, Ashoke começou a vislumbrar outro tipo de futuro. Imaginou-se não apenas andando, mas andando para longe, o mais longe que pudesse do lugar onde nascera e onde quase morrera. No ano seguinte, com a ajuda de uma bengala, voltou à faculdade e se formou, e, sem contar nada aos pais, candidatou-se a continuar os estudos de engenharia no exterior. Só após ter sido aceito com uma bolsa integral, com um passaporte recém-emitido na mão, é que ele lhes informou de seus planos. "Mas nós já quase perdemos você uma vez", protestara o pai, desconcertado. Os irmãos tinham implorado e chorado. A mãe, sem fala, recusara-se a comer por três dias. Apesar de tudo isso, ele partiu.

Sete anos depois, ainda há certas imagens que o derrubam. Elas espreitam nas esquinas enquanto ele anda apressado pelo departamento de engenharia do MIT, enquanto confere sua correspondência do campus. Pairam ao redor de seus ombros enquanto ele está debruçado sobre um prato de arroz no jantar, ou aninhado nos braços de Ashima à noite. A cada momento decisivo de sua vida — em seu casamento, quando ele estava atrás de Ashima, cingindo a cintura dela e espreitando por cima de seu ombro enquanto eles derramavam arroz tufado no fogo, ou durante suas primeiras horas nos Estados Unidos, quando estavam diante de uma pequena cidade cinzenta coberta de neve — ele tentou, mas não conseguiu afugentar estas imagens: os vagões retorcidos, amassados, capotados do trem, seu corpo torcido embaixo dele, os terríveis estalos que ele ouvira mas que não compreendera, seus ossos moídos, finos como farinha. Não é a lembrança da dor que o atormenta; disso ele não tem memória. É a lembrança de esperar antes de ser resgatado e o medo persistente, brotando em sua garganta, de que talvez eles simplesmente não o resgatassem. Até hoje ele é claustrofóbico, prende o fôlego em elevadores, sente-se enclausurado em carros, a não ser que as janelas estejam abertas dos dois lados. Nos aviões, pede um assento na primeira fila. Às vezes o gemido de crianças o enche de um profundo temor. Às vezes ele ainda aperta suas costelas para conferir se estão mesmo ali.

Ele as aperta agora, no hospital, balançando a cabeça de alívio, descrente. Embora seja Ashima quem está carregando o bebê, ele também se sente pesado, ao pensar na vida, na sua vida e na vida que está prestes a surgir dela. Ele cresceu sem água encanada, quase morreu aos vinte e dois anos. Sente outra vez o gosto do pó em sua língua, vê o trem retorcido, as rodas gigantes de ferro capotadas. Nada disso era para ter acontecido. Mas não, ele sobrevivera. Nasceu duas vezes na Índia e depois, uma terceira vez, nos Estados Unidos. Três vidas antes dos trinta. Por isso agradece a seus pais, e aos pais deles, e aos pais dos pais deles. Não agradece a Deus; venera abertamente Marx e tacitamente recusa a religião. Mas há outra alma morta a quem ele precisa agradecer. Não pode agradecer ao livro; o livro pereceu, como ele próprio quase pereceu, nas primeiras horas de um dia de outubro, num campo a duzentos e nove quilômetros de Calcutá. Em vez de agradecer a Deus, ele agradece a Gógol, o escritor russo que salvara sua vida, quando Patty entra na sala de espera.

2.

O BEBÊ, UM MENINO, nasce às cinco e cinco da manhã. Mede cinquenta e um centímetros, pesa três quilos e quatrocentos gramas. A visão inicial de Ashima, antes de o cordão ser cortado e ele ser levado embora, é de uma criatura coberta com uma pasta branca espessa e manchas de sangue, sangue dela, nos ombros, pés e cabeça. Uma agulha aplicada perto de seu cóccix a deixou sem nenhuma sensação da cintura até os joelhos e lhe deu uma dor de cabeça excruciante nos últimos estágios do parto. Quando tudo termina, ela começa a tremer intensamente, como se tomada de uma febre aguda. Por meia hora ela treme, atordoada, embaixo de um cobertor, suas entranhas vazias, seu corpo ainda deformado por fora. Ela não consegue falar e nem permite que as enfermeiras a ajudem a trocar sua camisola empapada de sangue por uma limpa. Apesar de infinitos copos d'água, sua garganta está estorricada. Mandam-na sentar numa privada e espirrar água quente de uma garrafa entre as pernas. Por fim ela é limpa com uma esponja, vestida com uma camisola nova e levada para outro quarto na cadeira de rodas. As luzes são fracas e suaves e só há uma cama ao lado da dela, vazia por enquanto. Quando Ashoke chega, Patty está tirando a pressão de Ashima, que está reclinada numa pilha de travesseiros, com a criança embrulhada feito um pacote branco retangular em seus braços. Ao lado da cama há um moisés, identificado com um cartão que diz MENINO GANGULI.

"Ele chegou", ela diz em voz baixa, erguendo o olhar para Ashoke com um sorriso fraco. Sua pele está levemente amarelada e a cor lhe falta nos lábios. Ela tem olheiras sob os olhos, e os cabelos saltando para fora da trança parecem não ser penteados há dias. Sua voz está rouca, como se ela estivesse resfriada. Ele puxa uma cadeira para o lado da cama, e Patty ajuda a transferir a criança dos braços da mãe para os do pai. No processo, a criança rompe o silêncio do quarto com um choro curto. Os pais reagem com alarme, mas Patty ri num tom de aprovação. "Estão vendo?", ela diz para Ashima. "Ele já está começando a conhecer vocês."

Ashoke faz o que Patty manda, esticando os braços e colocando uma mão embaixo do pescoço, outra embaixo do bumbum do bebê.

"Vá em frente", Patty o incita. "Ele quer ser segurado bem perto. Ele é mais forte do que você imagina."

Ashoke levanta mais alto o minúsculo embrulho, mais junto de seu peito. "Assim?"

"Isso mesmo", diz Patty. "Vou deixar vocês três sozinhos por um instante."

No início, Ashoke fica mais perplexo do que comovido diante da cabeça pontuda, das pálpebras inchadas, dos pontinhos brancos nas bochechas, do lábio superior carnudo e proeminente que cai por cima do inferior. A pele é mais clara que a de Ashima ou a dele próprio, translúcida o bastante para revelar veias verdes nas têmporas. O couro cabeludo está coberto por uma massa de cabelos pretos muito finos. Ele tenta contar os cílios. Apalpa de leve a flanela, procurando as mãos e os pés.

"Está tudo aí", diz Ashima, observando o marido. "Já conferi."

"Como são os olhos? Por que ele não os abre? Ele já abriu os olhos?"

Ela assente com a cabeça.

"O que ele consegue ver? Consegue ver a gente?"

"Acho que sim. Mas não muito nitidamente. E não com todas as cores. Ainda não."

Eles ficam sentados em silêncio, os três imóveis como pedras.

"Como você está se sentindo? Foi tudo bem?", ele pergunta a Ashima.

Mas não há resposta, e quando Ashoke tira os olhos do rosto do filho, vê que ela também está dormindo.

Quando ele olha de volta para a criança, os olhos estão abertos, olhando fixo para ele, sem piscar, tão escuros quanto seus cabelos. O rosto se transforma; Ashoke nunca viu uma coisa mais perfeita. Imagina a si mesmo como uma presença escura, granulada, borrada. Como um pai para seu filho. Outra vez ele pensa na noite em que quase morreu, a lembrança dessas horas que lhe marcaram para sempre tremulam e desaparecem em sua mente. Ser resgatado das ferragens daquele trem foi o primeiro milagre de sua vida. Porém aqui, agora, repousando em seus braços, pesando quase nada mas mudando tudo, está o segundo.

Além de seu pai, o bebê tem três visitas, todos bengalis — Maya e Dilip Nandi, um jovem casal de Cambridge que Ashima e Ashoke conheceram alguns meses antes no Purity Supreme, e o dr. Gupta, pós-doutorando em matemática de Dehradun, um solteiro de cinquenta e poucos anos de quem Ashoke ficou amigo nos corredores do MIT. Nas horas de amamentar, os cavalheiros, incluindo Ashoke, saem para o saguão. Maya e Dilip dão para o menino um chocalho e um livro do bebê, com lugar para os pais registrarem todos os aspectos possíveis de sua primeira infância. Há até um espaço para colar algumas mechas de seu primeiro corte de cabelo. O dr. Gupta, por sua vez, dá ao menino um lindo exemplar ilustrado das rimas da Mamãe Ganso. "Menino de sorte", comenta Ashoke ao virar as páginas belamente costuradas do livro. "Nasceu faz poucas horas e já é dono de livros." Que diferença da infância que ele próprio conheceu, pensa ele.

Ashima pensa a mesma coisa, mas por motivos diferentes. Por mais gratidão que sinta pela companhia dos Nandi e do dr. Gupta, esses conhecidos são apenas substitutos para as pessoas que realmente deveriam estar junto deles. Sem nenhum dos avós, pais ou tios ao seu lado, o nascimento do bebê, como quase todas as outras coisas nos Estados Unidos, parece algo meio fortuito, não inteiramente verdadeiro. Enquanto ela acaricia, amamenta e estuda seu filho, não consegue deixar de sentir pena dele. Nunca soube de uma pessoa que chegasse ao mundo tão sozinha, tão carente.

Uma vez que nenhum dos dois casais de avós tinha telefone, Ashoke enviou para as duas famílias em Calcutá um telegrama: "Com suas bênçãos, menino e mãe estão bem". Quanto ao nome, decidiram deixar essa honra à avó de Ashima, que agora já passava dos oitenta e que dera nome a cada um dos outros seis bisnetos que vieram ao mundo. Quando a avó ficou sabendo da gravidez de Ashima, ficou especialmente entusiasmada com a ideia de dar nome ao primeiro *sahib* da família. Por isso Ashima e Ashoke concordaram em adiar a decisão do nome que iam dar ao bebê até que recebessem a carta da avó, e ignoraram os formulários do hospital para solicitar uma certidão de nascimento. A avó de Ashima enviou a carta pessoalmente, andando de bengala até o correio, a primeira vez em dez anos que saía de casa. A carta contém um nome de menina e um nome de menino. A avó de Ashima não os revelou a ninguém.

Embora a carta tenha sido enviada há um mês, em julho, ainda não tinha chegado. Ashima e Ashoke não estão tão preocupados. Afinal, ambos sabem que um recém-nascido não precisa de nome.

Precisa ser alimentado e abençoado, ganhar algum ouro e prata, levar tapinhas nas costas depois da amamentação e ser segurado com cuidado atrás do pescoço. Os nomes podem esperar. Na Índia, os pais não se apressam. Não era incomum passarem-se anos até que o nome certo, o melhor nome possível, fosse determinado. Tanto Ashima como Ashoke podem citar exemplos de primos que só receberam um nome oficial quando foram matriculados na escola, aos seis ou sete anos. Os Nandi e o dr. Gupta entendem perfeitamente. É claro que vocês têm que esperar, eles concordam, esperar pelo nome que está na carta da bisavó dele.

Além disso, sempre existem os nomes de criação como solução provisória: uma prática da nomenclatura bengali que atribui dois nomes para toda e qualquer pessoa. Em bengali esse nome de criação[1] é o *daknam*, que significa literalmente o nome pelo qual se é chamado por amigos, parentes e outras pessoas íntimas, em casa e em outros momentos de descontração. Os nomes de criação são um resquício persistente da infância, um lembrete de que a vida nem sempre é tão séria, tão formal, tão complicada. Também são um lembrete de que uma pessoa não é a mesma para todas as outras. Todos eles têm nomes de criação. O de Ashima é Monu, o de Ashoke é Mithu, e mesmo quando adultos, esses são os nomes pelos quais são conhecidos em suas respectivas famílias, os nomes que os outros usam quando os adoram, quando os repreendem, quando os amam e sentem sua falta.

Todo nome de criação é acompanhado de um nome bom, um *bhalonam*, usado como identificação no mundo externo. Consequentemente, os nomes bons aparecem nos envelopes, nos diplomas, nas listas telefônicas e em todos os outros lugares públicos.

1. No original, *pet name*, apelido usado apenas por familiares e pessoas mais próximas, em contraste com o *nickname*, que nos Estados Unidos também pode ser usado publicamente. (N.T.)

(Por esse motivo, as cartas da mãe de Ashima dizem "Ashima" do lado de fora, "Monu" no de dentro.) Os nomes bons tendem a representar qualidades elevadas e iluminadas. Ashima significa "aquela que é sem limites, sem fronteiras". Ashoke, nome de um imperador, significa "aquele que transcende o sofrimento". Os nomes de criação não têm tais aspirações. Nunca são registrados oficialmente, apenas pronunciados e lembrados. Diferente dos nomes bons, os de criação muitas vezes são sem sentido, deliberadamente bobos, irônicos, mesmo onomatopaicos. É comum que, na primeira infância, a criança responda inadvertidamente a dezenas desses nomes, até que um deles acabe pegando.

E por isso, em certo momento, quando o bebê contrai seu rosto enrugado cor-de-rosa e contempla seu pequeno círculo de admiradores, o sr. Nandi se debruça e chama o bebê de "Buro", que em bengali significa "velho".

"Qual é o nome dele? Buro?", Patty pergunta radiante, trazendo outra bandeja de frango assado para Ashima. Ashoke levanta a tampa e devora o frango; agora as enfermeiras da maternidade oficialmente se referem a Ashima como a Moça da Gelatina e do Sorvete.

"Não, não, isso não é um nome", Ashima explica. "Nós não escolhemos. Minha avó é quem vai escolher."

Patty assente com a cabeça. "Ela já está vindo para cá?"

Ashima ri, seu primeiro riso genuíno desde o parto. A ideia de sua avó, nascida no século passado, uma mulher mirrada com trajes brancos de viúva e cuja pele parda se recusa a criar rugas, embarcando num avião para voar até Cambridge é inconcebível para ela, uma ideia que, por mais agradável, por mais desejável que seja, parece inteiramente impossível, absurda. "Não. Mas uma carta, sim, virá."

Nessa noite Ashoke volta para o apartamento para ver se a carta tinha chegado. Três dias se passam. As enfermeiras mostram a Ashima como trocar fraldas e como limpar o coto umbilical. Ela recebe banhos de água quente e salgada para aliviar seus hematomas e pontos. Recebe uma lista de pediatras e inúmeros folhetos sobre amamentação, criação de vínculo com bebês e vacinas, além de amostras de xampus de bebê e cotonetes e cremes. No quarto dia recebe uma boa notícia e uma má notícia. A boa notícia é que Ashima e o bebê receberão alta na manhã seguinte. A má notícia é que o sr. Wilcox, compilador de certidões de nascimento do hospital, lhes diz que eles precisam escolher um nome para o filho. Pois são informados de que, nos Estados Unidos, um bebê não pode ser liberado do hospital sem uma certidão de nascimento. E que uma certidão de nascimento precisa de um nome.

"Mas, senhor", Ashima protesta, "não é possível nós mesmos darmos um nome para ele."

O sr. Wilcox, figura esguia e careca, não achando graça do comentário, olha de relance para o casal, ambos visivelmente aflitos, então olha para a criança sem nome. "Entendo", ele diz. "E o motivo seria?"

"Estamos esperando uma carta", diz Ashoke, explicando em detalhes a situação.

"Entendo", o sr. Wilcox disse outra vez. "Isso é uma pena. Infelizmente sua única alternativa é que na certidão conste 'Menino Ganguli'. Vocês, é claro, serão obrigados a retificar o registro permanente quando se decidirem por um nome."

Ashima olha para Ashoke, expectante. "É isso que nós devíamos fazer?"

"Eu não recomendo", diz o sr. Wilcox. "Vocês terão de comparecer diante de um juiz, pagar uma taxa. A burocracia é infinita."

"Oh, puxa", diz Ashoke.

O sr. Wilcox assente com a cabeça, e segue-se um silêncio. "Vocês não têm nenhum nome na manga?", ele pergunta.

Ashima franze a testa. "O que isso quer dizer, 'na manga'?"

"Bom, significa alguma coisa de reserva, caso vocês não gostem do que sua avó escolheu."

Ashima e Ashoke fazem que não com a cabeça. Nunca lhes ocorreu questionar a escolha da avó de Ashima, desrespeitar desse jeito os desejos de uma pessoa mais velha.

"Você sempre pode batizá-lo com seu próprio nome, ou o de algum de seus antepassados", sugere o sr. Wilcox, admitindo que ele, na verdade, é Howard Wilcox III. "É uma bela tradição. Os reis da França e da Inglaterra faziam isso", ele acrescenta.

Mas isso não é possível, Ashima e Ashoke pensam consigo mesmos. Essa tradição não existe para os bengalis, dar o nome do pai ou do avô a um filho, da mãe ou da avó a uma filha. Esse sinal de respeito na América e na Europa, esse símbolo de herança e linhagem, seria ridicularizado na Índia. Dentro das famílias bengalis, os nomes individuais são sagrados, invioláveis. Não são para serem herdados nem compartilhados.

"Então, que tal dar a ele o nome de outra pessoa? Alguém que vocês admirem muito?", diz o sr. Wilcox, erguendo as sobrancelhas, esperançoso. Ele suspira. "Pensem nisso. Volto daqui a algumas horas", diz, saindo do quarto.

A porta se fecha, e é então que, com um leve tremor de reconhecimento, como se ele soubesse disso o tempo todo, ocorre a Ashoke o nome de criação perfeito para o filho. Ele se lembra da página amassada com força em seus dedos, do choque repentino, do brilho do lampião em seus olhos. Mas pela primeira vez pensa nesse momento não com terror, e sim com gratidão.

"Olá, Gógol", ele sussurra, debruçando-se sobre o rosto altivo do bebê, seu corpo bem embrulhado. "Gógol", ele repete, satisfeito. O menino vira a cabeça com uma expressão de extrema consternação e entre bocejos.

Ashima aprova, ciente de que o nome representa não apenas a vida de seu filho, mas a de seu marido também. Ela conhece a história do acidente, uma história que ouviu pela primeira vez com a compaixão educada de uma recém-casada, mas cuja simples ideia faz seu sangue gelar. Houve noites em que ela acordou com os gritos abafados do marido, ocasiões em que eles pegaram o metrô juntos e o ritmo das rodas nos trilhos de repente o deixou pensativo, distante. Ela própria nunca leu nada de Gógol, mas está disposta a colocá-lo numa prateleira mental, junto com Tennyson e Wordsworth. Além disso, é só um nome de criação, não é para ser levado a sério, apenas uma coisa para colocar no certificado por enquanto, para liberá-los do hospital. Quando o sr. Wilcox volta com sua máquina de escrever, Ashoke soletra o nome. Assim, Gógol Ganguli é registrado nos arquivos do hospital. "Tchau, Gógol", diz Patty dando um beijo silencioso no ombro dele, e para Ashima, que está vestindo outra vez seu sári pregueado de seda, ela diz "Boa sorte". A primeira foto, um pouco superexposta, é tirada pelo dr. Gupta nesse dia escaldante de fim de verão: Gógol, uma massa indistinta embrulhada num cobertor, repousando nos braços de sua mãe exausta. Ela fica parada nos degraus do hospital, olhando para a câmera, apertando os olhos na direção do sol. O marido assiste de lado, com a mala da esposa na mão, sorrindo com a cabeça baixa. "Gógol entra no mundo", o pai depois escreverá no verso da foto, em letras bengalis.

O primeiro lar de Gógol é um apartamento totalmente mobiliado a dez minutos a pé de Harvard, vinte do MIT. O apartamento fica no térreo de uma casa de três andares, de paredes revestidas de plaquinhas de madeira cor salmão, cercada por uma grade de metal que bate na altura da cintura. O telhado cinzento, do tom de cinzas de cigarro, combina com o cimento da calçada e da rua. Uma eterna fila de carros estacionados ao lado de parquímetros acompanha a sarjeta de um dos lados da rua. Na esquina do quarteirão há um pequeno sebo, cujo acesso se dá por três degraus que descem da calçada, e em frente a ele há uma loja que cheira a mofo e onde se vendem jornais, cigarros e ovos, e onde, para o leve desgosto de Ashima, um gato preto peludo tem a permissão de sentar a seu bel-prazer nas prateleiras. Além desse pequeno comércio, há outras casas com paredes de plaquinhas de madeira, do mesmo formato e tamanho e no mesmo estado de ligeira decrepitude, pintadas de verde-menta, ou lilás, ou azul-claro. Esta é a casa para onde Ashoke trouxera Ashima dezoito meses antes, bem tarde numa noite de fevereiro, após sua chegada no aeroporto Logan. No escuro, pelas janelas do táxi, totalmente acordada por causa da diferença de fuso, ela não conseguiu distinguir coisa alguma, além de pilhas irregulares de neve brilhando no chão feito tijolos partidos, branco-azulados. Foi só na manhã seguinte, ao sair de casa por um breve instante com um par de meias de Ashoke por baixo de seus chinelos de sola fina, com o ar gelado da Nova Inglaterra perfurando seus ouvidos e sua mandíbula, que ela teve seu primeiro vislumbre real da América: árvores sem folhas com ramos cobertos de gelo. Urina e fezes de cachorro incrustadas nos bancos de neve. Nenhuma alma na rua.

O apartamento consiste de três cômodos enfileirados sem corredor. Há uma sala de estar na frente com uma janela de três lados virada para a rua, um dormitório de passagem no meio, uma cozinha no fundo. Não é nada parecido com o que ela estava esperando. Nada parecido com as casas de *...E o vento levou* ou *O pecado mora ao lado*, filmes a que ela assistiu com seu irmão e seus primos no Lighthouse e no Metro. O apartamento tem correntes de ar durante o inverno, e no verão faz um calor insuportável. Os vidros grossos da janela são cobertos por lúgubres cortinas marrom-escuras. Tem até baratas no banheiro, que surgem à noite das rachaduras nos azulejos. Mas ela não reclamou de nada disso. Guardou sua decepção para si mesma, não querendo ofender Ashoke nem deixar seus pais preocupados. Em vez disso ela escreve, nas cartas que manda para casa, sobre o poderoso gás de cozinha que irrompe a qualquer momento do dia ou da noite das quatro bocas do fogão, e sobre a água da torneira, quente a ponto de escaldar sua pele, e sobre a água fria que até dá para beber.

Os dois andares de cima da casa são ocupados pelos senhorios deles, os Montgomery, um professor de sociologia de Harvard e sua esposa. Os Montgomery têm duas filhas, Amber e Clover, de sete e nove anos, cujo cabelo até a cintura nunca está trançado, e que nos dias quentes brincam durante horas num balanço de pneu amarrado à única árvore do quintal. O professor, que pediu a Ashima e Ashoke que o chamassem de Alan, e não de professor Montgomery, como eles haviam se dirigido a ele no começo, tem uma barba espetada cor de ferrugem que o faz parecer bem mais velho do que realmente é. Eles o veem indo a pé para Harvard Yard usando calças puídas, um casaco de camurça com franjas e chinelos de borracha. Os motoristas de riquixá se vestem melhor que os professores universitários daqui, pensa Ashoke consigo mesmo, ele que inclusive vai de terno e gravata às reuniões com seu orientador. Os Montgomery têm uma perua Volkswagen verde fosca, coberta de adesivos: QUESTIONE A AUTORIDADE! NÃO SEJA INDIFERENTE! SUTIÃ NUNCA MAIS! PAZ! Possuem uma máquina de lavar no porão, que Ashoke e Ashima têm permissão de usar, e uma televisão na sala de estar, que Ashoke e Ashima conseguem ouvir nitidamente pelo teto. Tinha sido pelo teto, certa noite de abril, quando Ashoke e Ashima estavam jantando, que eles ouviram falar do assassinato de Martin Luther King Jr. e, agora recentemente, do senador Robert Kennedy.

Às vezes Ashima e Judy, a mulher de Alan, ficam de pé lado a lado no quintal, enquanto estendem as roupas no varal. Judy sempre veste jeans azuis, rasgados como shorts quando o verão chega, e um colar de conchinhas no pescoço. Um lenço de algodão vermelho cobre seus cabelos loiros desfiados, da mesma textura e tom que o das filhas, sempre amarrado atrás do pescoço. Ela trabalha para uma cooperativa de saúde feminina em Somerville alguns dias por semana. Quando soube da gravidez de Ashima, aprovou sua decisão de amamentar, mas ficou decepcionada ao descobrir que Ashima deixaria o parto de seu filho nas mãos do sistema de saúde; as filhas de Judy nasceram em casa, com a ajuda de parteiras da cooperativa. Às vezes Judy e Alan saem à noite, deixando Amber e Clover em casa sem ninguém tomando conta delas. Uma única vez, quando Clover estava resfriada, eles pediram a Ashima que desse uma conferida nelas. Ashima se lembra do apartamento deles com um horror marcante — embora logo acima do teto dela, era tão diferente; havia pilhas de coisas por toda parte, pilhas de livros e jornais, pilhas de pratos sujos no balcão da cozinha, cinzeiros do tamanho de travessas com montanhas de pontas de cigarro. As meninas dormiam juntas numa cama cheia de roupas amontoadas. Ao sentar-se por um instante na beira do colchão de Alan e Judy, ela dera um grito e caíra estabanada para trás, levando um susto ao descobrir que era cheia de água. Em vez de cereal matinal e saquinhos de chá, em cima da geladeira havia garrafas de uísque e de vinho, a maioria quase vazia. Só de ficar parada ali, Ashima se sentira embriagada.

Eles chegam em casa do hospital por cortesia do dr. Gupta, que possui um carro, e sentam-se no calor sufocante da sala de estar, em frente ao único ventilador de chão; de repente são uma família. Em vez de sofá eles têm seis cadeiras, todas elas de três pernas, com encostos ovais de madeira e almofadas pretas triangulares. Para sua surpresa, ao ver-se outra vez no apartamento triste de três cômodos, Ashima sente falta do burburinho do hospital, e de Patty, e da gelatina e do sorvete trazidos em intervalos regulares à cabeceira de sua cama. Enquanto caminha devagar pelos cômodos, fica aflita porque há pratos sujos empilhados na cozinha e porque a cama não foi feita. Até agora Ashima aceitou que não há ninguém para varrer o chão, nem lavar os pratos e a roupa, nem sair para comprar comida, nem preparar uma refeição nos dias em que ela está cansada, irritada ou com saudades de casa. Aceitou que justamente a falta desses confortos é o *american way*. Mas agora, com um bebê chorando nos braços, com os seios inchados de leite, seu corpo coberto de suor, suas virilhas doendo tanto que ela mal consegue sentar, tudo isso, de repente, torna-se insuportável.

"Eu não consigo", ela diz a Ashoke quando ele lhe traz uma xícara de chá, a única coisa que consegue pensar em fazer para ajudá-la, a última coisa que ela tem vontade de beber.

"Em alguns dias você vai pegar o jeito", ele diz, na esperança de encorajá-la, sem saber direito o que mais pode fazer. Ele coloca a xícara ao lado de Ashima, no parapeito descascado da janela. "Acho que ele está caindo no sono de novo", acrescenta, olhando para Gógol, cujas bochechas trabalham metodicamente no seio de sua mulher.

"Não vou", ela insiste com uma voz rouca, sem olhar para o bebê ou para ele. Puxa um pedaço da cortina, depois o deixa cair. "Não aqui. Não desse jeito."

"Do que você está falando, Ashima?"

"Estou falando para você terminar logo o seu doutorado." E então, impulsivamente, admite pela primeira vez: "Estou falando que não quero criar o Gógol sozinha neste país. Não é certo. Eu quero voltar".

Ele olha para Ashima, seu rosto mais fino, os traços mais acentuados do que eram quando se casaram, ciente de que a vida dela em Cambridge, como sua esposa, já deixou sequelas. Em mais de uma ocasião ele voltou para casa da universidade e a encontrou abatida, na cama, relendo as cartas dos pais. De manhã cedo, quando percebe que ela está chorando em silêncio, ele a abraça mas não consegue pensar em nada para lhe dizer, sentindo que é culpa sua, por ter se casado com ela, por tê-la trazido para cá. De repente se lembra de Ghosh, seu companheiro no trem, que voltara da Inglaterra pelo bem da esposa. "É meu maior arrependimento, ter voltado", Ghosh confessara a Ashoke poucas horas antes de morrer.

Uma leve batida na porta os interrompe: Alan, Judy, Amber e Clover, todos vieram ver o bebê. Judy tem nas mãos um prato coberto por um pano xadrez, diz que fez uma quiche de brócolis. Alan põe no chão um saco de lixo, cheio de velhas roupas de bebê de Amber e Clover, e estoura uma garrafa de champanhe gelado. O líquido espumante espirra no chão e é servido em canecas. Eles erguem as canecas fazendo um brinde a Gógol; Ashima e Ashoke só fingem tomar goles. Amber e Clover cercam Ashima pelos dois lados, ambas encantadas quando Gógol agarra um dedo de cada uma. Judy pega o bebê do colo de Ashima. "Olá, bonitão", ela diz. "Ai, Alan, vamos ter mais um."

Alan se oferece para trazer do porão o berço das meninas e, juntos, ele e Ashoke o montam no espaço ao lado da cama do casal. Ashoke vai até a lojinha da esquina, e um pacote de fraldas descartáveis toma o lugar das fotos emolduradas em preto e branco da família de Ashima que estavam sobre a penteadeira. "Vinte minutos a cento e oitenta graus para a quiche", Judy diz para Ashima. "Gritem se precisarem de alguma coisa", Alan acrescenta antes de eles desaparecerem.

Três dias depois, Ashoke voltou para o MIT, Alan voltou para Harvard, Amber e Clover voltaram para a escola. Judy está trabalhando na cooperativa como de costume, e Ashima, sozinha com Gógol pela primeira vez na casa silenciosa, sofrendo de uma insônia muito pior que a pior diferença de fuso horário, está sentada à janela de três lados na sala de estar, numa das cadeiras triangulares, e chora o dia inteiro. Chora enquanto o amamenta, e enquanto dá tapinhas para ele dormir, e enquanto ele chora entre o sono e a amamentação. Ela chora depois da visita do carteiro porque não há cartas de Calcutá. Chora quando liga para Ashoke em seu departamento e ele não atende. Um dia ela chora quando vai à cozinha fazer o jantar e descobre que o arroz acabou. Sobe e bate na porta de Alan e Judy. "Fique à vontade", diz Judy, mas o arroz na lata de Judy é marrom. Por educação, Ashima pega uma xícara, mas quando chega em casa ela o joga fora. Liga para Ashoke em seu departamento para pedir que ele compre arroz no caminho para casa. Dessa vez, quando ninguém atende, ela se levanta, lava o rosto e penteia o cabelo. Troca de roupa, veste Gógol e o coloca no carrinho azul-marinho de rodas brancas, herdado de Alan e Judy. Pela primeira vez, ela o empurra pelas ruas amenas de Cambridge, até o Purity Supreme, para comprar um saco de arroz branco longo. A tarefa demora mais que de costume; pois agora ela é parada diversas vezes na rua e nos corredores do supermercado, por completos estranhos, todos americanos, que de repente notam sua presença, sorriem, dão-lhe os parabéns pelo seu feito. Olham com curiosidade, com apreciação, para dentro do carrinho. "Que idade?", perguntam. "Menino ou menina?" "Qual é o nome dele?"

Ela começa a sentir orgulho de fazer aquilo sozinha, de criar uma rotina. Assim como Ashoke, ocupado sete dias por semana com as aulas que dá, com sua pesquisa e sua tese, ela agora também tem algo que lhe ocupa totalmente, que exige sua atenção completa, até o limite de suas forças. Antes de Gógol nascer, seus dias não tinham seguido nenhum padrão visível. Ela passava horas dentro do apartamento, cochilando, amuada, relendo seus cinco romances bengalis na cama. Mas os dias, antes arrastados, agora avançam depressa demais rumo à noite — essas mesmas horas são consumidas junto a Gógol, andando de um lado para o outro com ele nos braços nos três cômodos do apartamento. Agora ela acorda às seis, tirando Gógol do berço para a primeira amamentação, depois por meia hora ela e Ashoke ficam deitados com o bebê na cama entre eles, admirando a pessoinha que produziram. Entre as onze e a uma, enquanto Gógol dorme, ela já deixa o jantar preparado, um hábito que conservará durante as décadas seguintes. Toda tarde ela sai com ele, passeando pelas ruas, para comprar isso ou aquilo, ou para sentar-se em Harvard Yard; às vezes se encontra com Ashoke num banco no campus do MIT e leva para ele samosas caseiras e uma garrafa térmica de chá fresco. Às vezes, ao olhar o bebê, vê partes de sua família no rosto dele — os olhos brilhantes da mãe, os lábios finos do pai, o sorriso torto do irmão. Descobre uma loja de fios e começa a tricotar para o inverno, fazendo agasalhos, cobertores, luvas e gorros para Gógol. A cada dois ou três dias dá um banho em Gógol na pia de cerâmica da cozinha. Toda semana ela apara cuidadosamente suas unhas dos dedos das mãos e dos pés. Quando o leva em seu carrinho para as vacinas no pediatra, fica na porta do consultório com as orelhas em pé. Um dia Ashoke chega em casa com uma câmera Instamatic para tirar fotos do bebê e, enquanto Gógol está dormindo, ela cola as imagens quadradas, com borda branca, atrás de folhas de plástico num álbum, com legendas escritas em pedaços de fita crepe. Para fazê-lo dormir, canta as canções bengalis que sua mãe cantou para ela. Sorve a fragrância doce e leitosa de sua pele, o cheiro amanteigado de seu hálito. Um dia o levanta bem alto acima da cabeça, sorrindo para ele com a boca aberta, e um rápido jorro de leite não digerido da última amamentação brota da garganta dele e é despejado na dela. Pelo resto da vida ela se lembrará do choque desse líquido quente, azedo, um gosto que a deixou incapaz de engolir qualquer outra coisa pelo resto do dia.

Chegam cartas dos pais dela, dos pais do marido, de tias e tios, de primos e amigos, de todo mundo, ao que parece, menos da avó de Ashima. As cartas estão repletas de todas as bênçãos e bons votos possíveis, escritas num alfabeto que eles viram, durante a maior parte de sua vida, em tudo à sua volta, em outdoors, jornais e toldos, mas que agora eles só veem nessas preciosas missivas em tinta azul-clara. Às vezes chegam duas cartas na mesma semana. Numa semana há três. Como sempre, Ashima mantém seus ouvidos treinados, entre as doze e as duas horas, atenta ao som dos passos do carteiro no alpendre, seguido do leve estalo da fenda para cartas na porta. As margens das cartas de seus pais, sempre um bloco com a letra apressada da mãe, seguida da caligrafia floreada e elegante do pai, muitas vezes são decoradas com desenhos de animais feitos pelo pai de Ashima, e ela gruda essas cartas na parede em cima do berço de Gógol. "Estamos loucos para vê-lo", escreve sua mãe. "Estes meses são os mais cruciais. A cada hora há uma mudança. Lembre-se disso." Ashima escreve de volta com descrições meticulosas do filho, narrando as circunstâncias de seu primeiro sorriso, o dia em que ele vira no berço pela primeira vez, seu primeiro gritinho de alegria. Ela escreve que eles estão guardando dinheiro para viajar a Calcutá em dezembro do ano que vem, depois que Gógol completar um ano. (Não menciona o receio do pediatra sobre doenças tropicais. Uma viagem para a Índia exigirá toda uma nova série de vacinas, ele advertiu.)

Em novembro, Gógol contrai uma leve infecção de ouvido. Quando Ashima e Ashoke veem o nome de criação de seu filho escrito à máquina na etiqueta de uma receita de antibióticos, quando veem isso no alto de sua carteira de vacinação, não parece certo; os nomes de criação não são feitos para serem usados em público desse jeito. Mas até o momento ainda não chegara nenhuma carta da avó de Ashima. Eles são obrigados a concluir que a carta se extraviou. Ashima decide escrever para a avó, explicando a situação, e pede que ela mande uma segunda carta com os nomes. Logo no dia seguinte chega uma carta a Cambridge. Embora seja do pai de Ashima, não há desenhos para Gógol enfeitando as margens, não há elefantes, papagaios nem tigres. A carta é datada de três semanas antes, e com ela eles ficam sabendo que a avó de Ashima sofreu um derrame, que seu lado direito está paralisado para sempre e sua mente, turva. Ela não consegue mais mastigar, mal consegue engolir, lembra e reconhece pouca coisa de seus oitenta e poucos anos. "Ela ainda está conosco, mas, para ser sincero, nós já a perdemos", escreveu o pai. "Prepare-se, Ashima. Talvez você não a veja de novo."

Essa é a primeira notícia ruim que eles recebem de casa. Ashoke mal conhece a avó de Ashima, apenas lembra vagamente de ter tocado nos pés dela no casamento, porém Ashima passa dias num estado inconsolável. Fica sentada dentro de casa com Gógol enquanto as folhas ficam marrons e caem das árvores, enquanto os dias começam a escurecer depressa, impiedosos, e pensa na última vez em que viu a avó, sua dida, poucos dias antes de pegar o avião para Boston. Ashima tinha ido visitá-la; para essa ocasião, sua avó entrara na cozinha após mais de uma década de aposentadoria, para cozinhar para Ashima um ensopado leve de cabra com batatas. Dera-lhe doces na boca com a própria mão. Diferente dos pais dela e de outros parentes seus, a avó não advertira Ashima a não comer carne de vaca, a não usar saia, a não cortar o cabelo, a não se esquecer da família no instante em que aterrissasse em Boston. Sua avó não tinha medo desses sinais de traição; foi a única pessoa que previu, corretamente, que Ashima jamais mudaria. Antes de partir, Ashima postara-se com a cabeça baixa sob o retrato do falecido avô, pedindo que abençoasse sua viagem. Então se agachou para que sua cabeça encostasse no pó dos pés de sua dida.

"Dida, eu venho", Ashima tinha dito. Pois essa era a frase que os bengalis sempre usavam em vez de dizer adeus.

"Aproveite", sua avó disse com sua voz alta e trovejante, ajudando Ashima a se levantar. Com as mãos trêmulas, a avó pressionou os polegares nas lágrimas que escorriam pelo rosto de Ashima, enxugando-as. "Faça o que eu nunca vou fazer. Tudo será para o seu bem. Lembre-se disso. Agora vá."

Conforme o bebê cresce, também cresce seu círculo de conhecidos bengalis. Através dos Nandi, que agora também estão esperando um filho, Ashoke e Ashima conhecem os Mitra, e através dos Mitra, os Banerjee. Mais de uma vez, enquanto empurrava Gógol em seu carrinho, Ashima foi abordada nas ruas de Cambridge por jovens bengalis solteiros que lhe perguntaram, timidamente, sobre as origens dela. Assim como Ashoke, os solteiros vão de avião a Calcutá, um por um, e voltam com esposas. Todo fim de semana, ao que parece, há uma nova casa para ir, um novo casal ou jovem família para conhecer. Todos eles vêm de Calcutá, e só por esse motivo é que são amigos. A maioria vive perto uns dos outros em Cambridge, próximo o bastante para ir a pé. Os maridos são professores, pesquisadores, médicos, engenheiros. As mulheres, desorientadas e com saudade de casa, voltam-se para Ashima pedindo receitas e conselhos, e ela lhes fala da carpa que é vendida em Chinatown, que é possível fazer *halwa* com mingau de trigo. As famílias aparecem nas casas das outras nas tardes de domingo. Bebem chá com açúcar e leite vaporizado e comem bolinhos de camarão fritos em frigideiras. Sentam-se em roda no chão, cantando canções de Nazrul e Tagore, lendo as letras num livro grosso com a capa revestida de tecido amarelo, que é passado de mão em mão enquanto Dilip Nandi toca o harmônio. Têm discussões exaltadas sobre os filmes de Ritwik Ghatak contra os de Satyajit Ray. O CPIM contra o partido do Congresso. O norte de Calcutá contra o sul. Por horas eles discutem sobre a política dos Estados Unidos, um país onde nenhum deles tem o direito de votar.

Em fevereiro, quando Gógol tem seis meses de idade, Ashima e Ashoke já conhecem pessoas suficientes para receber convidados numa escala decente. A ocasião: o *annaprasan* de Gógol, sua cerimônia do arroz. Não existe batismo para os bebês bengalis, não há um ritual de nomeação aos olhos de Deus. Em vez disso, a primeira cerimônia formal da vida deles é centrada no consumo de comida sólida. Pedem a Dilip Nandi que faça o papel do irmão de Ashima e que segure a criança e lhe sirva arroz, o esteio da vida para os bengalis, pela primeira vez. Gógol está vestido como um noivo bengali mirim, com um pijama *punjabi* amarelo-claro enviado de Calcutá por sua avó. A fragrância de sementes de cominho, mandadas no pacote junto com o pijama, permanece no tecido. Uma coroa de papel que Ashima recortou, decorada com pedaços de papel-alumínio, é amarrada em volta da cabeça de Gógol com um barbante. Ele tem no pescoço uma corrente fina de ouro catorze quilates. Sua testa minúscula foi enfeitada, após uma relutância considerável, com pasta de sândalo, com a qual foram desenhadas seis miniluas beges acima das sobrancelhas. Os olhos foram escurecidos com um toque de *kohl*. Ele não para de se mexer no colo de seu tio honorário, que está sentado numa colcha no chão, cercado de convidados na frente, atrás e dos lados. A comida é disposta em dez tigelas separadas. Ashima lamenta que o prato onde esteja disposto o arroz seja de melamina, não de prata, latão ou no mínimo de aço inox. A última tigela contém *payesh*, um pudim quente de arroz que Ashima preparará para ele comer em cada um de seus aniversários quando criança, e mesmo quando adulto, junto com uma fatia de bolo de padaria.

Ele é fotografado pelo pai e pelos amigos franzindo a testa, buscando o rosto da mãe na multidão. Ela está ocupada arrumando o buffet. Veste um sári prateado, um presente de casamento usado agora pela primeira vez, com as mangas da blusa chegando à dobra de seu cotovelo. O pai dele veste uma camisa *punjabi* branca transparente e calças boca de sino. Ashima dispõe pratos de papel que precisam ser triplicados para aguentar o peso do *biryani*, a carpa ao molho de iogurte, o *dal*, os seis pratos de legumes que ela passou a semana anterior preparando. Os convidados vão comer em pé, ou sentados de pernas cruzadas no chão. Eles convidaram Alan e Judy do andar de cima, que estão vestidos como sempre, de jeans e suéteres grossos porque está frio, sandálias de couro afiveladas sobre meias de lã. Judy examina o buffet, morde algo que descobre ser um bolinho de camarão. "Achei que os indianos fossem todos vegetarianos", ela sussurra para Alan.

Gógol começa a ser alimentado. É tudo apenas um toque, um gesto. Ninguém espera que o menino coma mais que um grão de arroz aqui, uma gota de *dal* ali — tudo destinado a introduzi-lo numa vida de alimentação, uma refeição que vai inaugurar as dezenas de milhares de refeições futuras que não serão lembradas. Algumas mulheres ululam quando os procedimentos se iniciam. Uma concha é batida de leve várias vezes e passada de mão em mão, mas ninguém no recinto consegue produzir som nela. Folhas de grama e a chama esguia e constante de um *pradeep* são seguradas junto à cabeça de Gógol. A criança está em transe, não se contorce nem vira o rosto, abre a boca obedientemente para cada um dos pratos. Ele come o *payesh* três vezes. Os olhos de Ashima se enchem de lágrimas quando a boca de Gógol recebe com avidez a colher. Não pode deixar de desejar que seu irmão estivesse ali para alimentá-lo, seus pais para abençoá-lo com as mãos na cabeça do menino. E então o *gran finale*, o momento pelo qual todos estavam esperando. Para prever seu futuro caminho na vida, eles oferecem a Gógol um prato com um torrão de terra fria de Cambridge cavada do quintal, uma caneta esferográfica e uma nota de um dólar, para ver se ele será dono de terras, estudioso ou empresário. A maioria das crianças agarra um desses objetos, às vezes todos, porém Gógol não encosta em nada. Não demonstra nenhum interesse pelo prato e, em vez disso, vira o rosto, enterrando-o por um breve instante no ombro de seu tio honorário.

"Põe o dinheiro na mão dele", grita alguém no grupo. "Um menino americano tem que ser rico!"

"Não!", protesta o pai. "A caneta. Gógol, pega a caneta."

Gógol contempla o prato com um ar de dúvida. Dezenas de cabeças escuras ficam na expectativa. O material do pijama *punjabi* começa a arranhar sua pele.

"Vai, Gógol, pega alguma coisa", diz Dilip Nandi, aproximando o prato. Gógol franze o rosto, e seu lábio inferior treme. Só então, forçado aos seis meses de idade a confrontar seu destino, é que ele começa a chorar.

Outro agosto. Gógol tem um ano de idade, já agarra as coisas, anda um pouco, repete palavras nas duas línguas. Chama a mãe de "Ma", o pai de "Baba". Se uma pessoa no recinto diz "Gógol", ele vira a cabeça e sorri. Dorme sempre a noite inteira e entre o meio-dia e as três da tarde. Tem sete dentes. Tenta o tempo todo colocar na boca pedacinhos de papel, fiapos de tecido e o que mais encontrar no chão. Ashoke e Ashima estão planejando sua primeira viagem a Calcutá, em dezembro, durante as férias de inverno de Ashoke. A jornada em vista os inspira a tentar pensar num nome bom para Gógol, para que possam fazer a solicitação do passaporte. Pedem sugestões a seus amigos bengalis. Longas noites são dedicadas à reflexão sobre este ou aquele nome. Porém nada agrada a eles. A essa altura já desistiram da carta da avó de Ashima. Desistiram da possibilidade de a avó lembrar do nome, pois ela, dizem, não consegue lembrar nem da própria Ashima. Mesmo assim, ainda há tempo. A viagem a Calcutá é dali a quatro meses. Ashima lamenta que eles não possam ir antes, a tempo para o *pujo* de Durga, mas ainda faltam anos para que Ashoke possa pedir férias sabáticas, e três semanas em dezembro é tudo o que eles conseguem. "É como visitar a família alguns meses depois do Natal de vocês", Ashima explica para Judy um dia, ao pé do varal. Judy responde que ela e Alan são budistas.

Numa velocidade alucinante, Ashima tricota coletes para o pai, o sogro, o irmão, os três tios favoritos. São todos iguais, com gola em V, lã verde-pinho, cinco pontos em meia, dois em tricô, com agulhas número nove. A exceção é o do pai, feito num ponto arroz duplo com duas tranças grossas e botões na frente; ele prefere cardigãs a pulôveres, e ela lembra de acrescentar bolsos para o baralho que ele sempre carrega consigo, para jogar paciência a qualquer momento. Além do colete, ela compra para ele três pincéis de pelo de zibelina do Harvard Coop, nos tamanhos que ele pediu por carta. Embora sejam absurdamente caros, mais caros do que qualquer outra coisa que ela já tenha comprado nos Estados Unidos, Ashoke não diz nada quando vê a conta. Certo dia, Ashima vai fazer compras no centro de Boston e passa horas no subsolo da Jordan Marsh enquanto empurra Gógol em seu carrinho, gastando até seu último centavo. Compra colheres de chá descasadas, fronhas de percal, velas coloridas, sabonetes com corda. Numa farmácia ela compra um relógio Timex para o sogro, canetas Bic para os primos, linhas de bordado e dedais para a mãe e as tias. No trem para casa está radiante, exausta, nervosa com a perspectiva da viagem. O trem está lotado e no começo ela fica em pé, lutando para segurar todas as sacolas, o carrinho de bebê e a alça de apoio, até que uma menina pergunta se ela gostaria de se sentar. Ashima agradece, acomodando-se no assento com gratidão e protegendo as sacolas espremidas atrás das pernas. Sente a tentação de dormir, de imitar Gógol. Apoia a cabeça na janela, fecha os olhos e pensa na Índia. Imagina as barras pretas de ferro nas janelas do apartamento dos pais, e Gógol, com suas roupas e fraldas americanas, brincando sob o ventilador de teto, em cima da cama de quatro colunas dos pais dela. Imagina seu pai com um dente faltando, perdido após um tombo recente na escada, como escreveu sua mãe. Tenta imaginar o que sentirá quando a avó não a reconhecer.

Quando ela abre os olhos, vê que o trem está parado, as portas abertas na estação dela. Levanta num pulo, com o coração acelerado. "Licença, por favor", diz, empurrando o carrinho e abrindo caminho entre os corpos espremidos. "Senhora, suas coisas", alguém diz quando ela consegue passar, prestes a sair para a plataforma. As portas do metrô se fecham com força enquanto ela nota seu erro, e o trem vai se afastando lentamente. Ela fica ali, vendo até o último vagão desaparecer dentro do túnel, até que ela e Gógol sejam as únicas pessoas restantes na plataforma. Ela volta pela avenida Massachusetts empurrando o carrinho, chorando descontroladamente, sabendo que não tem condições de voltar e comprar tudo aquilo de novo. Passa o resto da tarde furiosa consigo mesma, humilhada com a possibilidade de chegar a Calcutá de mãos vazias afora os coletes e pincéis. Mas quando Ashoke chega em casa, liga para a seção de achados e perdidos da MBTA; no dia seguinte as sacolas são devolvidas, não falta uma única colher de chá. De algum modo, esse pequeno milagre faz com que Ashima se sinta ligada a Cambridge de um jeito que ela antes não achava possível, filiada não só às suas regras, mas também às suas exceções. Ela tem uma história para contar nos jantares. Os amigos a escutam, maravilhados com a sorte dela. "Só neste país", diz Maya Nandi.

Certa noite, não muito depois disso, o telefone toca quando eles estão dormindo. O som os desperta imediatamente, o coração em disparada, como se acordassem do mesmo sonho apavorante. Ashima sabe, mesmo antes de Ashoke atender, que é uma ligação da Índia. Alguns meses antes, a família dela pediu numa carta o número do telefone em Cambridge, e com relutância ela o enviou na resposta, sabendo que seria apenas um jeito de as notícias ruins a alcançarem. Quando Ashoke senta na cama e tira o fone do gancho, atendendo numa voz exausta, enfraquecida, Ashima se prepara. Desce a grade do berço para tranquilizar Gógol, que começou a se mexer com os toques do telefone, e repassa em sua cabeça os fatos. Sua avó tem mais de oitenta anos, está de cama, quase senil, sem poder comer nem falar. Os últimos meses de sua vida, de acordo com a carta mais recente dos pais, foram dolorosos para a avó e para aqueles que a conhecem. Aquilo não era jeito de viver. Ela imagina sua mãe dizendo isso tudo numa voz branda no telefone dos vizinhos do lado, de pé na sala de estar deles. Ashima se prepara para a notícia, para aceitar o fato de que Gógol nunca vai conhecer a bisavó, a que lhe deu seu nome perdido.

Faz um frio desagradável no quarto. Ela pega Gógol e volta para a cama, para baixo do cobertor. Aperta o bebê junto ao corpo para ganhar forças, dá seu seio a ele. Lembra-se do cardigã cor creme que comprou pensando na avó, guardado numa sacola de compras dentro do armário. Ouve Ashoke falando, num tom sóbrio mas alto o bastante para ela temer que ele acorde Alan e Judy no andar de cima. "Sim, tudo bem, entendo. Não se preocupe, sim, eu falo." Por um instante ele fica em silêncio, escutando. "Eles querem falar com você", ele diz a Ashima, pousando brevemente a mão em seu ombro. No escuro ele passa o telefone para ela e, depois de hesitar por um instante, levanta da cama.

Ela pega o telefone para ouvir a notícia pessoalmente, para consolar sua mãe. Não consegue deixar de se perguntar quem vai consolá-la no dia em que a sua mãe morrer, se essa notícia também lhe chegará desse jeito, no meio da noite, arrancando-a de seus sonhos. Apesar do medo ela sente uma comoção; será a primeira vez que ouvirá a voz da mãe em quase três anos. A primeira vez, desde que partiu do aeroporto Dum Dum, que ela será chamada de Monu. Só que não é sua mãe, mas seu irmão, Rana, do outro lado da linha. A voz soa pequena, como se passada por dentro de um fio, mal reconhecível pelos buracos do telefone. A primeira pergunta de Ashima é que horas são lá. Ela precisa repetir a pergunta três vezes, gritando para que ele a ouça. Rana diz que é hora do almoço. "Você ainda pretende nos visitar em dezembro?", ele pergunta.

Ela sente seu peito doer, emocionada, depois de todo esse tempo, ao ouvir o irmão chamá-la de Didi, sua irmã mais velha, um termo que só ele no mundo tem o direito de usar. Ao mesmo tempo ela ouve a água correr na cozinha de Cambridge e seu marido abrir um armário para pegar um copo. "É claro que vamos", ela diz, vacilando quando ouve seu eco repetir isso num tom mais fraco, menos convincente. "Como está Dida? Aconteceu mais alguma coisa com ela?"

"Continua viva", diz Rana. "Mas continua igual."

Ashima deita a cabeça no travesseiro, esmorecida de alívio. Veria a avó afinal, mesmo que fosse uma última vez. Beija Gógol no topo da cabeça, aperta sua bochecha contra a dele. "Graças aos céus. Me deixa falar com a Ma", ela diz, cruzando os tornozelos. "Me deixa falar com ela."

"Ela não está em casa agora", diz Rana depois de uma pausa cheia de estática.

"E o Baba?"

Segue-se um trecho de silêncio antes que a voz dele volte. "Não está aqui."

"Ah." Ela lembra da diferença de horário — o pai já deve estar trabalhando na redação da *Desh*, a mãe no mercado, com uma bolsa de aniagem na mão, comprando legumes e peixe.

"Como vai o pequeno Gógol?", Rana pergunta a ela. "Ele só fala inglês?"

Ela ri. "Ele não fala quase nada, por enquanto." Ela começa a contar a Rana que está ensinando Gógol a dizer "Dida", "Dadu" e "Mamu", e a reconhecer seus avós e seu tio em fotografias. No entanto, outra onda de estática, dessa vez mais longa, a silencia no meio da frase.

"Rana? Está me ouvindo?"

"Não estou te ouvindo, Didi", Rana diz, sua voz ficando mais distante. "Não estou te ouvindo. A gente se fala depois."

"Sim", ela diz, "depois. Te vejo em breve. Muito breve. Escreve pra mim." Ela põe o fone no gancho, revigorada pelo som da voz do irmão. Um instante depois, está confusa e um pouco irritada. Por que ele tinha se dado ao trabalho de telefonar, só para fazer uma pergunta óbvia? Por que telefonar quando o pai e a mãe dela tinham saído?

Ashoke volta da cozinha, um copo d'água na mão. Põe a água na mesa de cabeceira e liga o pequeno abajur ao lado da cama.

"Estou acordado", diz Ashoke, embora sua voz ainda esteja baixa de cansaço.

"Eu também."

"E Gógol?"

"Dormiu de novo." Ela se levanta e o põe de volta no berço, puxando o cobertor até seus ombros, depois volta para a cama, tremendo de frio. "Não entendo", diz, balançando a cabeça na direção do lençol amassado. "Por que Rana se deu ao trabalho de ligar justo agora? É tão caro. Não faz sentido." Ela se vira para olhar para Ashoke. "O que ele te disse, exatamente?"

Ashoke balança a cabeça de um lado para o outro, com o perfil baixo.

"Ele te contou alguma coisa que você não quer me dizer. Conta pra mim, o que ele disse?"

Ele continua a balançar a cabeça, e então estende o braço para o lado dela da cama e aperta sua mão com tanta força que chega a doer um pouco. Ele a aperta contra a cama, deita em cima dela, com o rosto de lado, seu corpo de repente trêmulo. Segura-a desse jeito por tanto tempo que ela começa a se perguntar se ele vai apagar a luz e acariciá-la. Em vez disso, ele conta o que Rana lhe contou alguns minutos antes, o que Rana não conseguiu contar pessoalmente para a irmã por telefone: que o pai dela morreu na noite anterior, de ataque cardíaco, enquanto jogava paciência na cama.

Eles partem para a Índia seis dias depois, seis semanas antes do planejado. Alan e Judy são acordados na manhã seguinte com os soluços de Ashima, e depois de ouvir a notícia da boca de Ashoke, deixam um vaso cheio de flores ao lado da porta. Nesses seis dias não há tempo para pensar num nome bom para Gógol. Eles recebem um passaporte expresso com o nome "Gógol Ganguli" datilografado em cima do selo dos Estados Unidos da América, e Ashoke assina em nome do filho. No dia anterior à partida, Ashima põe Gógol em seu carrinho, guarda numa sacola de compras o colete que tricotou para o pai e seus pincéis, e anda até Harvard Square, até a estação de metrô. "Com licença", ela diz para um senhor na rua, "preciso pegar o trem." O homem a ajuda a descer com o carrinho, e Ashima o espera na plataforma. Quando o trem chega, ela segue imediatamente de volta para Central Square. Dessa vez, está bem acordada. Há só uma meia dúzia de pessoas no vagão, seus rostos escondidos atrás do *Globe*, ou olhando para livros de bolso, ou com o olhar fixo no vazio atrás dela. Quando o trem desacelera e para, ela fica em pé, pronta para desembarcar. Não volta para olhar a sacola de compras que deixou de propósito embaixo do assento. "Ei, a moça indiana esqueceu as coisas dela", Ashima ouve enquanto as portas se fecham, e quando o trem começa a andar ela ouve um punho esmurrando o vidro, mas continua andando, empurrando Gógol pela plataforma.

Na noite seguinte eles embarcam num voo da Pan Am para Londres, onde, após uma escala de cinco horas, vão embarcar num segundo voo para Calcutá, via Teerã e Bombaim. Na pista de decolagem em Boston, com o cinto de segurança afivelado, Ashima confere seu relógio de pulso e calcula o horário indiano nos dedos. Mas dessa vez nenhuma imagem de sua família lhe vem à mente. Ela se recusa a imaginar aquilo que verá muito em breve: a testa de sua mãe sem a tinta vermelha, a cabeça do irmão raspada, em sinal de luto. As rodas começam a girar, fazendo as enormes asas de metal oscilar de leve para cima e para baixo. Ashima olha para Ashoke, que está conferindo de novo seus passaportes e *green cards*, para garantir que estão em ordem. Ela o observa ajustar o relógio, já se preparando para a chegada, os ponteiros claros de prata deslocando-se até o lugar certo.

"Não quero ir", ela diz, virando-se para a janela oval escura. "Não quero vê-los. Não posso."

Ashoke põe sua mão sobre a dela quando o avião começa a ganhar velocidade. E então Boston fica para trás, e eles ascendem sem esforço sobre um Atlântico enegrecido. As rodas se retraem e a cabine balança conforme o avião luta para subir, atravessando a primeira camada de nuvens. Embora os ouvidos de Gógol tenham sido tapados com algodão, ele grita assim mesmo, nos braços da mãe de luto, enquanto eles sobem ainda mais alto, enquanto ele voa pela primeira vez na vida para o outro lado do mundo.

3.

1971

Os Ganguli se mudaram para uma pequena cidade universitária perto de Boston. Até onde sabem, são os únicos moradores bengalis. A cidade tem um bairro histórico, um breve trecho de arquitetura colonial visitado por turistas nos fins de semana no verão. Há uma igreja congregacional branca com uma torre, um tribunal de pedra com uma prisão adjacente, uma biblioteca pública com uma cúpula, um poço de madeira onde Paul Revere bebeu água, segundo a lenda. No verão, velas ardem nas janelas das casas após o anoitecer. Ashoke foi contratado como professor assistente de engenharia elétrica pela universidade. Para lecionar em cinco cursos, recebe dezesseis mil dólares por ano. Ganhou sua própria sala, com seu nome gravado numa placa de plástico preto ao lado da porta. Compartilha, com os outros membros do departamento, os serviços de uma secretária de idade avançada, a sra. Jones, que muitas vezes põe um prato de pão caseiro de banana junto à cafeteira na sala dos funcionários. Ashoke suspeita que a sra. Jones, cujo marido deu aulas no departamento de língua inglesa a vida inteira, tenha mais ou menos a idade de sua mãe. A sra. Jones leva uma vida que a mãe de Ashoke consideraria humilhante: comendo sozinha, dirigindo sozinha para o trabalho em meio à neve e ao granizo, vendo seus filhos e netos no máximo três ou quatro vezes por ano.

O trabalho é tudo aquilo com que Ashoke sempre sonhou. Sempre esperou lecionar numa universidade em vez de trabalhar para uma corporação. Que emoção, ele pensa, estar dando uma aula diante de uma sala cheia de estudantes americanos. Que senso de realização lhe dá ver seu nome impresso sob o título "Corpo Docente" na lista da universidade. Que alegria cada vez que a sra. Jones lhe diz: "Professor Ganguli, sua esposa está ao telefone". De sua sala no quarto andar, ele tem uma vista abrangente do pátio quadrangular, cercado por prédios de tijolos cobertos de hera, e nos dias amenos almoça num banco, ouvindo a melodia dos sinos que repicam na torre do relógio do campus. Às sextas-feiras, depois de dar sua última aula, visita a biblioteca para ler jornais internacionais presos a longos bastões de madeira. Lê sobre aviões norte-americanos bombardeando rotas de abastecimento vietcongues no Camboja, sobre naxalitas assassinados nas ruas de Calcutá, sobre a Índia e o Paquistão entrando em guerra. Às vezes sobe até o último andar da biblioteca, cheio de claridade e com poucas pessoas, em cujas prateleiras estão todos os livros de literatura. Passa pelos corredores gravitando, no mais das vezes, rumo a seus adorados russos, onde fica especialmente reconfortado, toda vez, ao ver o nome de seu filho gravado em letras douradas nas lombadas de uma fileira de livros de capa dura vermelhos, verdes e azuis.

Para Ashima, migrar para os subúrbios parece um gesto mais drástico, um transtorno maior do que tinha sido a mudança de Calcutá para Cambridge. Queria que Ashoke tivesse aceitado o cargo na Northeastern, para que eles pudessem ter ficado na cidade grande. Espanta-se com o fato de que nessa cidade universitária não existam calçadas, semáforos, transporte público, nenhuma loja a quilômetros de distância. Ela não tem interesse em aprender a dirigir o novo Toyota Corolla que agora precisam ter. Embora não esteja mais grávida, continua, às vezes, a misturar Rice Krispies, amendoins e cebolas numa tigela. Pois Ashima está começando a se dar conta de que ser estrangeira é uma espécie de gravidez eterna — uma espera perpétua, um fardo constante, um sentimento contínuo de indisposição. É uma responsabilidade ininterrupta, um parêntese no que antes tinha sido a vida normal, apenas para descobrir que a vida anterior desapareceu, suplantada por algo mais complicado e exaustivo. Ashima acredita que, assim como a gravidez, ser estrangeira é algo que desperta a mesma curiosidade em estranhos, a mesma combinação de pena e respeito.

Suas incursões para fora do apartamento, enquanto o marido está trabalhando, limitam-se à universidade dentro da qual moram e ao bairro histórico que ladeia uma das divisas do campus. Ela passeia com Gógol, deixando-o cruzar o pátio correndo, ou senta-se com ele nos dias de chuva para ver televisão na sala dos estudantes. Uma vez por semana ela faz trinta samosas para vender na cafeteria internacional, por vinte e cinco centavos cada, junto às tortinhas de framboesa da sra. Etzold e os *baklava* da sra. Cassolis. Às sextas ela leva Gógol à biblioteca pública para a hora da história infantil. Depois que ele completa quatro anos, ela o leva e busca numa creche administrada pela universidade, três vezes por semana. Durante as horas em que Gógol está na creche, fazendo pinturas com os dedos e aprendendo o alfabeto inglês, Ashima fica desconsolada, outra vez desacostumada a estar sozinha. Sente falta do hábito do filho de sempre segurar a ponta solta de seu sári enquanto eles andam juntos. Sente falta do som de sua voz emburrada e estridente de menininho, quando diz que está com fome, ou cansado, ou precisa ir ao banheiro. Para evitar ficar sozinha em casa, ela senta na sala de leitura da biblioteca pública, numa poltrona de couro rachado, e escreve cartas para a mãe, ou fica lendo revistas ou um dos livros bengalis que trouxe de casa. A sala é alegre, cheia de luz, com um tapete cor de tomate no chão e pessoas lendo o jornal em volta de uma grande mesa redonda de madeira com forsythias ou tifáceas dispostas no centro. Quando sente muita saudade de Gógol, entra na sala das crianças; ali, pregada num mural, há uma foto dele de perfil, sentado de pernas cruzadas numa almofada durante a hora da história, ouvindo a bibliotecária infantil, a sra. Aisken, ler *O gatola da cartola*.

Após dois anos num apartamento quente demais, subsidiado pela universidade, Ashima e Ashoke estão prontos para comprar uma casa. De noite, depois do jantar, saem de carro, com Gógol no banco de trás, para olhar casas à venda. Não procuram no bairro histórico, onde mora o chefe do departamento de Ashoke, numa mansão do século XVIII à qual ele, Ashima e Gógol são convidados a ir uma vez por ano, para o chá no dia seguinte ao Natal. Em vez disso, eles procuram casas em ruas comuns, com piscininhas de plástico e tacos de beisebol largados na grama. Todas as casas pertencem a americanos. Eles usam sapato dentro de casa, colocam as caixas de areia do gato na cozinha, cachorros latem e pulam quando Ashima e Ashoke tocam a campainha. Eles aprendem os nomes dos diversos estilos de arquitetura: *cape*, *saltbox*, *raised ranch*, *garrison*. No fim eles se decidem por um colonial de dois andares com paredes revestidas de placas de madeira num projeto recém-construído, uma casa que nunca fora ocupada por ninguém, erguida num quarto de acre de terra. Esse é o pequeno pedaço dos Estados Unidos que eles estão reivindicando para si. Gógol acompanha os pais a bancos, fica sentado esperando enquanto eles assinam os infinitos papéis. A hipoteca é aprovada e a mudança, programada para a primavera. Ashoke e Ashima ficam espantados, quando se mudam com a U-Haul para a casa nova, ao descobrir quanta coisa eles possuem; cada um deles tinha vindo para os Estados Unidos com uma única mala, roupas para poucas semanas. Agora há velhas edições do *Globe*, empilhadas nos cantos do apartamento, suficientes para embrulhar todos os seus pratos e copos. Há edições de anos inteiros da revista *Time* esperando para serem jogadas fora.

As paredes da casa nova são pintadas, a entrada é selada com piche, as telhas de madeira e o terraço são impermeabilizados e tingidos. Ashoke tira fotos de todos os quartos, com Gógol parado em algum lugar do enquadramento, para mandar para os parentes na Índia. Há fotos de Gógol abrindo a geladeira, fingindo falar ao telefone. Ele é uma criança de constituição robusta, com bochechas cheias e traços pensativos. Quando posa para a câmera, é preciso convencê-lo a sorrir. A casa fica a quinze minutos do supermercado mais próximo, a quarenta minutos de um shopping. O endereço é rua Pemberton, número 67. Seus vizinhos são os Johnson, os Merton, os Aspri, os Hill. Há quatro quartos modestos, um banheiro e um lavabo, dois metros e meio de pé-direito, uma vaga de garagem. Na sala de estar há uma lareira de tijolos e uma janela panorâmica com vista para o quintal. Na cozinha há eletrodomésticos amarelos combinando, uma bandeja rotatória, um chão de linóleo que imita azulejo. Uma aquarela do pai de Ashima, mostrando uma caravana de camelos num deserto do Rajastão, é enquadrada numa loja de gravuras e pendurada na parede da sala de estar. Gógol tem seu próprio quarto, uma cama com uma gaveta embutida na base, estantes de metal que contêm Tinkertoys, Lincoln Logs, um View-Master, uma tela mágica. A maioria dos brinquedos de Gógol vem de *yard sales*, assim como a maior parte dos móveis, além das cortinas, da torradeira, e de um conjunto de panelas e frigideiras. No começo Ashima reluta em introduzir esses objetos em seu lar, sentindo vergonha ao pensar que está comprando o que originalmente pertencera a desconhecidos. Desconhecidos americanos, aliás. Mas Ashoke lhe diz que mesmo seu chefe compra coisas em vendas de quintal, que, apesar de morar numa mansão, um americano não se incomoda de vestir calças de segunda mão, compradas por cinquenta centavos.

Quando eles se mudam para a casa, o terreno ainda não foi ajardinado. Não há árvores e nenhum arbusto ao lado da porta da frente, de modo que o cimento da fundação fica claramente visível. E assim, nos primeiros meses, Gógol, aos quatro anos, brinca num quintal irregular, coberto de terra, cheio de pedras e gravetos, sujando seus tênis, deixando pegadas por onde anda. Essa é uma de suas memórias mais antigas. Durante o resto da vida ele vai se lembrar dessa primavera fria, nublada, quando cavou buracos na terra, catou pedras, descobriu salamandras pretas e amarelas embaixo de uma lajota de ardósia. Vai se lembrar dos barulhos das outras crianças do bairro, rindo e pedalando seus triciclos Big Wheels na rua. Vai se lembrar do dia quente e iluminado de verão em que o húmus foi derramado da traseira de um caminhão, e de quando saiu no terraço com a mãe e o pai, poucas semanas depois, para ver folhas finas de grama brotarem na terra escura e descoberta.

No começo, ao entardecer, sua família sai para passear de carro, explorar as novas redondezas aos poucos: as ruas de terra malcuidadas, os becos cobertos de sombra, as fazendas onde se podia comprar abóboras no outono e frutas silvestres em caixas de papelão verde em julho. O banco de trás do carro está protegido por um plástico, os cinzeiros nas portas ainda lacrados. Eles dirigem até escurecer, sem nenhum destino em mente, passando por lagoas e cemitérios escondidos, *culs-de-sac* e becos sem saída. Às vezes saem da cidade, partem para uma das praias ao longo do Litoral Norte. Mesmo no verão, nunca vão nadar nem se bronzear ao sol. Em vez disso, usam suas roupas do dia a dia. Na hora em que chegam, a bilheteria está vazia, a multidão foi embora; há apenas alguns carros no estacionamento, e os únicos visitantes além deles são pessoas passeando com cachorros, olhando para o sol ou passando detectores de metal na areia. Juntos no carro, quando estão a caminho, os Ganguli anseiam pelo momento em que a fina linha azul do oceano vai aparecer. Na praia, Gógol cata pedras, cava túneis na areia. Ele e seu pai passeiam descalços, com as pernas das calças enroladas até o meio das panturrilhas. Ele assiste ao pai empinar uma pipa ao vento em poucos minutos, tão alto que Gógol precisa curvar a cabeça para trás para ver um ponto tremulando no céu. O vento os açoita ao redor dos ouvidos, deixando seus rostos frios. Gaivotas brancas como a neve pairam de asas abertas, baixo o bastante para serem tocadas. Gógol corre para dentro e para fora do mar, deixando pegadas leves, temporárias, encharcando as barras enroladas da calça. Sua mãe grita, dando risada, enquanto levanta o sári poucos centímetros acima dos tornozelos, de chinelos na mão, e coloca os pés na água gelada, espumante. Ela estende a mão para Gógol, segura a mão dele. "Não tão longe", diz. As ondas retraem-se, ganhando força, a areia macia e escura parece deslizar instantaneamente sob os pés deles, fazendo-os perder o equilíbrio. "Estou caindo. O mar está me puxando para dentro", ela sempre diz.

No mês de agosto em que Gógol faz cinco anos, Ashima descobre que está grávida de novo. De manhã se obriga a comer uma torrada, só porque Ashoke prepara para ela e fica observando-a mastigar na cama. Sua cabeça gira o tempo todo. Ela passa os dias deitada, com um cesto de lixo ao seu lado, as persianas fechadas, a boca e os dentes cobertos de um gosto metálico. Assiste a *The Price Is Right*, *Guiding Light* e *The $10,000 Pyramid* na televisão que Ashoke traz da sala de estar para o lado dela da cama. Arrastàndo-se até a cozinha na hora do almoço, para preparar um sanduíche de geleia e manteiga de amendoim para Gógol, fica revoltada com o cheiro da geladeira, convencida de que o que havia em suas gavetas de legumes foi trocado por lixo, que a carne está apodrecendo nas prateleiras. Às vezes Gógol deita-se ao seu lado no quarto dos pais e fica lendo um livro ilustrado, ou pintando com giz de cera. "Você vai ser o irmão mais velho", ela lhe diz um dia. "Vai ter alguém pra te chamar de Dada. Não te parece divertido?" Às vezes, quando se sente mais disposta, pede a Gógol que vá buscar um álbum de fotos e, juntos, eles olham retratos dos avôs de Gógol, de seus tios, tias, primos e primas, de quem, apesar de sua única visita a Calcutá, ele não tem nenhuma lembrança. Ela lhe ensina a memorizar um poema infantil de quatro versos de Tagore e os nomes das divindades que adornam Durga, a deusa de dez mãos, durante o *pujo*: Saraswati com seu cisne e Kartik com seu pavão à esquerda, Lakshmi com sua coruja e Ganesh com seu camundongo à direita. Toda tarde Ashima dorme, mas, antes de cair no sono, muda para o Canal 2 na televisão e manda Gógol assistir a Vila Sésamo e Companhia Elétrica, para acompanhar o inglês que ele usa na creche.

À noite Gógol e seu pai comem juntos, sozinhos, uma semana inteira de curry de frango com arroz, que o pai cozinha em duas velhas caçarolas todo domingo. Enquanto a comida é reaquecida, o pai manda Gógol fechar a porta do quarto porque a mãe dele não tolera o cheiro. É estranho ver o pai tomando conta da cozinha, parado no lugar da mãe ao pé do fogão. Quando eles se sentam à mesa, falta o som dos pais conversando, assim como o som da televisão na sala de estar, passando o noticiário. O pai come com a cabeça curvada em cima do prato, folheando a nova edição da revista *Time*, e de quando em quando olha de relance para Gógol para conferir se ele está comendo também. Embora o pai se lembre de misturar o arroz e o curry para Gógol antes de servir, não se dá ao trabalho de moldar bolinhas separadas como faz a mãe, alinhando-as em volta do prato como os números num relógio. Gógol já aprendeu a comer sozinho com os dedos, a não deixar a comida manchar a pele da palma da mão. Aprendeu a sugar o tutano do carneiro, a tirar as espinhas do peixe. Mas sem a mãe à mesa, não tem vontade de comer. Fica torcendo, toda noite, para ela sair do quarto e vir sentar-se entre ele e o pai, preenchendo o ar com o cheiro de seu sári e seu cardigã. Fica entediado por comer a mesma coisa dia após dia, e uma noite discretamente empurra para o lado a comida que sobra. Com o indicador, nos restos de molho, começa a desenhar no prato. Joga jogo da velha.

"Termina", o pai diz, erguendo o olhar da revista. "Não brinca com a comida desse jeito."

"Tô cheio, Baba."

"Ainda tem comida no seu prato."

"Baba, eu não consigo."

O prato do pai está brilhando de tão limpo, os ossos de frango desvestidos de cartilagem e mastigados até virarem uma polpa rosada, a folha de louro e o pau de canela parecem quase novos. Ashoke balança a cabeça para Gógol, num gesto inflexível de reprovação. Todo dia Ashoke se condói ao ver os sanduíches que as pessoas jogam pela metade nas latas de lixo do campus, maçãs abandonadas após uma ou duas mordidas. "Termina, Gógol. Na sua idade eu comia até lata."

Uma vez que a mãe dele tende a vomitar no instante em que o carro entra em movimento, ela não pôde acompanhar o marido e levar Gógol, em setembro de 1973, a seu primeiro dia de pré-escola, na escola primária pública da cidade. Quando Gógol começa a ir, já é a segunda semana do ano letivo. Mas na semana anterior ele ficara de cama, assim como a mãe, desanimado, sem apetite, dizendo que estava com dor de barriga, chegou até a vomitar um dia no cesto de lixo rosa dela. Não quer ir à pré-escola. Não quer vestir as roupas novas que a mãe comprou para ele na Sears e que agora estão penduradas numa maçaneta da cômoda, nem levar sua lancheira do Charlie Brown, nem subir no ônibus escolar amarelo que para no final da rua Pemberton. A escola, diferente da creche, fica a vários quilômetros de casa, a vários quilômetros da universidade. Em diversas ocasiões ele foi levado de carro para ver o prédio, uma estrutura baixa, comprida, de tijolos, com um telhado perfeitamente plano e uma bandeira que tremula no topo de um alto mastro branco fincado no gramado.

Há um motivo para Gógol não querer ir à pré-escola. Os pais lhe disseram que na escola, em vez de ser chamado de Gógol, ele será chamado por um novo nome, um nome bom, que os pais finalmente escolheram, bem a tempo de ele começar sua educação formal. O novo nome, Nikhil, tem uma conexão sagaz com o antigo. Não só é um bom nome bengali perfeitamente respeitável, que significa "aquele que é inteiro, que abrange tudo", mas também tem uma semelhança satisfatória com Nikolai, o primeiro nome do Gógol russo. Ashoke pensara nesse nome recentemente, quando olhava distraído para as lombadas dos livros de Gógol na biblioteca, e correra para casa para perguntar a opinião de Ashima. Percebeu que era um nome relativamente fácil de pronunciar, embora houvesse o perigo de que os americanos, obcecados por abreviaturas, fossem truncá-lo para Nick. Ela dissera que gostara bastante, porém depois, sozinha, chorara pensando em sua avó, que morrera no começo do ano, e na carta perdida para sempre em algum lugar entre a Índia e os Estados Unidos, contendo o nome bom que ela escolhera para Gógol. Ashima ainda sonha com a carta às vezes, que a encontra após todos esses anos na caixa de correio na rua Pemberton, apenas para descobrir que está em branco.

Mas Gógol não quer um nome novo. Não consegue entender por que tem que responder a outro nome. "Por que eu preciso ter um nome novo?", pergunta aos pais, com os olhos lacrimejantes. Seria uma coisa se os pais fossem chamá-lo de Nikhil também. Mas eles lhe dizem que o nome novo só será usado pelos professores e alunos na escola. Ele tem medo de ser Nikhil, alguém que não conhece. Que não conhece a ele. Os pais lhe dizem que também têm dois nomes cada um, assim como todos os seus amigos bengalis nos Estados Unidos, e todos os seus parentes em Calcutá. Faz parte do crescimento, dizem, parte de ser um bengali. Eles escrevem o nome para ele num papel e pedem-lhe que copie dez vezes. "Não se preocupe", diz o pai. "Para mim e para sua mãe, você nunca vai ser outra pessoa a não ser Gógol."

Na escola, Ashoke e Gógol são cumprimentados pela secretária, a sra. McNab, que pede que Ashoke preencha o formulário de matrícula. Ele apresenta uma cópia da certidão de nascimento de Gógol e sua carteira de vacinas, que a sra. McNab guarda numa pasta junto com a matrícula. "Por aqui", diz a sra. McNab, conduzindo-os até a sala da diretora. CANDACE LAPIDUS, diz o nome na porta. A sra. Lapidus garante a Ashoke que perder a primeira semana da pré-escola não é problema algum, que as coisas ainda estão se assentando. A sra. Lapidus é uma mulher alta, esbelta, com cabelos curtos loiros esbranquiçados. Usa sombra azul brilhante nos olhos e um tailleur amarelo-limão. Aperta a mão de Ashoke e lhe diz que há duas outras crianças indianas na escola, Jayadev Modi na terceira série e Rekha Saxena, na quinta. Quem sabe os Ganguli os conhecem? Ashoke diz à sra. Lapidus que não. Ela olha para o formulário de matrícula e dá um sorriso gentil para o menino, que segura com força a mão do pai. Gógol veste uma calça azul-clara, tênis de lona vermelhos e brancos, uma blusa listrada com gola rolê.

"Bem-vindo à escola primária, Nikhil. Sou a diretora, a sra. Lapidus."

Gógol olha para os próprios tênis. O jeito como a diretora pronuncia seu novo nome é diferente do jeito como dizem seus pais. A segunda parte é mais longa, soa como *heel*, calcanhar.

Ela se curva para que seu rosto fique na altura do dele e põe a mão no ombro do menino. "Você pode me dizer quantos anos tem, Nikhil?"

Quando a pergunta é repetida e ainda não há resposta, a sra. Lapidus pergunta: " Sr. Ganguli, o Nikhil entende inglês?".

"É claro que entende", diz Ashoke. "Meu filho é perfeitamente bilíngue."

Para provar que Gógol sabe bem inglês, Ashoke faz algo que nunca tinha feito antes, dirigindo-se ao filho num inglês caprichado, com sotaque. "Vai, Gógol", diz, passando a mão na cabeça dele. "Fala para a sra. Lapidus quantos anos você tem."

"O que o senhor disse?", pergunta a sra. Lapidus.

"Como é, senhora?"

"O nome que o senhor o chamou. Alguma coisa com G."

"Ah, sim, é assim que nós o chamamos em casa. Mas o nome bom dele deveria ser... é...", ele assente firmemente com a cabeça, "Nikhil."

A sra. Lapidus franze a testa. "Desculpe, mas eu não entendo. Nome bom?"

"Sim."

A sra. Lapidus consulta o formulário de matrícula. Não precisou passar por essa confusão com as outras duas crianças indianas. Abre a pasta e examina a carteira de vacina, a certidão de nascimento. "Parece haver alguma confusão, sr. Ganguli", ela diz. "De acordo com estes documentos, o nome oficial do seu filho é Gógol."

"Correto. Mas, por favor, permita que eu explique..."

"Que o senhor quer que nós o chamemos de Nikhil."

"Correto."

A sra. Lapidus assente com a cabeça. "E o motivo seria?"

"É o que nós queremos."

"Não sei bem se entendi, sr. Ganguli. O senhor está dizendo que Nikhil é um nome do meio? Ou um apelido? Muitas das crianças atendem por apelidos aqui. Neste formulário há um espaço..."

"Não, não, não é um nome do meio", diz Ashoke. Ele está começando a perder a paciência. "Ele não tem nome do meio. Não tem apelido. O nome bom do menino, seu nome de escola, é Nikhil."

A sra. Lapidus aperta os lábios e sorri. "Mas ele claramente não responde."

"Por favor, sra. Lapidus", diz Ashoke. "É muito comum uma criança ficar confusa no começo. Por favor, dê um tempo para ele. Garanto que ele vai se acostumar."

Ele se curva e, dessa vez em bengali, numa voz calma e baixa, pede que Gógol, por favor, responda quando a sra. Lapidus lhe fizer uma pergunta. "Não fique com medo, Gógol", ele diz, erguendo o queixo do filho com o dedo. "Você agora é um menino grande. Sem choro."

Embora a sra. Lapidus não entenda uma palavra, escuta atentamente, ouve este nome outra vez. Gógol. A lápis, de leve, anota-o no formulário de matrícula.

Ashoke entrega a lancheira, um agasalho caso faça frio. Agradece à sra. Lapidus. "Seja bonzinho, Nikhil", diz em inglês. E então, após um instante de hesitação, ele parte.

Quando eles estão a sós, a sra. Lapidus pergunta: "Você está feliz de entrar na escola primária, Gógol?".

"Meus pais querem que eu tenha outro nome na escola."

"E você, Gógol? Você quer ser chamado de outro nome?"

Depois de uma pausa, ele balança a cabeça de um lado para o outro.

"Isso é um não?"

Ele balança a cabeça para cima e para baixo. "É."

"Então está decidido. Você pode escrever seu nome neste papel?"

Gógol pega um lápis, segura-o com força e forma as letras da única palavra que aprendeu a escrever de cor até agora, fazendo o L invertido porque está nervoso. "Que letra bonita você tem", diz a sra. Lapidus. Ela rasga o velho formulário de matrícula e pede à sra. McNab que bata à máquina um formulário novo. Então pega a mão de Gógol e o conduz por um corredor acarpetado com paredes de cimento pintadas. Abre uma porta e Gógol é apresentado a sua professora, a srta. Watkins, uma mulher com cabelos presos em duas tranças, de avental e tamancos. Dentro da classe é um pequeno universo de apelidos — Andrew é Andy, Alexandra é Sandy, William é Billy, Elizabeth é Lizzy. Nada parecido com as escolas que os pais de Gógol frequentaram, canetas-tinteiro e sapatos pretos lustrados, cadernos e nomes bons, senhor ou senhora numa tenra idade. Aqui o único ritual oficial é jurar lealdade à bandeira americana logo de manhãzinha. Durante o resto do dia, eles ficam sentados junto a uma mesa redonda coletiva, bebendo suco e comendo cookies, tirando cochilos em almofadinhas cor laranja no chão. Ao fim desse primeiro dia ele é mandado para casa com uma carta da sra. Lapidus para os pais, dobrada e grampeada a um barbante em volta do pescoço dele, explicando que, devido à preferência do filho, ele será conhecido como Gógol na escola. Mas, e a preferência dos pais?, perguntam Ashima e Ashoke, balançando a cabeça. Porém, já que nenhum dos dois se sente à vontade para insistir nesse assunto, eles não têm outra escolha a não ser ceder.

E então começa a educação formal de Gógol. No topo das folhas de papel áspero amarelo-claro ele escreve seu nome de criação repetidas vezes e o alfabeto em letras maiúsculas e minúsculas. Aprende a somar e a subtrair, e a soletrar suas primeiras palavras. Nas capas dos livros didáticos onde aprende a ler, ele deixa seu legado, escrevendo seu nome em lápis número dois embaixo de uma série de outros. Na aula de artes, seu momento favorito da semana, ele grava seu nome com clipes de papel nos fundos de xícaras e tigelas de argila. Cola macarrões crus em cartolinas e deixa sua assinatura em traços grossos de pincel sob as pinturas. Dia após dia ele traz para casa suas criações e as dá para Ashima, que as pendura com orgulho na porta da geladeira. "Gógol G.", ele assina sua obra no canto inferior direito, como se houvesse a necessidade de distingui-lo de algum outro Gógol na escola.

Em maio nasce sua irmã. Dessa vez, o trabalho de parto acontece rapidamente. Certa manhã de sábado, eles estão ouvindo canções bengalis no aparelho de som enquanto planejam ir a uma venda de quintal na vizinhança. Gógol está comendo waffles congelados de café da manhã e quer que seus pais desliguem a música para ele poder ouvir os desenhos animados que está vendo, quando rompe a bolsa d'água da mãe. O pai desliga a música e telefona para Dilip e Maya Nandi, que agora moram num subúrbio a vinte minutos de distância e também têm um menino pequeno. Depois ele liga para a vizinha do lado, a sra. Merton, que se ofereceu para tomar conta de Gógol até os Nandi chegarem. Embora os pais o tenham preparado para isso, quando a sra. Merton aparece com seus apetrechos de bordar, ele se sente ilhado, não tem mais vontade de ver desenhos. Fica parado na entrada da casa, observando o pai ajudar a mãe a entrar no carro, acenando quando eles partem. Para passar o tempo, ele desenha uma imagem de si mesmo com seus pais e seu novo irmão ou irmã, todos lado a lado em frente à casa deles. Ele se lembra de pôr um ponto na testa da mãe, óculos no rosto do pai, um poste de luz ao lado do caminho de pedra na frente da casa. "Olha, ficou exatamente igual", diz a sra. Merton, espiando por cima do ombro.

Nessa noite Maya Nandi, a quem ele chama de Maya Mashi, como se ela fosse irmã da mãe dele, sua própria tia, está esquentando o jantar que trouxe de casa, quando o pai telefona para contar que o bebê nasceu. No dia seguinte Gógol vê a mãe sentada numa cama reclinável, com uma pulseira de plástico no braço, sua barriga não mais tão dura e redonda. Atrás de uma grande vitrine, ele vê a irmã dormindo, deitada numa cama pequena de vidro, a única bebê no berçário de densos cabelos pretos. Ele é apresentado às enfermeiras que cuidam de sua mãe. Bebe o suco e come o pudim da bandeja dela. Timidamente, dá à mãe o desenho que fez. Embaixo das figuras ele escreveu o próprio nome, e Ma, e Baba. Só o espaço embaixo do bebê está em branco. "Não sei o nome do bebê", diz Gógol, e é nesse momento que os pais dizem a ele. Dessa vez, Ashoke e Ashima estão prontos. Já têm os nomes a postos, para menino ou para menina. Aprenderam a lição depois do caso de Gógol. Aprenderam que as escolas nos Estados Unidos são capazes de ignorar as instruções dos pais e registrar uma criança com seu nome de criação. O único jeito de evitar essa confusão, concluíram eles, é simplesmente acabar com o nome de criação, como muitos de seus amigos bengalis já fizeram. Para a filha deles, o nome bom e o de criação são o mesmo: Sonali, que significa "aquela que é dourada".

Dois dias depois, voltando da escola, Gógol encontra a mãe em casa de novo, vestindo um roupão de banho em vez de um sári, e vê a irmã acordada pela primeira vez. Ela usa um pijama cor-de-

-rosa que esconde as mãos e os pés, com uma touca rosa amarrada em volta de seu rosto em formato de lua. O pai também está em casa. O pai e a mãe põem Gógol sentado no sofá da sala de estar e colocam Sonali no colo dele, dizendo que a segure contra o peito, usando uma mão para apoiar a cabeça, e o pai tira fotos com uma nova câmera Nikon 35 milímetros. O obturador avança repetidas vezes, com um ruído discreto; a sala é banhada na luz forte da tarde. "Oi, Sonali", diz Gógol, sentado rígido, olhando para o rosto dela e depois para a lente. Embora Sonali seja o nome que está na certidão de nascimento, o nome que ela vai carregar oficialmente pela vida inteira, em casa eles começam a chamá-la de Sonu, depois Sona, e finalmente Sonia. Sonia faz dela uma cidadã do mundo. É um elo russo com seu irmão, é europeu, sul-americano. Um dia será o nome da esposa italiana do primeiro-ministro da Índia. No começo Gógol fica decepcionado ao perceber que não pode brincar com ela, que só o que ela faz é dormir, sujar fraldas e chorar. Mas por fim ela começa a reagir a ele, dando risadinhas quando ele faz cócegas em sua barriga, ou a empurra num balanço operado por uma manivela barulhenta, ou quando ele grita "Buuuu". Ele ajuda a mãe a dar banho nela, buscando a toalha e o xampu. Entretém a irmã no banco de trás do carro quando eles pegam a estrada nas noites de sábado, a caminho de jantares nas casas de amigos dos pais. Pois a essa altura, todos os bengalis de Cambridge mudaram-se para lugares como Dedham, Framingham, Lexington e Winchester, para casas com quintais e entradas para carros. Eles conheceram tantos bengalis que raramente havia um sábado livre, de modo que, durante o resto de sua vida, as memórias de infância de Gógol nas noites de sábado consistirão de uma única cena repetida: pessoas de trinta e poucos anos numa casa suburbana de três dormitórios, as crianças vendo televisão ou jogando jogos de tabuleiro no porão, os pais comendo e conversando na língua bengali que seus filhos não falam entre si. Ele vai lembrar que comia curry aguado em pratos de papel, às vezes pizza ou comida chinesa, pedida especialmente para as crianças. Há tantos convidados na cerimônia do arroz de Sonia que Ashoke consegue alugar um prédio no campus, com vinte mesas dobráveis e um fogão industrial. Diferente de seu obediente irmão mais velho, Sonia, aos sete meses de idade, recusa toda a comida. Brinca com a terra que eles cavaram do quintal e ameaça enfiar na boca a nota de um dólar. "Essa sim", comenta um dos convidados, "essa sim é a verdadeira americana."

Enquanto a vida na Nova Inglaterra vai ganhando amigos bengalis, os membros daquela outra vida, a anterior, aqueles que conhecem Ashima e Ashoke não por seus nomes bons, mas por Monu e Mithu, vão rareando aos poucos. Mais mortes acontecem, mais telefonemas os assustam no meio da noite, mais cartas chegam pelo correio informando que tios e tias não estão mais entre eles. As notícias dessas mortes jamais se extraviam como as outras cartas. De algum modo, as notícias ruins, por mais que venham encobertas por estática, por mais que cheguem cheias de ecos, sempre conseguem ser transmitidas. Passada uma década no exterior, os dois estão órfãos; os pais de Ashoke, ambos de câncer; a mãe de Ashima, de uma doença no rim. Gógol e Sonia são despertados por essas mortes de manhã cedo, com seus pais gritando do outro lado das paredes finas do quarto. Eles vão cambaleando até o quarto dos pais, sem compreender nada, constrangidos ao ver as lágrimas deles, sentindo apenas um pouquinho de tristeza. Em alguns aspectos, Ashoke e Ashima vivem a vida de pessoas extremamente idosas, as que perderam todos aqueles que conheciam e amavam, pessoas que sobrevivem e são consoladas apenas pela memória. Mesmo os parentes que continuam vivos lhe parecem mortos de algum modo, sempre invisíveis, impossíveis de encostar. Vozes no telefone, que ocasionalmente lhes trazem notícias de nascimentos e casamentos, dão-lhes calafrios na espinha. Como é possível estarem ainda vivos, ainda falando? Vê-los quando visitam Calcutá a cada alguns anos parece ainda mais estranho, seis ou oito semanas passam como um sonho. Uma vez de volta a rua Pemberton, na casa modesta que de repente parece descomunal, não há nada que os faça lembrar; apesar da centena de parentes que acabaram de ver, sentem-se como se fossem os únicos Ganguli no mundo. As pessoas com quem eles cresceram nunca verão a vida que eles levam, disso eles têm certeza. Nunca vão respirar o ar de uma manhã úmida da Nova Inglaterra, ver a fumaça subindo da chaminé do vizinho, ficar tremendo dentro de um carro, esperando o vidro descongelar e o motor aquecer.

E, no entanto, para um observador casual, os Ganguli, exceto pelo nome em sua caixa de correio, exceto pelas edições de *India Abroad* e *Sangbad Bichitra* que são entregues ali, não parecem diferentes de seus vizinhos. Sua garagem, como todas as outras, contém pás, uma tesoura de poda e um pequeno trenó. Eles compram uma churrasqueira para preparar *tandoori* no alpendre no verão. Cada passo, cada aquisição, por menor que seja, envolve deliberação, consulta a amigos bengalis. Havia diferença entre um rastelo de plástico e um de metal? O que era preferível, uma árvore de Natal viva ou uma artificial? Eles aprendem a assar perus, embora temperados com alho, cominho e pimenta-caiena, no dia de Ação de Graças; a pregar uma guirlanda na porta em dezembro e a vestir cachecóis de lã em bonecos de neve; a pintar ovos cozidos de violeta e cor-de-rosa na Páscoa e escondê-los pela casa. Em benefício de Gógol e Sonia eles comemoram, com uma efusão cada vez maior, o nascimento de Cristo, uma ocasião pela qual as crianças anseiam mais que o culto a Durga e Saraswati. Durante os *pujos*, agendados por conveniência em dois sábados por ano, Gógol e Sonia são arrastados até uma escola colegial ou um saguão dos Knights of Columbus tomado por bengalis, onde eles são obrigados a jogar pétalas de rosa-da-índia na efígie de uma deusa feita de papelão e comer comida vegetariana sem graça. Não se compara ao Natal, quando eles penduram meias na lareira, deixam cookies e leite para o Papai Noel, recebem montes de presentes e não precisam ir à escola.

Ashoke e Ashima também cedem de outros modos. Embora Ashima continue não usando nada além de sáris e sandálias de Bata, Ashoke, acostumado a vida inteira a vestir calças e camisas feitas sob medida, aprende a comprar roupas prontas. Troca as canetas-tinteiro por esferográficas, lâminas Wilkinson e seu pincel de barba de pelos de javali por barbeadores comprados em pacotes de seis. Embora seja agora um professor titular, não vai mais de terno e gravata à universidade. Já que há um relógio em qualquer lugar para onde ele olhe, ao lado da cama, em cima do fogão enquanto ele prepara o chá, no carro que ele usa para ir ao trabalho, ele para de usar relógio de pulso, relegando seu Favre Leuba às profundezas de sua gaveta de meias. No supermercado, eles deixam Gógol encher o carrinho com produtos que ele e Sonia consomem, mas não eles próprios: fatias de queijo embaladas individualmente, maionese, atum, cachorros-quentes. Para o almoço de Gógol eles ficam na fila do mercadinho para comprar frios, e de manhã Ashima faz sanduíches de mortadela ou rosbife. Por insistência dele, ela se dá por vencida e prepara um jantar americano para ele uma vez por semana para agradá-lo, frango Shake 'n Bake ou Hamburger Helper preparado com carne moída de carneiro.

Mesmo assim, eles fazem o que podem. Fazem questão de ir até Cambridge de carro com as crianças quando a *Trilogia de Apu* está passando no Orson Welles, ou quando há um espetáculo de dança Kathakali ou um recital de cítara no Memorial Hall. Quando Gógol vai para a terceira série, eles o mandam para aulas de língua e cultura bengali a cada dois sábados, ministradas na casa de um de seus amigos. Pois quando Ashima e Ashoke fecham os olhos, nunca deixam de ficar perturbados com o fato de que seus filhos falam igualzinho aos americanos, conversando com maestria numa língua que às vezes ainda os confunde, com um sotaque do qual eles estão acostumados a desconfiar. Na aula de bengali, Gógol aprende a ler e escrever o alfabeto de seus antepassados, que começa no fundo da garganta com um K não aspirado e marcha num passo constante pelo céu da boca, terminando com vogais fugidias que pairam fora de seus lábios. Ele aprende a escrever letras penduradas num traço e, por fim, a montar seu nome com essas formas intricadas. Eles leem folhetos escritos em inglês sobre o Renascimento Bengali e os feitos revolucionários de Subhas Chandra Bose. As crianças na aula estudam sem interesse, prefeririam estar no balé ou jogando softball. Gógol odeia a aula porque o faz perder metade das aulas de um curso de desenho aos sábados de manhã em que ele se inscreveu por sugestão do professor de artes. O curso de desenho é ministrado no último andar da biblioteca pública; nos dias de tempo bom, eles são levados para passear pelo bairro histórico, carregando lápis e grandes blocos de desenho, e têm como tarefa desenhar a fachada de um ou outro prédio. Na aula de bengali eles leem livros didáticos costurados à mão, trazidos de Calcutá pelo professor, feitos para crianças de cinco anos e impressos, como Gógol não pôde deixar de notar, num papel que lembra o papel higiênico dobrado que ele usa na escola.

Enquanto Gógol é pequeno, não se incomoda com seu nome. Reconhece partes de si mesmo em placas de rua: GO LEFT, GO RIGHT, GO SLOW. Nos aniversários, a mãe encomenda um bolo com o nome dele escrito no glacê branco em letras açucaradas azuis brilhantes.

Tudo parece perfeitamente normal. Ele não se importa com o fato de seu nome nunca ser uma opção em chaveiros, broches ou ímãs de geladeira. Aprendeu que seu nome é homenagem a um escritor russo famoso, nascido no século anterior. Que o nome do escritor, e portanto o dele, é conhecido no mundo inteiro e continuará vivo para sempre. Um dia o pai o leva à biblioteca da universidade e lhe mostra, numa prateleira muito acima do seu alcance, uma fileira de lombadas de Gógol. Quando o pai abre um dos livros numa página aleatória, as letras são muito menores do que na série dos *Hardy Boys* de que Gógol começou a gostar recentemente. "Daqui a alguns anos", o pai lhe diz, "você vai estar pronto para ler estes livros." Embora os professores substitutos na escola sempre façam uma pausa, constrangidos quando chegam ao seu nome na lista de chamada, obrigando Gógol a responder "Sou eu" mesmo antes de ser chamado, os professores titulares sabem falar sem pensar duas vezes. Depois de um ou dois anos os alunos não mais o provocam dizendo "Giggle" ou "Gargle". Nos programas das peças de Natal na escola, os pais estão acostumados a ver o nome dele no elenco. "Gógol é um excelente aluno, curioso e cooperativo", seus professores escrevem ano após ano nos boletins. "Vai, Gógol!", seus colegas gritam nos dias dourados de outono quando ele corre para as bases ou sai em disparada com a bola nas mãos.

Quanto ao sobrenome Ganguli, quando completa dez anos Gógol já foi a Calcutá mais três vezes, duas no verão e uma durante o *pujo* de Durga, e da viagem mais recente ainda se lembra da visão dele gravado numa letra respeitável, na parede caiada da fachada da casa dos avós. Lembra-se de seu espanto ao ver páginas cheias de Ganguli, três colunas por página, na lista telefônica de Calcutá. Teve vontade de rasgar a página como suvenir, mas quando disse isso a um de seus primos, ele deu risada. Ao andar de táxi pela cidade, indo visitar as diversas casas de seus parentes, o pai apontou para o nome em outros lugares, nos toldos de confeitarias, papelarias e óticas. Disse a Gógol que Ganguli era um legado dos britânicos, uma versão anglicizada da pronúncia de seu verdadeiro sobrenome, Gangopadhyay.

De volta à rua Pemberton, ele ajuda o pai a colar letras douradas, compradas separadamente num mostruário da loja de artigos de construção, escrevendo GANGULI num dos lados de sua caixa de correio. Certa manhã, no dia seguinte ao Halloween, Gógol descobre, a caminho do ponto de ônibus, que o nome foi encurtado para GANG, com a palavra GRENA rabiscada a lápis logo depois. Suas orelhas ardem de calor quando ele vê aquilo, e ele corre de volta para casa, enojado, certo do insulto que seu pai sentirá. Embora também seja seu sobrenome, algo diz a Gógol que a profanação é mais dirigida a seus pais do que a Sonia e a ele. Pois agora ele já percebe, nas lojas, os caixas dando um sorrisinho quando ouvem o sotaque de seus pais, e os vendedores que preferem conversar com Gógol, como se seus pais fossem incompetentes ou surdos. Porém o pai não se deixa afetar nesses momentos, assim como não se afeta com o ocorrido com a caixa de correio. "São só meninos se divertindo", ele diz a Gógol, deixando o assunto de lado com um gesto das costas da mão, e naquela noite eles voltam de carro até a loja de material de construção, para comprar de novo as letras que faltam.

Então, certo dia, a peculiaridade de seu nome torna-se evidente. Ele tem onze anos, está na sexta série, numa excursão escolar com alguma finalidade histórica. Eles partem no ônibus da escola, duas turmas, dois professores, dois monitores para o passeio, atravessam a cidade e pegam a rodovia. É um dia frio e espetacular de novembro, o céu azul sem nuvens, as árvores soltando folhas de um tom amarelo intenso que cobrem o chão. As crianças gritam, cantam e bebem latas de refrigerante embrulhadas em papel alumínio. Primeiro eles visitam uma fábrica de tecidos em algum lugar em Rhode Island. A parada seguinte é uma pequena casa de madeira sem pintura, com janelas minúsculas, situada num grande terreno. Dentro dela, após adaptar-se à luz reduzida, eles contemplam uma escrivaninha com um tinteiro em cima, uma lareira com manchas de fuligem, uma tina de lavar roupa, uma cama curta e estreita. Era a antiga casa de um poeta, os professores dizem. Todos os móveis estão isolados do resto da sala por uma série de cordas, com plaquinhas dizendo para eles não encostarem. O teto é tão baixo que os professores baixam a cabeça enquanto andam de um cômodo escuro para o outro. Eles observam a cozinha, com seu fogão de ferro e pia de pedra, e seguem em fila por um caminho de terra para olhar o banheiro externo. Os estudantes dão gritinhos de repulsa ao ver um penico de lata posicionado embaixo do assento de uma cadeira de madeira. Na loja de suvenires, Gógol compra um cartão-postal da casa e uma caneta esferográfica que imita uma pena de escrever.

A última parada da excursão, a uma distância curta de ônibus da casa do poeta, é no cemitério onde o escritor está enterrado. Eles passam alguns minutos perambulando de um túmulo para o outro, entre lápides grossas e finas, algumas delas inclinadas para trás como se empurradas pelo vento. Os túmulos são quadrados e arqueados, pretos e cinza, geralmente mais opacos do que brilhantes, cobertos de líquen e musgo. Em muitos dos túmulos, as inscrições se apagaram. Eles acham o túmulo que traz o nome do poeta. "Façam fila", dizem os professores, "é hora de fazermos um projeto." Cada aluno recebe várias folhas de papel-jornal e grossos gizes de cera coloridos cujas etiquetas foram arrancadas. Gógol não consegue deixar de sentir um calafrio. Nunca pôs o pé num cemitério antes, apenas os viu de relance, passando de carro. Há um cemitério grande na periferia da cidade deles; uma vez, presos no trânsito, ele e a família tinham presenciado à distância um enterro e, desde então, sempre que passam por lá, a mãe sempre diz aos dois para desviarem os olhos.

Para a surpresa de Gógol, eles não mandam os alunos desenharem os túmulos, mas sim fazer um decalque da superfície deles. Um professor se agacha, com uma mão segurando o papel-jornal no lugar, e mostra a eles como fazer. As crianças começam a correr entre as fileiras de mortos, pisando em folhas da textura de couro, procurando seus próprios nomes, algumas delas triunfantes quando conseguem localizar um túmulo que tenha algum parentesco com elas. "Smith!", berram. "Collins!" "Wood!" Gógol já tem idade suficiente para saber que não há nenhum Ganguli ali. Já tem idade suficiente para saber que ele próprio será cremado, não enterrado, que seu corpo não ocupará nenhum pedaço de terra, que nenhuma lápide nesse país levará seu nome para além da vida. Em Calcutá, de dentro de táxis e uma vez do telhado da casa dos avôs, ele viu os cadáveres de desconhecidos sendo carregados pelas ruas nos ombros de pessoas, cobertos de flores, embrulhados em lençóis.

Ele anda até um túmulo fino, escurecido, com um formato agradável, arredondado no topo antes de erguer-se numa cruz. Ajoelha-se na grama e segura o papel-jornal, depois começa a raspar de leve com a lateral do giz de cera. O sol já está baixando, e seus dedos estão duros de frio. Os professores e monitores estão sentados no chão, apoiados nas lápides, com as pernas esticadas, o aroma de seus cigarros mentolados espalhando-se no ar. No começo, nada aparece além de um borrão granulado, indistinto, de azul-marinho. Mas então, de repente, o giz de cera encontra uma leve resistência, e letras, uma após a outra, surgem no papel como se por mágica: ABIJAH CRAVEN, 1701-45. Gógol jamais conheceu uma pessoa de nome Abijah, assim como, ele agora percebe, jamais conheceu outro Gógol. Ele se pergunta como se pronuncia Abijah, se é o nome de um homem ou de uma mulher. Caminha até outra lápide, com menos de trinta centímetros de altura, e pressiona outra folha de papel contra sua superfície. Esta diz ANGUISH MATER, CRIANÇA. Ele sente um calafrio, imaginando ossos menores que os dele sob o chão. Algumas das outras crianças da classe, já entediadas do projeto, começam a perseguir umas às outras em volta dos túmulos, empurrando-se, provocando-se e estourando bolas de chiclete. Mas Gógol vai de túmulo em túmulo com papel e giz de cera na mão, trazendo à vida um nome após o outro. PEREGRINE WOTTON, M. 1699. EZEKIEL E URIAH LOCKWOOD, IRMÃOS, R.I.P. Ele gosta desses nomes, gosta de sua estranheza, sua exuberância. "Puxa, estes são nomes que a gente não vê muito hoje em dia", comenta um dos monitores, ao passar e olhar os decalques dele. Meio que nem o seu. Até agora não tinha ocorrido a Gógol que os nomes morrem com o tempo, que perecem assim como as pessoas. No ônibus de volta para a escola, os decalques feitos pelas outras crianças são rasgados, amassados, jogados nas cabeças dos outros, abandonados sob os bancos verde-escuros. Mas Gógol fica em silêncio, enrolando cuidadosamente seus decalques no colo, como um pergaminho.

Em casa, sua mãe fica horrorizada. Que tipo de excursão era essa? Como se já não bastasse eles passarem batom em seus cadáveres e enterrá-los em caixas com forro de seda. Só na América (palavras a que ela começou a recorrer com frequência recentemente), só na América as crianças são levadas a cemitérios em nome da arte. Qual vai ser a próxima, ela gostaria de saber, uma visita ao necrotério? Em Calcutá, os *ghats* de cremação são os lugares mais proibidos de todos, ela diz a Gógol, e embora faça o possível para evitar, embora estivesse aqui e não lá, as duas vezes em que precisou ir, ela viu os corpos dos pais serem engolidos por chamas. "A morte não é um passatempo", ela diz, erguendo sua voz instável, "não é um lugar para fazer pinturas." Recusa-se a expor os decalques na cozinha junto a suas outras criações, seus desenhos de carvão e suas colagens de revistas, seu esboço a lápis de um templo grego copiado de uma enciclopédia, sua imagem em lápis pastel da fachada da biblioteca pública, que ganhou o primeiro lugar num concurso patrocinado pela administração da biblioteca. Nunca antes ela rejeitou uma obra de arte do filho. A culpa que sente com a expressão decepcionada de Gógol é aliviada pelo bom senso. Como alguém pode esperar que ela cozinhe o jantar para sua família com nomes de pessoas mortas nas paredes?

Mas Gógol é apegado a eles. Por motivos que não consegue explicar nem necessariamente entender, esses antigos espíritos puritanos, esses primeiríssimos imigrantes nos Estados Unidos, esses portadores de nomes impensáveis, obsoletos, dizem alguma coisa importante a ele, a tal ponto que, apesar da repulsa da mãe, ele se recusa a jogar os decalques fora. Ele os enrola, leva-os para cima e os coloca em seu quarto, atrás do gaveteiro, onde sabe que a mãe nunca vai se dar ao trabalho de olhar, e onde eles vão continuar, ignorados mas protegidos, acumulando pó durante os anos que virão.

4.

1982

O ANIVERSÁRIO DE CATORZE anos de Gógol. Como a maioria dos acontecimentos em sua vida, é outra desculpa para que os pais deem uma festa para seus amigos bengalis. Os amigos da escola foram convidados no dia anterior para um evento sem graça, com pizzas que o pai comprou na volta do trabalho, um jogo de baseball que eles assistiram juntos na TV, umas partidas de pingue-pongue no porão. Pela primeira vez na vida ele recusou o bolo decorado, a caixa de sorvete napolitano, os cachorros-quentes, os balões e faixas grudados com fita nas paredes. A outra comemoração, a bengali, acontece no sábado mais próximo de sua real data de nascimento. Como de costume, a mãe cozinha com dias de antecedência, abarrotando a geladeira com pilhas de bandejas cobertas com papel-alumínio. Faz questão de preparar os pratos favoritos dele: curry de carneiro com muita batata, *luchis*, um *channa dal* espesso com passas marrons hidratadas, chutney de abacaxi, *sandeshes* moldados com ricota temperada com açafrão. Tudo isso é menos estressante para ela do que a tarefa de alimentar um punhado de crianças americanas, metade delas dizendo ser alérgica a leite, e todas se recusando a comer a casca do pão.

Cerca de quarenta convidados vêm de três estados diferentes. As mulheres vestem sáris muito mais vistosos do que as calças e camisas polo que seus maridos usam. Um grupo de homens senta-se em roda no chão e imediatamente começa um jogo de pôquer. São as *mashis* e os *meshos* dele, suas tias e tios honorários. Todos trazem os filhos; o círculo de amigos dos pais dele não acredita em babás. Como de costume, Gógol é a criança mais velha do grupo. É velho demais para brincar de esconde-esconde com Sonia, que tem oito anos, e com suas amigas de rabo de cavalo e dentes faltando, porém não é velho o bastante para ficar na sala e discutir a economia de Reagan com o pai e o resto dos maridos, ou para sentar-se em volta da mesa de jantar e fazer fofoca com a mãe e as esposas. A pessoa de idade mais próxima à dele é uma menina chamada Moushumi, cuja família mudou-se recentemente da Inglaterra para Massachusetts e cujo aniversário de treze anos teve uma comemoração parecida, alguns meses antes. Mas Gógol e Moushumi não têm nada a dizer um ao outro. Moushumi senta-se de pernas cruzadas no chão, usando óculos com aros de plástico marrons grená e uma faixa larga na cabeça, de um tecido de bolinhas, que prende seus cabelos grossos que vão até a altura do queixo. Em seu colo há uma bolsa redonda verde-lima com arremates cor-de-rosa e alças de madeira; dentro da bolsa há um tubo de creme para os lábios sabor 7up, que ela passa de vez em quando na boca. Está lendo um exemplar em brochura de *Orgulho e preconceito* com muitas marcas de uso, enquanto as outras crianças, inclusive Gógol, assistem a *O barco do amor* e *Ilha da fantasia*, amontoadas em cima e dos lados da cama dos pais dele. Às vezes uma das crianças pede para Moushumi dizer alguma coisa, qualquer coisa, com seu sotaque britânico. Sonia pergunta se ela já viu a princesa Diana na rua. "Eu detesto televisão americana", Moushumi por fim declara para o deleite de todos, depois vai continuar sua leitura no corredor.

Os presentes são abertos quando os convidados vão embora. Gógol ganha vários dicionários, várias calculadoras, vários conjuntos de lapiseira e caneta da Cross, vários suéteres feios. Seus pais lhe dão uma câmera Instamatic, um novo caderno de desenho, lápis coloridos e a lapiseira que ele tinha pedido, e vinte dólares para gastar como quiser. Sonia fez para ele um cartão com canetinhas, num papel que arrancou de um dos cadernos de desenho dele, o qual diz "Feliz Aniversário, Goggles", o nome pelo qual ela insiste em chamá-lo, em vez de Dada. Sua mãe separa as coisas de que ele não gosta, que é basicamente tudo, para dar aos primos dele da próxima vez que eles forem à Índia. Mais tarde, nessa mesma noite, ele está sozinho em seu quarto, ouvindo o lado 3 do White Album na velha vitrola RCA que os pais deixaram para ele. O disco é um presente de sua festa de aniversário americana, dado a ele por um de seus amigos de escola. Nascido quando a banda estava perto do fim, Gógol é devotamente apaixonado por John, Paul, George e Ringo. Nos últimos anos vem colecionando quase todos os álbuns deles, e a única coisa presa com tachinhas no mural de cortiça atrás de sua porta é o obituário de Lennon, já amarelado e quebradiço, recortado do *Boston Globe*. Ele está sentado com as pernas cruzadas na cama, debruçado sobre a letra, quando ouve uma batida na porta.

"Entre", ele berra, imaginando que é Sonia de pijama, pedindo que ele empreste sua Magic 8 Ball ou seu cubo mágico. Fica surpreso ao ver o pai, parado ali só de meias, com uma barriguinha visível por baixo de seu colete cor aveia, seu bigode já meio grisalho. Gógol fica especialmente surpreso ao ver um presente nas mãos do pai. Seu pai nunca lhe deu presentes de aniversário além daquilo que a mãe compra, porém esse ano ele diz, ao atravessar o quarto até onde Gógol está sentado, que tem uma coisa especial. O presente está coberto por um papel com listras vermelhas, verdes e douradas que sobrou do Natal do ano anterior, num embrulho canhestro feito com fita adesiva. É obviamente um livro grosso, de capa dura, embrulhado pelo pai com as próprias mãos. Gógol retira o papel devagar, mas, apesar disso, a fita deixa uma marca. *Contos de Nikolai Gógol*, diz a sobrecapa. Do lado de dentro, o preço foi arrancado em diagonal.

"Encomendei na livraria, especialmente para você", o pai diz, erguendo a voz para que Gógol o escute em meio à música. "É difícil achar isso em capa dura hoje em dia. É uma publicação britânica, de uma editora muito pequena. Levou quatro meses para chegar. Espero que você goste."

Gógol se inclina na direção do aparelho de som para baixar um pouco o volume. Teria preferido *O guia do mochileiro das galáxias*, ou mesmo outro exemplar de *O hobbit* para substituir o que ele perdeu no verão passado em Calcutá, deixado no telhado da casa de seu pai em Alipore e levado embora por corvos. Apesar das sugestões ocasionais do pai, ele jamais se inspirou para ler uma palavra sequer de Gógol, ou de nenhum outro escritor russo, aliás. Nunca ninguém lhe contou o motivo real de ele ter recebido esse nome, ele não sabe do acidente que quase matou o pai. Pensa que o pai é manco em consequência de um ferimento na adolescência, de quando estava jogando futebol. Só ouviu a metade da história sobre Gógol: que o pai é fã.

"Brigado, Baba", diz Gógol, ansioso para voltar às suas letras de música. Ultimamente tem sido preguiçoso, dirigindo-se aos pais em inglês, embora eles continuem a falar com ele em bengali. De vez em quando anda pela casa usando seus tênis de corrida. No jantar, às vezes usa o garfo.

O pai ainda está ali parado no quarto dele, observando com expectativa, as mãos juntas atrás das costas, então por isso Gógol folheia o livro. Uma única figura no começo, num papel mais liso que o resto das páginas, mostra um retrato a lápis do autor, vestindo um paletó de veludo, uma camisa branca bufante e uma gravata. O rosto parece o de uma raposa, com olhos pequenos e escuros, um bigode fino, bem cuidado, um nariz pontudo extremamente grande. Seu cabelo escuro cai sobre a testa num ângulo inclinado e está grudado dos dois lados da cabeça, e há um sorriso perturbador, vagamente presunçoso, traçado em lábios compridos, estreitos. Gógol Ganguli fica aliviado ao ver que não há nenhuma semelhança. É verdade que seu nariz é comprido, mas não tão comprido; seus cabelos são escuros, mas certamente não tão escuros; sua pele é pálida, mas sem dúvida não tão pálida. O estilo de seu cabelo é totalmente diferente — uma franja grossa à la Beatles que esconde suas sobrancelhas. Gógol Ganguli veste um agasalho da Harvard e uma calça cotelê cinza da Levi's. Usou gravata uma única vez na vida, no *bar mitzvah* de um amigo. Não, ele conclui com confiança, não há semelhança alguma.

Pois a essa altura, ele passou a odiar perguntas relacionadas a seu nome, odeia ter que explicar o tempo todo. Odeia ter que dizer às pessoas que não significa nada "em indiano". Odeia ter que usar um crachá preso ao suéter no dia das Nações Unidas na escola. Odeia inclusive assinar seu nome embaixo de seus desenhos na aula de artes. Odeia que seu nome seja tanto absurdo quanto desconhecido, que não tenha nada a ver com quem ele é, que não seja nem indiano nem americano, mas justamente russo. Odeia ter que conviver com isso, com um nome de criação transformado em nome bom, dia após dia, segundo após segundo. Odeia ver esse nome no envelope de papel pardo da assinatura da *National Geographic* que os pais lhe deram de aniversário no ano anterior e eternamente presente na lista de estudantes de destaque impressa no jornal da cidade. Às vezes seu nome, uma entidade sem forma e sem peso, consegue mesmo assim incomodá-lo fisicamente, como a etiqueta áspera de uma camisa que ele foi obrigado a usar para sempre. Às vezes gostaria de poder disfarçá-lo, encurtá-lo de algum jeito, como o outro menino indiano na escola dele, Jayadev, que conseguiu fazer as pessoas o chamarem de Jay. Mas Gógol, um nome já curto e marcante, resiste a qualquer mutação. Outros meninos da sua idade já começaram a paquerar meninas, a convidá-las para ir ao cinema ou à pizzaria, mas ele não consegue se imaginar dizendo "Oi, é o Gógol" em circunstâncias potencialmente românticas. Não consegue imaginar isso de modo algum.

Do pouco que sabe sobre os escritores russos, fica consternado com o fato de que seus pais escolheram o homônimo mais bizarro. Leo ou Anton, isso ele suportaria. Alexander, abreviado para Alex, ele teria preferido muito. Mas Gógol soa ridículo aos seus ouvidos, carecendo de dignidade ou seriedade. O que o deixa mais consternado é a irrelevância disso tudo. Gógol, como ele já foi tentado a falar para o pai em mais de uma ocasião, era o escritor favorito do pai, não dele. Por outro lado, ele próprio tem culpa nisso. Poderia ter sido conhecido, pelo menos na escola, como Nikhil. Aquele dia, o primeiro dia da pré-escola, do qual ele não se lembra mais, poderia ter mudado tudo. Ele poderia ter sido Gógol só cinquenta por cento do tempo. Assim como seus pais quando iam a Calcutá, poderia ter tido uma identidade alternativa, um lado B de si mesmo. "Nós tentamos", os pais explicam aos amigos e parentes que perguntam por que o filho deles não tem um nome bom, "mas ele só atendia por Gógol. A escola insistiu." Os pais acrescentavam: "Vivemos num país onde um presidente é chamado de Jimmy. Realmente, não havia nada que nós pudéssemos fazer".

"Obrigado de novo", Gógol diz ao pai agora. Fecha o livro e joga as pernas para fora da borda da cama, para guardá-lo na prateleira. Mas o pai aproveita a oportunidade para sentar-se ao seu lado na cama. Por um instante, pousa a mão no ombro de Gógol. O menino, nos últimos meses, ficou alto, quase tão alto quanto

Ashoke. A forma rechonchuda da infância sumiu de seu rosto. A voz começou a engrossar, agora é ligeiramente áspera. Ocorre a Ashoke que o filho e ele provavelmente calçam o mesmo tamanho de sapato. À luz do abajur de cabeceira, Ashoke nota uma penugem esparsa surgindo acima do lábio superior do filho. Há um pomo-de-adão saliente em seu pescoço. As mãos pálidas, como as de Ashima, são compridas e finas. Ashoke se pergunta o quanto Gógol se parece com ele próprio nessa idade. Porém não há fotos que documentem a infância de Ashoke; só a partir do passaporte, a partir de sua vida nos Estados Unidos, é que existem registros visuais. Na mesa de cabeceira Ashoke vê um frasco de desodorante, um tubo de Clearasil. Levanta o livro que está jogado na cama entre eles, passando a mão na capa, num gesto de proteção. "Tomei a liberdade de ler primeiro. Faz muitos anos que li estes contos. Espero que você não se importe."

"Não tem problema", diz Gógol.

"Eu sinto uma afinidade especial com o Gógol", diz Ashoke, "mais do que com qualquer outro escritor. Sabe por quê?"

"Você gosta dos contos dele."

"Não é só por isso. Ele passou a maior parte da vida adulta fora de sua terra natal. Como eu."

Gógol assente com a cabeça. "Certo."

"E tem outro motivo."

A música termina e faz-se um silêncio. Mas então Gógol vira o disco, aumentando o volume em "Revolution 1".

"Qual é?", diz Gógol, um pouco impaciente.

Ashoke olha o quarto à sua volta. Nota o obituário de Lennon pregado no mural, e depois uma fita cassete de música clássica indiana que comprara para Gógol meses antes, depois de um concerto em Kresge, ainda na embalagem lacrada. Vê a pilha de cartões de aniversário espalhados no carpete e lembra de um dia quente de agosto, catorze anos antes em Cambridge, quando segurou o filho pela primeira vez. Desde esse dia, o dia em que virou pai, a lembrança do acidente retrocedeu, enfraquecendo ao longo dos anos. Embora ele jamais vá se esquecer dessa noite, ela não mais insiste em ficar à espreita em sua mente, perseguindo-o do mesmo jeito. Não mais paira sobre sua vida, escurecendo-a sem avisar, como acontecia antes. Em vez disso, está firmemente fixada em um tempo distante, em um lugar longe da rua Pemberton. Hoje, aniversário de seu filho, é dia de celebrar a vida, não os encontros de raspão com a morte. E por isso, por enquanto, Ashoke decide guardar para si mesmo a explicação do nome do filho.

"Não tem nenhum outro motivo. Boa noite", ele diz a Gógol, levantando-se da cama. Na porta faz uma pausa, vira de costas. "Sabe o que Dostoiévski disse uma vez?"

Gógol faz que não com a cabeça.

"Todos nós saímos do capote de Gógol."

"O que isso quer dizer?"

"Um dia vai fazer sentido para você. Muitas felicidades neste dia."

Gógol se levanta e fecha a porta depois que o pai, que tem o hábito irritante de sempre deixá-la entreaberta, sai. Vira a tranca da maçaneta para garantir, depois enfia o livro numa prateleira alta entre dois volumes dos Hardy Boys. Volta-se de novo às letras de música na cama, quando uma coisa lhe ocorre. Esse escritor cujo nome ele recebeu — Gógol não é seu primeiro nome. Seu primeiro nome é Nikolai. Gógol Ganguli não só tem um nome de criação transformado em nome bom, como também um sobrenome transformado em primeiro nome. E então lhe ocorre que ninguém que ele conheça no mundo, na Rússia, na Índia, nos Estados Unidos ou em qualquer outro lugar, possui o mesmo nome que ele. Nem mesmo seu próprio xará.

* * *

No ano seguinte Ashoke tem direito a tirar um ano sabático, e Gógol e Sonia são informados de que todos eles vão passar oito meses em Calcutá. Quando os pais lhe dizem isso, certa noite depois do jantar, Gógol pensa que estão de brincadeira. Mas então eles contam que as passagens já foram reservadas, os planos já foram feitos. "Pense nisso como umas longas férias", Ashoke e Ashima dizem a seus filhos cabisbaixos. Mas Gógol sabe que oito meses não são, de modo algum, férias. Tem pavor de pensar em passar oito meses sem seu próprio quarto, sem seus discos e sua vitrola, sem amigos. Na opinião de Gógol, oito meses em Calcutá é praticamente como mudar-se para lá, uma possibilidade que, até agora, não passou nem remotamente pela sua cabeça. Além disso, ele está no segundo ano do colegial. "Mas, e a escola?", ele ressalta. Os pais lembram a ele que, nas vezes anteriores, seus professores nunca se importaram de que Gógol faltasse à escola de vez em quando. Deram-lhe livros de exercícios de matemática e de língua inglesa que ele ignorou, e quando ele voltou, um ou dois meses depois, eles o elogiaram por ter acompanhado a matéria. Mas o orientador educacional de Gógol mostra-se receoso quando Gógol o informa que vai perder toda a segunda metade do ano letivo. Uma reunião com Ashima e Ashoke foi marcada para discutir as opções. O orientador pergunta se é possível matricular Gógol numa escola internacional. Porém a mais próxima fica em Délhi, a quase mil e quinhentos quilômetros de Calcutá. O orientador sugere que talvez Gógol possa ir encontrar os pais depois, quando terminar o ano letivo, ficar com algum parente até junho. "Não temos parentes neste país", Ashima diz ao orientador educacional. "É justamente por isso que estamos indo para a Índia."

E então, após pouco mais de quatro meses de segundo colegial, após um jantar adiantado com arroz, batatas cozidas e ovos que sua mãe insiste que comam, apesar do jantar que lhes será servido no avião, Gógol parte, com livros de geometria e história dos Estados Unidos dentro de sua mala, que está junto com as outras, trancada com cadeados e amarrada com cordas, etiquetada com o endereço da casa de seu pai em Alipore. Gógol sempre acha essas etiquetas perturbadoras. Ao vê-las, sente que sua família não mora realmente na rua Pemberton. Eles partem no dia de Natal, indo de carro até o aeroporto Logan com sua enorme coleção de bagagens, quando deveriam estar em casa abrindo presentes. Sonia está lânguida, com uma ligeira febre, resultado da vacina contra tifoide, ainda esperando ver uma árvore coberta de luzes quando entra de manhã na sala de estar. Mas a única coisa que há na sala são restos: etiquetas de preços de todos os presentes para os parentes que eles guardaram na mala, cabides de plástico, papelão dos pacotes de camisetas. Eles tremem ao sair de casa, sem casacos nem luvas; não vão precisar disso no lugar para onde estão indo, e já será agosto quando voltarem. A casa foi alugada para uns estudantes americanos que o pai dele achou por meio da universidade, um casal de namorados chamados Barbara e Steve. No aeroporto, Gógol espera na fila do check-in com o pai, que está vestindo terno e gravata, roupas que ele ainda se lembra de usar quando viaja de avião. "São quatro na família", o pai diz quando chega a vez deles, entregando dois passaportes americanos e dois indianos. "Duas refeições hindus, por favor."

No avião, Gógol está sentado várias fileiras atrás dos pais e de Sonia, já numa outra seção. Os pais estão incomodados com isso, mas Gógol está secretamente contente por estar sozinho. Quando a aeromoça se aproxima com o carrinho de bebidas, ele tenta a sorte e pede um Bloody Mary, provando a mordida metálica do álcool pela primeira vez na vida. Eles voam primeiro para Londres e depois para Calcutá, via Dubai. Quando sobrevoam os Alpes, o pai se levanta do assento para fotografar pela janela os picos cobertos de neve. Em viagens anteriores, Gógol costumava ficar empolgado com o fato de eles sobrevoarem tantos países diferentes; traçava diversas vezes o itinerário no mapa que havia no bolso do assento embaixo de sua bandeja, e sentia-se aventureiro de algum modo. Porém, dessa vez, fica frustrado porque é sempre para Calcutá que eles vão. Além de visitar parentes, não há nada para fazer em Calcutá. Ele já foi ao planetário, ao zoológico e ao Memorial Victoria dezenas de vezes. Eles nunca foram à Disneylândia nem ao Grand Canyon. Só uma única vez, quando a escala deles em Londres atrasou, é que eles saíram de Heathrow e fizeram um tour pela cidade num ônibus de dois andares.

No trecho final da viagem só restam no avião umas poucas pessoas que não são indianas. A conversa em bengali preenche a cabine; a mãe já trocou endereço com a família do outro lado do corredor. Antes de aterrissar, ela entra no banheiro e se troca miraculosamente naquele espaço minúsculo, vestindo um sári limpo. Uma última refeição é servida, uma omelete com ervas e uma fatia de tomate grelhado por cima. Gógol saboreia cada bocado, sabendo que, pelos próximos oito meses, nada terá um gosto assim. Pela janela ele vê palmeiras e bananeiras, um céu úmido, cinzento. As rodas tocam o chão, a aeronave é desinfetada com um spray, e então eles descem do avião na pista de pouso do aerporto Dum Dum, respirando o ar azedo do começo da manhã, que é de embrulhar o estômago. Eles param para acenar de volta para a fileira de parentes que acenam ensandecidos no saguão de observação, priminhos empoleirados nos ombros dos tios. Como sempre, os Ganguli ficam aliviados ao constatar que toda a sua bagagem chegou, que está junta e não foi danificada, e ainda mais aliviados quando a alfândega não cria problemas para eles. E então as portas de vidro esfumaçado se abrem, e outra vez eles estão oficialmente lá, não mais em trânsito, engolidos por abraços e beijos e beliscões na bochecha e sorrisos. Há infinitos nomes que Gógol e Sonia precisam se lembrar de dizer, não tia fulana e tio sicrano, mas termos muito mais específicos: *mashi* e *pishi*, *mama* e *maima*, *kaku* e *jethu*, dependendo se são parentes do lado materno ou paterno, por casamento ou de sangue. Ashima, agora Monu, chora de alívio, e Ashoke, agora Mithu, beija seus irmãos em ambas as faces, segura a cabeça deles entre as mãos. Gógol e Sonia conhecem essas pessoas, mas não se sentem próximas delas como seus pais se sentem. Em questão de minutos, diante de seus olhos, Ashoke e Ashima se transformam em versões mais ousadas e menos complicadas de si mesmos, suas vozes ficam mais altas, seus sorrisos mais largos, revelando uma confiança que Gógol e Sonia nunca veem na rua Pemberton. "Estou com medo, Goggles", Sonia sussurra em inglês para o irmão, procurando a mão dele e recusando-se a soltá-la.

Eles são conduzidos até táxis que estão à espera e seguem pela VIP Road, passando por um aterro gigantesco, e entram no coração do norte de Calcutá. Gógol está acostumado com a paisagem e, no entanto, ainda observa intensamente os homens escuros e baixos puxando riquixás, os prédios caindo aos pedaços lado a lado, as sacadas de metal com arabescos, martelos e foices pintados nas fachadas. Observa os passageiros pendurados precariamente nos bondes e ônibus, ameaçados de serem derrubados na rua a qualquer momento, e as famílias que cozinham arroz e passam xampu no cabelo em plena calçada. No apartamento da mãe dele na rua Amherst, onde a família de seu tio vive agora, os vizinhos olham pelas janelas e de cima dos telhados quando Gógol e sua família surgem de dentro do táxi. Eles chamam a atenção com seus tênis brilhantes e caros, seus cortes de cabelo americanos, as mochilas penduradas num ombro só. Lá dentro, ele e Sonia recebem copos de Horlick's, pratos de *rossogollas* meladas e esponjosas que não lhes apetecem, mas que eles comem obedientemente. Os contornos dos pés deles são traçados em pedaços de papel, e uma criada é mandada a Bata para trazer chinelos de borracha que eles possam usar dentro de casa. As malas são destrancadas, desamarradas, e todos os presentes são desenterrados, admirados, experimentados para ver se o tamanho serve.

Nos dias seguintes eles se adaptam mais uma vez a dormir embaixo de um mosquiteiro, a tomar banho derramando água sobre a cabeça com copos de alumínio. De manhã, Gógol observa seus primos vestirem seus uniformes de escola brancos e azuis e amarrarem garrafas d'água no peito. Sua tia, Uma Maima, toma conta da cozinha a manhã inteira, atormentando as criadas que ficam acocoradas junto ao ralo areando os pratos sujos com cinzas, ou pilando montes de especiarias em tábuas de pedra que parecem lápides. Na casa da família Ganguli em Alipore, ele vê o quarto onde eles teriam morado caso seus pais tivessem ficado na Índia, a cama de ébano de quatro colunas onde teriam dormido todos juntos, o armário onde teriam guardado suas roupas.

Em vez de alugar um apartamento só para eles, passam oito meses com os diversos parentes, transferindo-se de uma casa a outra. Ficam em Ballygunge, Tollygunge, Salt Lake, Budge Budge, transportados por táxis sacolejantes, em inúmeras viagens de um lado para o outro da cidade. A cada poucas semanas há uma cama nova onde dormir, outra família com quem viver, novos horários para aprender. Dependendo de onde estão, comem sentados em pisos de argila vermelha, cimento ou mosaicos de cerâmica, ou em mesas com tampo de mármore, frias demais para apoiar os cotovelos. Seus primos, primas, tias e tios perguntam a eles sobre a vida nos Estados Unidos, sobre o que comem no café da manhã, sobre seus amigos de escola. Olham as fotos da casa na rua Pemberton. "Carpete no banheiro", dizem, "imagina isso." Seu pai mantém-se ocupado com sua pesquisa, dando palestras na Universidade Jadavpur. A mãe faz compras em New Market, vai ao cinema e visita seus velhos amigos de escola. Por oito meses ela não põe o pé na cozinha. Transita livremente por uma cidade onde Gógol, apesar de suas muitas visitas, não tem nenhum senso de direção. Em três meses Sonia já leu umas dez vezes cada um de seus livros de Laura Ingalls Wilder. Gógol de vez em quando abre um de seus livros didáticos, estufado com o calor. Embora tenha trazido os tênis, na esperança de manter em dia seu treinamento de cross-country, é impossível correr nessas ruas rachadas, congestionadas, apinhadas de gente. No único dia em que ele tenta, Uma Maima, observando de cima do telhado, manda um criado segui-lo para Gógol não se perder.

É mais fácil render-se ao confinamento. Na rua Amherst, Gógol está sentado à escrivaninha do avô, fuçando numa lata cheia de bicos de pena secos. Desenha um esboço do que vê por entre as barras de ferro da janela: a linha torta dos prédios contra o céu, os pátios, a praça com chão de pedrinhas redondas onde ele observa as empregadas enchendo urnas de latão no poço, pessoas passando sob os toldos manchados de riquixás, voltando apressadas para casa com pacotes na chuva. Um dia, no telhado, com a vista da ponte Howrah ao longe, ele fuma um bidi bem apertado em folhas verdes-oliva junto com um dos criados. De todas as pessoas que os cercam praticamente a todo momento, Sonia é sua única aliada, a única pessoa que fala, senta e vê como ele. Enquanto o resto da casa dorme, ele e Sonia brigam pelo walkman, pela coleção de fitas que Gógol gravou em seu quarto nos Estados Unidos e que aqui derretem com o calor. De vez em quando admitem um para o outro que sentem desejos excruciantes, de hambúrguer, de uma fatia de pizza de pepperoni ou de um copo de leite frio.

No verão ficam surpresos ao saber que o pai planejou uma viagem para eles, primeiro para visitar um tio em Délhi, e depois para Agra para ver o Taj Mahal. Será a primeira jornada de Gógol e Sonia para fora de Calcutá, sua primeira viagem num trem indiano. Eles partem de Howrah, esta estação imensa e altíssima cheia de eco, onde *coolies* descalços vestindo camisas vermelhas de algodão empilham na cabeça as malas Samsonite dos Ganguli, onde famílias inteiras dormem, cobertas, enfileiradas no chão. Gógol está ciente dos perigos que essa viagem implica, seus primos lhe contaram sobre os bandoleiros à espreita em Bihar, de modo que o pai veste uma roupa especial por baixo da camisa, com bolsos escondidos para carregar dinheiro, e a mãe e Sonia tiram suas joias de ouro. Na plataforma eles andam de um compartimento para o outro, procurando seus quatro nomes na lista de passageiros colada na parede externa do trem. Instalam-se em seus beliches azuis, os dois de cima são baixados por meio de dobradiças nas paredes na hora de dormir e presos por travas deslizantes durante o dia. Um condutor lhes dá sua roupa de cama, lençóis brancos pesados de algodão e cobertores finos de lã. De manhã eles observam a paisagem pela janela escurecida de seu vagão com ar-condicionado. Por isso a vista é sombria e cinzenta, por mais que seja um dia ensolarado.

Eles estão desacostumados, após todos esses meses, a estar só os quatro. Por alguns dias, em Agra, que é tão estranha para Ashima e Ashoke quanto para Gógol e Sonia, eles são turistas hospedados num hotel com piscina, que bebem água engarrafada, comem em restaurantes com garfos e colheres e pagam com cartão de crédito. Ashima e Ashoke falam num hindu precário, e quando garotinhos os abordam para vender cartões-postais ou quinquilharias de mármore, Gógol e Sonia são obrigados a dizer: "Inglês, por favor". Gógol percebe em certos restaurantes que eles são os únicos indianos além dos funcionários. Durante dois dias, perambulam pelo mausoléu de mármore que reluz em cinza, amarelo, cor-de-rosa e laranja, dependendo da luz. Admiram sua simetria perfeita e posam para fotos embaixo dos minaretes de onde antigamente turistas pulavam para a morte. "Quero uma foto aqui, só de nós dois", Ashima diz a Ashoke enquanto eles caminham em volta do enorme plinto, e por isso, sob o sol ofuscante de Agra, com vista para o rio Yamuna seco, Ashoke ensina Gógol a usar a Nikon, a fazer foco e avançar o filme. Um guia lhes conta que, depois que o Taj foi concluído, cada um dos trabalhadores da construção, vinte e dois mil homens, teve seus polegares cortados, para que a estrutura jamais pudesse ser construída outra vez. Nessa noite, no hotel, Sonia acorda gritando que também perdeu seus polegares. "É só uma lenda", os pais lhe dizem. Mas essa ideia atormenta Gógol também. Nenhuma outra construção que ele já tenha visto o afetou de modo tão poderoso. No segundo dia deles no Taj, ele tenta desenhar a cúpula e parte da fachada, porém a graciosidade do monumento lhe escapa, e ele joga o desenho fora. Em vez disso, ele se debruça no guia turístico, estudando a história da arquitetura Mughal, aprendendo a sucessão dos nomes dos imperadores: Babur, Humayun, Akbar, Hajangir, Shah Jahan, Aurangzeb. No forte de Agra, ele e sua família olham pela janela do cômodo onde Shah Jahan foi aprisionado pelo próprio filho. Em Sikandra, o túmulo de Akbar, contemplam afrescos dourados na entrada, lascados, saqueados, queimados, as gemas arrancadas com canivetes, pichações riscadas na pedra. Em Fatehpur Sikri, a cidade de arenito abandonada de Akbar, perambulam por pátios e claustros enquanto papagaios e gaviões sobrevoam suas cabeças, e no túmulo de Salim Chishti, Ashima amarra fios vermelhos numa treliça de mármore para pedir sorte.

Mas o azar os persegue na viagem de volta a Calcutá. Na estação Benares, Sonia pede ao pai que lhe compre uma fatia de jaca, que faz seus lábios coçarem insuportavelmente, depois incharem até o triplo do tamanho. Em algum lugar em Bihar, no meio da noite, alguém esfaqueia um executivo durante o sono e lhe rouba trezentas mil rúpias, e o trem para por cinco horas enquanto a polícia local investiga. Os Ganguli ficam sabendo do motivo do atraso na manhã seguinte, quando o café da manhã é servido; os passageiros estão agitados e horrorizados, todos falando da mesma coisa. "Acorda. Um cara no trem foi assassinado", Gógol diz a Sonia, ambos deitados nos beliches de cima. Ninguém fica mais horrorizado do que Ashoke, que secretamente se lembra daquele outro trem, naquela outra noite, e daquele outro campo onde tinha sido parado. Dessa vez ele não tinha ouvido nada. Dormia enquanto tudo aquilo acontecia.

Ao voltarem para Calcutá, tanto Gógol como Sonia adoecem gravemente. É o ar, o arroz, o vento, seus parentes comentam num tom casual; eles não foram feitos para sobreviver num país pobre, dizem. Têm prisão de ventre e, em seguida, o contrário disso. Médicos vêm à casa no começo da noite com estetoscópios em bolsas pretas de couro. Os dois recebem doses de Entroquinol, água de *ajowan* que queima a garganta deles. E assim que se recuperam, é hora de voltar: o dia que eles estavam convencidos de que nunca chegaria está a apenas duas semanas de distância. Canecas porta-lápis de Caxemira são compradas para Ashoke dar aos colegas na universidade. Gógol compra revistas indianas de história em quadrinhos para dar a seus amigos americanos. Na noite da partida, ele observa os pais parados de cabeça baixa, chorando feito crianças, diante de fotos de seus avós mortos emolduradas nas paredes. E então a caravana de táxis e Ambassadors vem buscá-los para cruzar a cidade uma última vez. O voo é ao amanhecer, e por isso eles precisam partir no escuro, passando por ruas que de tão vazias são irreconhecíveis, onde a única coisa que se move é um bonde com seu farolete. No aeroporto, todas as pessoas que os receberam, que os hospedaram, alimentaram e paparicaram durante todos esses meses, aqueles com quem ele compartilha um nome se não sua vida, reúnem-se mais uma vez no saguão, para se despedir com acenos. Gógol sabe que seus parentes vão ficar ali parados até que o avião desapareça à distância, até que as luzes piscantes não estejam mais visíveis no céu. Sabe que sua mãe vai ficar sentada em silêncio, olhando para as nuvens, durante a jornada de volta para Boston. Mas para Gógol, o alívio rapidamente substitui qualquer tristeza que ainda reste. Com alívio ele retira o papel-alumínio que cobre seu café da manhã, extrai os talheres de sua embalagem plástica lacrada, pede à aeromoça da British Airways um copo de suco de laranja. Com alívio coloca seus fones de ouvido para assistir a *O reencontro* e ouvir músicas da lista das quarenta mais pedidas durante todo o caminho para a casa.

Dentro de vinte e quatro horas, ele e sua família estão de volta à rua Pemberton: a grama do fim de agosto precisa ser aparada, um litro de leite e um resto de pão foram deixados na geladeira por seus inquilinos, e há quatro sacos de papel pardo na escada cheios de correspondência. No começo os Ganguli dormem a maior parte do dia e passam a noite acordados, entupindo-se de torradas às três da manhã, desfazendo as malas uma por uma. Embora estejam em casa, ficam desorientados com o espaço, com o silêncio inabalável que os cerca. Ainda se sentem em trânsito de algum modo, ainda desconectados de suas vidas, unidos num horário alternativo, uma intimidade que só eles quatro compartilham. Mas ao fim da semana, depois que as amigas de sua mãe vieram admirar seus novos sáris e peças de ouro, depois que as oito malas foram arejadas no terraço e guardadas, depois que o *chanachur* é despejado em *tupperware* e as mangas clandestinas são comidas no café da manhã com cereais e chá, é como se eles nunca tivessem ido. "Como vocês escureceram", os amigos dos pais dizem a Gógol e Sonia num tom pesaroso. Nessa ponta da viagem, não é preciso fazer nenhum esforço para se adaptar. Eles se recolhem em seus três quartos, suas três camas separadas, seus colchões grossos, seus travesseiros e lençóis com elástico. Após uma única ida ao supermercado, a geladeira e os armários se enchem de rótulos familiares: Skippy, Hood, Bumble Bee, Land O'Lakes. A mãe entra na cozinha e prepara as refeições outra vez; o pai apara a grama, dirige o carro e volta à universidade. Gógol e Sonia dormem o tanto que querem, assistem televisão, preparam sanduíches de geleia e manteiga de amendoim a qualquer hora do dia. Mais uma vez estão livres para discutir, para provocar um ao outro, para gritar e berrar e dizer "cala a boca". Tomam banhos quentes, falam entre si em inglês, passeiam pelo bairro de bicicleta. Telefonam para seus amigos americanos, que ficam felizes ao vê-los, mas não lhes perguntam nada sobre o lugar onde estiveram. E assim os oito meses são deixados para trás, rapidamente descartados, rapidamente esquecidos, como roupas vestidas para uma ocasião especial, ou uma temporada que passou, de repente incômoda, irrelevante para a vida deles.

Em setembro Gógol volta à escola para começar seu terceiro ano: classe avançada de biologia, história dos Estados Unidos, trigonometria, espanhol básico, classe avançada de inglês. Na aula de inglês lê *Ethan Frome, O grande Gatsby, A boa terra, O emblema vermelho da coragem*. Quando chega sua vez, sobe no tablado e declama a fala "Amanhã, e amanhã, e amanhã" de Macbeth, os únicos versos de poesia que saberá de cor pelo resto da vida. Seu professor, o sr. Lawson, é um homem franzino e esbelto, desavergonhadamente *preppy*,[2] com uma voz surpreendentemente grossa, cabelos loiros arruivados, olhos verdes pequenos porém penetran-

2. Termo coloquial, às vezes pejorativo, para o estilo característico das *preparatory schools*, escolas tradicionais americanas geralmente frequentadas pelas classes mais altas. (N.T.)

tes, óculos de tartaruga. Ele é alvo de especulações na escola inteira e de um leve escândalo, tendo sido casado com a sra. Sagan, que dá aula de francês. Veste calças cáqui e suéteres Shetland com cores vivas e lisas — verde-lima, amarelo e vermelho —, bebe café preto o tempo todo na mesma caneca azul lascada e não consegue sobreviver à aula de cinquenta minutos sem pedir licença para ir fumar um cigarro na sala dos professores. Apesar de sua estatura diminuta, tem uma presença imponente e cativante na sala. Sua letra é famosa de tão ilegível; é normal as redações dos alunos serem devolvidas com marcas circulares marrons de café, às vezes círculos dourados de uísque. Todo ano ele dá para todo mundo um D ou um F na primeira tarefa, uma análise do poema "O tigre", de Blake. Diversas meninas da classe insistem que o sr. Lawson é indescritivelmente sexy e têm uma queda violenta por ele.

O sr. Lawson é o primeiro dos professores de Gógol que conhece e se importa com Gógol, o escritor. No primeiro dia de aula erguera o olhar do tablado quando chegara ao nome de Gógol na lista de chamada, com uma expressão de espanto benigno no rosto. Diferente dos outros professores, não perguntou qual era o verdadeiro nome dele, se esse era o sobrenome, se era uma abreviatura para alguma outra coisa. Não fez a mesma pergunta boba que muitos fizeram: "Ele não era um escritor?". Em vez disso, chamou o nome de um jeito perfeitamente razoável, sem pausa, sem hesitação, sem um sorriso contido, assim como chamara Brian, Erica e Tom. E então: "Bom, vamos ter que ler 'O capote'. Ou isso ou 'O nariz'".

Certa manhã de janeiro, na semana seguinte às férias de Natal, Gógol está sentado em sua carteira ao lado da janela e observa uma neve fina, açucarada, cair inconsistentemente do céu. "Vamos dedicar este bimestre ao conto", anuncia o sr. Lawson, e Gógol entende na mesma hora. Com um temor crescente e uma leve sensação de náusea, assiste ao sr. Lawson distribuir os livros empilhados em sua mesa, dando meia dúzia de exemplares bastante gastos de uma antologia, *Contos clássicos*, para cada um dos alunos na primeira fila. O exemplar de Gógol é especialmente surrado, com os cantos amassados, a capa manchada como se por um bolor esbranquiçado. Ele olha o índice, vê Gógol listado após Faulkner, antes de Hemingway. Ver aquilo impresso em letras maiúsculas na página enrugada o perturba visceralmente. É como se o nome fosse uma foto instantânea dele, muito pouco lisonjeira, que o faz querer dizer em sua defesa: "Esse na verdade não sou eu". Gógol quer pedir licença, levantar a mão e sair para ir ao banheiro, mas ao mesmo tempo quer chamar o mínimo de atenção possível para si. E assim permanece sentado, evitando contato visual com qualquer um dos colegas de classe, e folheia o livro. Vários dos nomes de autores foram assinalados com asteriscos a lápis por leitores anteriores, mas não há marca nem sinal algum junto ao nome de Nikolai Gógol. Um único conto corresponde ao nome de cada autor. O de Gógol se chama "O capote". Mas, durante o resto da aula, o sr. Lawson não menciona Gógol. Em vez disso, para o alívio de Gógol Ganguli, eles se revezam lendo em voz alta "O colar", de Guy de Maupassant. Talvez, Gógol começa a imaginar esperançoso, o sr. Lawson não pretenda passar o conto de Gógol para eles lerem. Quem sabe não se esqueceu daquilo? Porém, quando o sinal toca e os alunos se levantam em grupo de suas carteiras, o sr. Lawson ergue a mão. "Leiam o Gógol para amanhã", ele berra enquanto os alunos saem se arrastando pela porta.

No dia seguinte o sr. Lawson escreve "Nikolai Vassílievitch Gógol" em letras maiúsculas na lousa, desenha um retângulo em volta do nome, depois escreve entre parênteses as datas de nascimento e morte do escritor. Gógol abre o fichário em sua carteira, copia com relutância as informações. Diz a si mesmo que não é tão estranho assim; afinal, há um William na classe, embora não um Ernest. A mão esquerda do sr. Lawson conduz o giz rapidamente pelo quadro-negro, mas a caneta de Gógol começa a perder o ritmo. As folhas soltas de seu fichário continuam em branco, enquanto as dos colegas enchem-se de fatos sobre os quais ele muito provavelmente será sabatinado em breve: nascido em 1809 na província de Poltava, numa família de cossacos ucranianos de origem nobre. O pai, um pequeno proprietário rural que também escrevia peças, morreu quando Gógol tinha dezesseis anos. Estudou no liceu de Nezhin, foi para São Petersburgo em 1828, onde entrou, em 1829, para o serviço civil, no Departamento de Obras Públicas do Ministério do Interior. De 1830 a 1831, foi transferido para o Ministério da Corte, no Departamento de Propriedades Reais, período após o qual ele se torna professor, dando aulas de história no Instituto de Moças, e depois na Universidade de São Petersburgo. Aos vinte e dois anos de idade travou amizade íntima com Alexander Púchkin. Em 1830 publicou seu primeiro conto. Em 1836, uma peça cômica, *O inspetor geral*, foi produzida em São Petersburgo. Consternado com a recepção ambígua da peça, deixou a Rússia. Durante os doze anos seguintes, morou no exterior, em Paris, Roma e em outras cidades, compondo o primeiro volume de *Almas mortas*, romance que é considerado sua obra-prima.

O sr. Lawson senta-se na beira da mesa, cruza as pernas, vira umas poucas páginas de um bloco pautado amarelo, coberto de anotações. Ao lado do bloco de anotações há uma biografia do escritor, um livro grosso chamado *Alma dividida*, com as páginas marcadas por muitos pedaços de papel rasgado.

"Não era um cara qualquer, Nikolai Gógol", diz o sr. Lawson. "Ele é celebrado hoje como um dos escritores mais brilhantes da Rússia. Mas durante sua vida não foi compreendido por ninguém, muito menos por si mesmo. Podemos dizer que é um exemplo da expressão 'gênio excêntrico'. A vida de Gógol, basicamente, foi um declínio constante rumo à loucura. O escritor Ivan Turguêniev o descreveu como uma criatura inteligente, esdrúxula e doentia. Tinha reputação de hipocondríaco e de profundamente paranoico e frustrado. Era, além disso, segundo todos os relatos, de uma melancolia mórbida, dado a graves acessos de depressão. Tinha dificuldade de fazer amigos. Nunca se casou, não teve nenhum filho. Em geral se acredita que ele morreu virgem."

O calor se espalha da nuca de Gógol para sua face e orelhas. Cada vez que o nome é pronunciado, ele contorce um pouco o rosto em silêncio. Seus pais nunca lhe contaram nada disso. Ele olha para os colegas, mas eles parecem indiferentes, copiando obedientemente as informações enquanto o sr. Lawson continua falando, olhando por cima do ombro, e preenchendo o quadro com sua letra desleixada. Gógol de repente sente raiva do sr. Lawson. De algum modo, sente-se traído.

"A carreira literária de Gógol estendeu-se por um período de cerca de onze anos, depois do qual ele foi mais ou menos paralisado por um bloqueio de escritor. Os últimos anos de sua vida foram marcados por deterioração física e tormento emocional", diz o sr. Lawson. "Desesperado para recuperar sua saúde e sua inspiração criativa, Gógol procurou refúgio numa série de estâncias de repouso e sanatórios. Em 1848, fez uma peregrinação à Palestina. Por fim, acabou voltando à Rússia. Em 1852, em Moscou, desiludido e convencido de seu fracasso como escritor, renunciou a toda atividade literária e queimou o manuscrito do segundo volume de *Almas mortas*. Ele então pronunciou uma sentença de morte para si mesmo e, em seguida, cometeu um lento suicídio, deixando-se morrer de fome."

"Credo", alguém diz no fundo da sala. "Por que alguém ia querer fazer isso consigo mesmo?"

Umas poucas pessoas olham de relance para Emily Gardner, que, segundo os boatos, é anoréxica.

O sr. Lawson, erguendo um dedo, continua a falar. "Em tentativas de reavivá-lo no dia anterior a sua morte, os médicos o mergulharam numa banheira cheia de caldo ralo enquanto derramavam água gelada na sua cabeça, e depois grudaram várias sanguessugas em seu nariz. As mãos foram seguradas para que ele não pudesse arrancar os vermes."

A classe, exceto uma pessoa, começa a gemer em uníssono, de modo que o sr. Lawson tem que levantar consideravelmente a voz para ser ouvido. Gógol fica olhando fixo para sua carteira, sem ver nada. Está convencido de que a escola inteira está ouvindo a aula do sr. Lawson. Que está sendo transmitida pelos alto-falantes. Baixa a cabeça sobre a carteira, discretamente cobre os ouvidos com as mãos. Isso não é suficiente para abafar a voz do sr. Lawson: "Na manhã seguinte ele já não estava totalmente consciente, e estava tão enfraquecido que era possível sentir sua coluna vertebral pela barriga". Gógol fecha os olhos. "Por favor, pare", ele gostaria de poder dizer ao sr. Lawson. "Por favor, pare", ele diz, mexendo os lábios sem pronunciar as palavras. E então, de repente, faz-se um silêncio. Gógol levanta o olhar, vê o sr. Lawson deixar o giz no apoiador da lousa.

"Já volto", ele diz, e desaparece para fumar um cigarro. Os alunos, acostumados a essa rotina, começam a falar entre si. Reclamam do conto, dizem que é longo demais. Reclamam que foi difícil chegar até o fim. Falam da dificuldade dos nomes russos, alguns confessam que só deram uma lida por cima. Gógol não diz nada. Ele próprio não leu o conto. Nunca tocou no livro de Gógol que o pai lhe deu em seu aniversário de catorze anos. E ontem, depois da aula, enfiou a antologia de contos no fundo de seu armário na escola, recusando-se a levá-la para casa. Ler o conto, ele acredita, significaria pagar tributo a seu xará, aceitando-o de algum modo. Mesmo assim, ao ouvir os colegas reclamarem, sente uma responsabilidade perversa, como se sua própria obra estivesse sendo atacada.

O sr. Lawson volta, sentando-se outra vez sobre a mesa. Gógol espera que a parte biográfica da aula já tenha terminado. O que mais ele poderia ter a dizer? Porém o sr. Lawson pega *Almas divididas*. "Eis aqui um relato dos seus últimos momentos", diz, e, virando as páginas para perto do fim do livro, lê:

"Seus pés estavam gelados. Tarásenkov colocou uma bolsa de água quente na cama, mas isso não surtiu efeito: ele estava tremendo. O suor frio cobria seu rosto emaciado. Círculos azuis apareceram sob seus olhos. À meia-noite o dr. Klimêntov veio se revezar com o dr. Tarásenkov. Para aliviar o moribundo, administrou-lhe uma dose de calomelano e espalhou pães quentes em volta de seu corpo. Gógol começou a gemer outra vez. Sua mente vagou, em silêncio, a noite toda. 'Continue!', ele sussurrou. 'Levante, invista, invista contra o moinho!' Então ele ficou ainda mais fraco, seu rosto cavado e escurecido, sua respiração ficou imperceptível. Ele pareceu se acalmar; pelo menos não estava mais sofrendo. Às oito da manhã do dia 21 de fevereiro de 1852, deu seu último suspiro. Ainda não tinha quarenta e três anos de idade."

Gógol não sai com nenhuma menina no colegial. Tem algumas quedas secretas, que ele não admite para ninguém, por essa ou aquela menina de quem ele é amigo. Não vai a bailes nem festas. Ele e seu grupo de amigos, Colin, Jason e Marc, preferem ouvir discos juntos, Dylan e Clapton e The Who, e leem Nietzsche em seu tempo livre. Seus pais não acham estranho que o filho não saia com meninas, não alugue um fraque para a formatura do terceiro ano. Eles jamais tiveram um encontro em toda a sua vida e, portanto, não veem motivo para incentivar Gógol, certamente não na idade dele. Em vez disso, estimulam-no a entrar para o time de matemática e manter sua média de notas A. O pai o pressiona para seguir o caminho da engenharia, talvez no MIT. Tranquilizados por suas notas e sua aparente indiferença às meninas, os pais não suspeitam que Gógol é, a seu próprio modo canhestro, um adolescente americano. Não suspeitam que ele, por exemplo, fume maconha, coisa que faz de vez em quando ao encontrar os amigos para ouvir discos na casa de um deles. Não suspeitam que ele, quando vai passar a noite na casa de um amigo, vá de carro até uma cidade vizinha para ver *The Rocky Horror Picture Show*, ou a Boston para ver bandas em Kenmore Square.

Certo sábado, pouco antes do dia em que ele prestará seu SAT,[3] sua família vai a Connecticut passar o fim de semana, deixando Gógol dormir sozinho em casa pela primeira vez na vida. Nunca passou pela cabeça dos pais que, em vez de ficar em seu quarto fazendo simulados cronometrados, Gógol fosse de carro a uma festa com Colin, Jason e Marc. Eles são convidados pelo irmão mais velho de Colin, que é calouro na universidade onde o pai de Gógol dá aula. Ele veste para a festa suas roupas normais, calça Levi's, sapatos *dock sider* e uma camisa xadrez de flanela. Apesar de todas as vezes em que esteve no campus, fosse para visitar o pai no departamento de engenharia, ou para fazer aulas de natação ou correr na pista de atletismo, ele jamais esteve numa moradia estudantil. Aproximam-se nervosos, meio tontos, com medo de serem desmascarados. "Se alguém perguntar, meu irmão mandou falar que nós somos calouros da Amherst", Colin os adverte no carro.

A festa ocupa um corredor inteiro e todas as portas dos quartos individuais estão abertas. Eles entram no primeiro quarto em que conseguem, um quarto lotado, escuro, quente. Ninguém nota quando Gógol e seus três amigos abrem caminho pelo quarto até o barril de cerveja. Por um tempo eles ficam parados em roda, segurando seus copos plásticos de cerveja, gritando por cima da música

3. Teste padronizado de admissão no ensino superior nos Estados Unidos. (N.T.)

para serem ouvidos. Mas então Colin vê seu irmão no corredor, e Jason precisa achar um banheiro, e Marc já precisa de outra cerveja. Gógol desloca-se para o corredor também. Todo mundo parece conhecer todo mundo, todos envolvidos em conversas das quais é impossível participar. A música ligada nos diversos quartos se mistura nos ouvidos de Gógol, com um resultado desagradável. Ele se sente arrumado demais entre aquela gente de calça jeans rasgada e camiseta, receia que seu cabelo esteja lavado e bem penteado. E, no entanto, isso não parece fazer diferença, ninguém parece se importar. No fim do corredor, ele sobe um lance de escada, e no topo há outro corredor, igualmente lotado e barulhento. No canto vê um casal se beijando, os dois espremidos contra a parede. Em vez de abrir caminho até a outra ponta do corredor, ele decide subir outro lance de escada. Dessa vez o corredor está deserto, um trecho de carpete azul-escuro e portas brancas de madeira. A única presença no espaço é o som da música abafada e das vozes que vêm de baixo. Ele está prestes a descer de volta pela escada quando uma das portas se abre e uma menina surge, uma menina bonita, esbelta, usando um vestido abotoado de bolinhas comprado numa loja qualquer e botas Doc Martens surradas. Tem cabelo curto, castanho-escuro, penteado em direção às bochechas e a franja cortada acima das sobrancelhas. Seu rosto tem o formato de coração, seus lábios estão pintados num vermelho glamoroso.

"Desculpa", disse Gógol. "Não era para eu estar aqui?"

"Bom, tecnicamente é um andar de meninas", ela diz. "Mas isso nunca impediu que um cara viesse." Ela o examina com um ar pensativo, como nenhuma outra menina jamais olhou para ele. "Você não estuda aqui, estuda?"

"Não", ele diz, com o coração acelerado. E então se lembra de sua identidade sub-reptícia daquela noite: "Sou calouro da Amherst".

"Legal", a menina diz, andando na direção dele. "Eu sou a Kim."

"Muito prazer." Ele estende a mão e Kim a aperta, num gesto um pouco mais demorado que o necessário. Por um instante ela lança para ele um olhar expectante, depois sorri, revelando dois dentes da frente ligeiramente encavalados.

"Vem", ela diz. "Eu posso te mostrar o prédio." Eles descem a escada juntos. Ela o conduz até um quarto onde pega uma cerveja, e Gógol pega outra para si. Fica esperando constrangido ao lado dela quando ela para e cumprimenta uns amigos. Eles abrem caminho até uma área coletiva onde há uma televisão, uma máquina de Coca-Cola, um sofá velho e um sortimento de cadeiras. Sentam-se no sofá, as costas curvadas e um espaço considerável entre os dois. Kim nota na mesa de centro um maço de cigarros sem dono e acende um.

"E então?", ela diz, virando-se para olhar para ele, dessa vez com certa desconfiança.

"O quê?"

"Você não vai se apresentar para mim?"

"Ah", ele diz. "Vou." Mas ele não quer dizer seu nome a Kim. Não quer ter que suportar a reação dela, ver seus belos olhos azuis se arregalarem. Queria que houvesse outro nome que pudesse usar, só dessa vez, para aguentar até o final da noite. Não seria tão terrível. Ele já mentiu para ela, ao dizer que estudava na Amherst. Poderia se apresentar como Colin, Jason ou Marc, como qualquer outra pessoa, e a conversa poderia continuar, e ela nunca saberia nem se importaria. Havia milhões de nomes para escolher. Mas então ele se dá conta de que não há necessidade de mentir. Não tecnicamente. Ele se lembra do outro nome que uma vez fora escolhido para ele, aquele que deveria ter ficado.

"Eu sou o Nikhil", ele diz pela primeira vez na vida. Diz isso com hesitação, numa voz que soa forçada aos seus ouvidos, a afirmativa transforma-se em pergunta sem que ele o pretendesse. Olha para Kim, com as sobrancelhas franzidas, preparado para que ela o questione, corrija-o, dê risada na sua cara. Ele prende o fôlego. Sente uma comichão no rosto, não sabe direito se é de triunfo ou de terror.

No entanto, Kim aceita o nome de bom grado. "Nikhil", ela diz, soltando uma linha fina de fumaça na direção do teto. Vira-se outra vez para ele e sorri. "Nikhil", ela repete. "Nunca ouvi isso antes. É um nome muito bonito."

Eles ficam mais um tempo sentados, a conversa continua, Gógol atônito com a facilidade daquilo. Sua mente vagueia; ele só ouve pela metade enquanto Kim fala sobre suas aulas, sobre a cidadezinha em Connecticut onde nasceu. Sente-se ao mesmo tempo culpado e radiante, protegido como se por um escudo invisível. Por saber que nunca mais verá a menina de novo, ele é corajoso nessa noite, beijando-a de leve na boca enquanto ela está falando com ele, pressionando sutilmente sua perna contra a dela no sofá, passando a mão nos seus cabelos por um breve instante. É a primeira vez que ele beijou alguém, a primeira vez que sentiu o rosto, o corpo e o hálito de uma menina tão perto de si. "Não acredito que você a beijou, Gógol", seus amigos exclamam no carro, quando voltam da festa. Ele nega com a cabeça, zonzo, tão surpreso quanto eles, o êxtase ainda brotando dentro dele. "Não fui eu", ele quase diz. Porém não conta a eles que não tinha sido Gógol que havia beijado Kim. Que Gógol não tivera nada a ver com aquilo.

5.

Muitas pessoas mudavam de nome: atores, escritores, revolucionários, travestis. Na aula de história, Gógol aprendeu que os imigrantes europeus tinham seus nomes alterados na ilha Ellis, que os escravos se renomeavam depois que eram emancipados. Embora Gógol não saiba, até Nikolai Gógol mudou de nome, simplificando seu sobrenome aos vinte e dois anos de idade, de Gógol-Yanóvski para Gógol, ao publicar na *Gazeta Literária*. (Ele também publicara sob o nome Yanov e uma vez assinou uma obra como "oooo", em homenagem aos quatro O de seu nome completo.)

Certo dia no verão de 1986, nas semanas tumultuosas que precedem sua mudança para longe da família, antes de seu primeiro ano na Yale começar, Gógol Ganguli faz a mesma coisa. Pega o trem intermunicipal até Boston, trocando para a linha Verde na estação Norte, e desce em Lechmere. A área lhe é um tanto familiar: ele já esteve em Lechmere inúmeras vezes com a família, para comprar novas televisões e aspiradores de pó, e já foi ao Museu de Ciência em excursões com a escola. Mas nunca esteve neste bairro sozinho e, apesar das instruções que anotou numa folha de papel, se perde por um breve instante a caminho da Vara de Família e Sucessões de Middlesex. Veste uma camisa oxford azul, uma calça cáqui, um blazer cotelê cor de camelo, comprado para suas entrevistas em universidades, quente demais para esse dia abafado. Amarrada em seu pescoço está sua única gravata, grená com listras amarelas em diagonal. Agora Gógol tem pouco menos de um metro e oitenta de altura, seu corpo é esbelto, seus cabelos castanho-escuros estão precisando de um corte. Seu rosto é esguio, inteligente, de repente bonito, com os ossos mais salientes, a pele dourada limpa e bem barbeada. Ele herdou os olhos de Ashima, grandes, penetrantes, com elegantes sobrancelhas acentuadas, e tem em comum com Ashoke a leve protuberância bem na ponta do nariz.

O tribunal é um velho e imponente edifício de tijolos com pilastras que ocupa um quarteirão inteiro, porém a entrada é pelo lado, descendo alguns degraus. Lá dentro, Gógol esvazia os bolsos e passa por um detector de metal, como se estivesse num aeroporto, prestes a embarcar numa viagem. É acalmado pela friagem do ar-condicionado, pelas belas esculturas no teto de gesso, pelas vozes que produzem um eco agradável no recinto de mármore. Tinha imaginado um cenário muito menos grandioso. E, no entanto, Gógol entende que este é um lugar onde as pessoas vêm pedir divórcios, disputar testamentos. Um homem na cabine de informações o manda esperar no andar de cima, numa área cheia de mesas redondas, onde há pessoas sentadas almoçando. Gógol senta-se impaciente, com uma de suas pernas compridas balançando para cima e para baixo. Ele esqueceu de trazer um livro para ler, por isso pega uma seção do *Globe* largada ali, e passa os olhos num artigo da seção de "Artes" sobre os retratos de Helga pintados por Andrew Wyeth. Por fim começa a praticar sua nova assinatura nas margens do papel. Experimenta-a em diversos estilos, sua mão desacostumada aos ângulos do N, aos pontos nos dois I. Pergunta-se quantas vezes escreveu seu antigo nome, no cabeçalho de quantos testes e provas, quantas lições de casa, quantas mensagens nos livros de fim de ano para os amigos. Quantas vezes uma pessoa escreve seu nome numa vida inteira — um milhão? Dois milhões?

A ideia de mudar de nome lhe ocorreu pela primeira vez alguns meses antes. Ele estava sentado na sala de espera do dentista, folheando uma edição da *Reader's Digest*. Estava virando as páginas à toa quando chegou a um artigo que o fez parar. O artigo se chamava "Segundos batismos", com o subtítulo "Você consegue identificar as seguintes pessoas famosas?". Em seguida havia uma lista de nomes e, no fim da página, impresso em letras minúsculas de ponta-cabeça, as personalidades famosas a que correspondiam. O único que ele acertou foi Robert Zimmerman, o nome verdadeiro de Bob Dylan. Ele não fazia ideia de que Molière nascera como Jean-Baptiste Poquelin, e Leon Trótski como Liev Davídovitch Bronstein. De que o verdadeiro nome de Gerald Ford era Leslie Lynch King Jr. e o de Engelbert Humperdinck, Arnold George Dorsey. Todos eles tinham mudado o próprio nome, dizia o artigo, acrescentando que esse era um direito de todo cidadão americano. Ele leu que dezenas de milhares de americanos mudavam de nome a cada ano. Só era preciso uma petição legal, dizia o artigo. E de repente ele imaginou "Gógol" somado à lista de nomes, com "Nikhil" impresso em letras minúsculas de ponta-cabeça.

Naquela noite, durante o jantar, ele tocou no assunto com os pais. Uma coisa era Gógol ser o nome grafado em seu diploma do colegial e impresso embaixo de sua foto no livro de fim de ano, ele começou a dizer. Uma coisa era esse nome ser datilografado em suas candidaturas a cinco faculdades da Ivy League, além de Stanford e Berkeley. Porém gravado, dali a quatro anos, num diploma de bacharel? Escrito no alto de um currículo? No centro de um cartão de visitas? Gógol lhes garantiu que seria o nome que seus pais escolheram para ele, o nome bom que haviam escolhido quando ele tinha cinco anos.

“O que está feito, está feito”, o pai disse. “Vai ser um transtorno. Para todos os efeitos, Gógol virou seu nome bom.”

“Agora é complicado demais”, concordou a mãe. “Você é velho demais.”

“Não sou”, ele insistiu. “Não entendo. Por que vocês tinham que me dar um nome de criação, para começo de conversa? Qual é o sentido disso?”

“É o nosso jeito, Gógol”, a mãe sustentou. “É o que os bengalis fazem.”

“Mas esse nome nem é bengali.”

Ele contou aos pais o que aprendera na aula do sr. Lawson: a tristeza eterna de Gógol, sua instabilidade mental, como ele tinha morrido de fome de propósito.

“Vocês sabiam de todas essas coisas sobre ele?”, perguntou.

“Você se esqueceu de mencionar que ele também era um gênio”, o pai disse.

“Não entendo. Como vocês foram capazes de me dar o nome de uma pessoa tão estranha? Ninguém me leva a sério”, disse Gógol.

“Quem? Quem não te leva a sério?”, o pai quis saber, levantando os dedos do prato, olhando para ele.

“As pessoas”, ele disse, mentindo para os pais. Pois o pai tinha certa razão; a única pessoa que não levava Gógol a sério, a única pessoa que o atormentava, a única pessoa cronicamente ciente de seu nome e afligida pelo constrangimento que ele representava, a única pessoa que constantemente o questionava e queria que fosse diferente, era o próprio Gógol. E, no entanto, ele prosseguiu, disse que eles deveriam ficar felizes que seu nome oficial seria bengali, não russo.

“Não sei, Gógol”, a mãe disse, balançando a cabeça. “Realmente não sei.” Ela se levantou para tirar os pratos da mesa. Sonia esquivou-se da conversa, subindo para o quarto. Gógol continuou na mesa com o pai. Os dois ficaram ali sentados juntos, ouvindo a mãe dele raspar os pratos e a água correr na pia.

"Então mude", o pai disse simplesmente, em voz baixa, depois de um instante.

"Sério?"

"Nos Estados Unidos tudo é possível. Faça o que você quiser."

E assim ele obtivera um formulário de mudança de nome do estado de Massachusetts, que deveria ser enviado junto com uma cópia autenticada de sua certidão de nascimento e um cheque para a Vara de Família e Sucessão de Middlesex. Trouxera o formulário para o pai, que o olhara apenas de relance antes de assinar seu consentimento, com a mesma resignação com que assinava um cheque ou um recibo de cartão de crédito, as sobrancelhas levemente erguidas acima dos óculos, calculando por dentro a perda. Gógol preenchera o resto do formulário em seu quarto, tarde da noite, enquanto a família dormia. O requerimento consistia de um único lado de uma folha cor creme, e, no entanto, ele demorara mais para preenchê-lo do que as candidaturas para as faculdades. Na primeira linha preencheu o nome que desejava mudar e o local e a data de nascimento. Escreveu o novo nome que desejava adotar, depois assinou o formulário com sua antiga assinatura. Apenas uma parte do formulário o fizera vacilar: em aproximadamente três linhas, pedia-se que ele apresentasse um motivo para requerer a mudança. Por quase uma hora ele ficara ali sentado, perguntando-se o que devia escrever. No fim, acabou deixando o campo em branco.

Na hora marcada, seu caso é chamado. Ele entra numa sala e senta-se num banco vazio de madeira no fundo. A juíza, uma mulher negra e corpulenta de meia-idade, que usa óculos de meia-lua, está sentada em frente a ele, em cima de um tablado. A escrivã, uma jovem magra com cabelo chanel, pede seu requerimento, conferindo-o antes de entregar à juíza. Não há nenhuma decoração na sala além das bandeiras do Massachusetts e dos Estados Unidos, e de um retrato a óleo de um juiz. "Gógol Ganguli", diz a escrivã, fazendo um gesto para que Gógol se aproxime do tablado, e por mais que ele esteja ansioso para levar aquilo até o fim, está ciente, com uma pontada de tristeza, de que essa é a última vez na vida que ele vai ouvir esse nome ser pronunciado num contexto oficial. Apesar da sanção dos pais, sente que está passando por cima deles, corrigindo um erro que cometeram.

"Qual é o motivo para o senhor querer mudar de nome, sr. Ganguli?", a juíza pergunta.

A pergunta o pega desprevenido, e por vários segundos ele não faz ideia do que dizer. "Motivos pessoais", acaba respondendo.

A juíza olha para ele, debruçando-se para a frente, com o queixo apoiado na mão. "Será que o senhor poderia ser mais específico?"

A princípio ele não diz nada, despreparado para dar maiores explicações. Pergunta-se se deve contar à juíza toda a história tortuosa da carta de sua bisavó que nunca chegou a Cambridge, dos nomes de criação e nomes bons, do que acontecera no primeiro dia da pré-escola. Mas em vez disso, respira fundo e diz às pessoas no tribunal o que jamais ousou admitir para os pais. "Odeio o nome Gógol", ele diz. "Sempre odiei esse nome."

"Muito bem", a juíza diz, carimbando e assinando o formulário, e depois o devolve à escrivã. Ela lhe diz que ele deve comunicar o novo nome a todos os outros órgãos, que é responsabilidade dele notificar o Registro de Veículos Motorizados, os bancos, as escolas. Ele solicita três cópias autenticadas do decreto de mudança de nome, duas para ele próprio e uma para os pais guardarem em seu cofre no banco. Ninguém o acompanha nesse rito jurídico de passagem, e quando ele sai da sala, não há ninguém esperando para comemorar o momento com flores, fotos Polaroid e bexigas. Na verdade, o procedimento é totalmente corriqueiro, e quando ele consulta seu relógio de pulso, vê que se passaram apenas dez minutos desde que entrou no tribunal. Ele sai para a tarde opressiva, transpirando, ainda parcialmente convencido de que é um sonho. Pega o ferry da T, atravessa o rio até Boston. Anda com seu blazer pendurado no dedo por cima do ombro, cruza o parque Common, o Jardim Público, passa pelas pontes e pelos caminhos curvos que bordejam a lagoa. Nuvens carregadas escondem o céu, que só aparece em pontos esparsos como os pequenos lagos num mapa, e o ar traz uma ameaça de chuva.

Ele se pergunta se esta é a sensação de uma pessoa obesa que emagrece, de um prisioneiro libertado. "Eu sou o Nikhil", ele quer dizer às pessoas que passeiam com seus cachorros, empurram crianças em carrinhos, jogam pão para os patos. Está subindo a rua Newbury quando as gotas começam a cair. Corre até a Newbury Comics, compra o *London Calling* e o *Talking Heads:77* com o dinheiro que ganhou de aniversário, e também um pôster do Che para o seu quarto na moradia estudantil. Guarda no bolso um formulário de pedido de um cartão American Express para estudantes, contente de pensar que seu primeiro cartão de crédito não terá o nome Gógol escrito em relevo no verso. "Eu sou o Nikhil", ele é tentado a dizer à menina bonita do caixa, de brinco no nariz, cabelo preto tingido e pele clara como papel. A menina lhe entrega o troco e olha através dele para o próximo cliente, mas isso não importa; em vez disso, pensa em quantas outras mulheres ele agora pode abordar, pelo resto de sua vida, com esse mesmo fato irrepreensível, desinteressante. Mesmo assim, pelas três semanas seguintes, embora sua nova carteira de motorista diga "Nikhil", embora ele tenha picotado a antiga com a tesoura de costura da mãe, embora tenha rasgado as folhas de rosto de seus livros favoritos onde escrevera seu nome até agora, há um porém: todo mundo que ele conhece no mundo ainda o chama de Gógol. Ele está ciente de que os pais, e os amigos deles, e os filhos dos amigos deles, e todos os seus próprios amigos do colegial, jamais o chamarão de nenhuma outra coisa a não ser Gógol. Ele vai continuar sendo Gógol durante as férias e no verão; Gógol irá revisitá-lo em cada um de seus aniversários. Todo mundo que vem à sua festa de despedida para a faculdade escreve "Boa sorte, Gógol" nos cartões.

É só no seu primeiro dia em New Haven, depois que seu pai, sua mãe chorosa e Sonia estão voltando em direção a Boston pela rodovia 95, que ele começa a se apresentar como Nikhil. As primeiras pessoas que o chamam por esse nome são seus colegas de quarto, Brandon e Jonathan, os dois tendo sido notificados pelo correio, no verão, de que o nome dele era Gógol. Brandon, esquálido e loiro, cresceu em Massachusetts, não longe de Gógol, e estudou em Andover. Jonathan, que é coreano e toca violoncelo, vem de Los Angeles.

"Gógol é seu nome ou sobrenome?", Brandon quer saber.

Normalmente essa pergunta o deixa aflito. Mas hoje ele tem uma nova resposta.

"Na verdade, é meu nome do meio", Gógol diz a título de explicação, sentando-se com eles na sala coletiva de seu apartamento. "Meu primeiro nome é Nikhil. Deixaram de fora por algum motivo."

Jonathan assente com a cabeça, distraído com a tarefa de montar os componentes de seu aparelho de som. Brandon também faz o mesmo gesto. "Ei, Nikhil, quer fumar um?", diz Brandon um tempo depois, quando eles terminam de arranjar os móveis a contento na sala coletiva. Já que todo o resto de repente é tão novo, atender por um novo nome não parece tão terrivelmente estranho para Gógol. Ele mora num novo estado, tem um novo número de telefone. Come suas refeições numa bandeja no refeitório coletivo, divide um banheiro com um andar cheio de pessoas, toma banho toda manhã numa cabine. Dorme numa cama nova, que sua mãe insistiu em arrumar antes de ir embora.

Ele passa os dias de orientação andando apressado pelo campus, indo e voltando pelo caminho entrecruzado de pedra, passando pela torre do relógio e pelos prédios com torreões e ameias. Está afobado demais, no começo, para sentar-se na grama do Campus Velho como fazem os outros estudantes, folhear seus catálogos de cursos, jogar frisbee, conhecer-se por entre as estátuas azinhavradas de homens sentados, trajando túnicas. Ele faz uma lista de todos os lugares aonde tem que ir, circulando os prédios em seu mapa do campus. Quando está sozinho em seu quarto, datilografa um pedido por escrito em sua Smith Corona, notificando a secretaria de sua mudança de nome, fornecendo exemplos de sua assinatura antiga e da atual lado a lado. Entrega esses documentos a uma secretária, junto com uma cópia do formulário de mudança de nome. Conta a seu orientador de calouros sobre a mudança de nome; conta à pessoa encarregada de processar sua carteira de estudante e seu cartão da biblioteca. Corrige o erro furtivamente, sem se dar ao incômodo de explicar a Jonathan e Brandon o que é que o mantém ocupado o dia inteiro, e então de repente está feito. Depois de tanto trabalho, não dá trabalho algum. Quando chegam os veteranos e as aulas começam, ele já preparou o terreno para que a universidade inteira o chame de Nikhil: estudantes, professores, assistentes e meninas em festas. Nikhil se matricula em seus quatro primeiros cursos: introdução à história da arte, história medieval, um semestre de espanhol, astronomia para preencher sua cota de ciências exatas. No último minuto, matricula-se num curso de desenho à noite. Não conta aos pais sobre o curso de desenho, algo que eles considerariam frívolo nesse estágio de sua vida, apesar do avô ter sido um artista. Eles já estão apreensivos por ele não ter se decidido por uma área de formação e uma profissão. Como o resto de seus amigos bengalis, os pais dele esperam que ele seja, se não engenheiro, então médico, advogado, economista no pior dos casos. Essas foram as áreas que os trouxeram para a América, seu pai lembra a ele, as profissões que lhes renderam segurança e respeito.

Mas agora que ele é Nikhil, é mais fácil ignorar os pais, abstrair seus receios e apelos. Com alívio, datilografa seu nome no cabeçalho de seus trabalhos do primeiro ano. Lê os recados de telefone que os colegas deixam para Nikhil em diversos pedacinhos de papel em seus quartos. Abre uma conta-corrente, escreve seu nome em livros didáticos. "*Me llamo Nikhil*", diz em sua aula de espanhol. É como Nikhil, nesse primeiro semestre, que ele deixa crescer um cavanhaque, começa a fumar Camel Lights nas festas e, enquanto escreve trabalhos e antes de provas, descobre Brian Eno, Elvis Costello e Charlie Parker. É como Nikhil que ele toma o metrô Norte até Manhattan em companhia de Jonathan, certo fim de semana, e arranja uma identidade falsa que lhe permite pedir bebidas alcoólicas nos bares de New Haven. É como Nikhil que ele perde a virgindade numa festa em Ezra Stiles, com uma menina de saia de lã xadrez, botas de combate e meia-calça mostarda. Quando acorda, de ressaca, às três da manhã, a menina sumiu do quarto, e ele não consegue lembrar o nome dela.

Só há uma complicação: ele não se sente Nikhil. Ainda não. Parte do problema é que as pessoas que agora o conhecem como Nikhil não fazem ideia de que antigamente ele era Gógol. Elas o conhecem apenas no presente, nada do passado. Mas após dezoito anos de Gógol, dois meses de Nikhil parecem algo desprezível, insignificante. Às vezes ele sente como se tivesse escolhido a si mesmo para o elenco de uma peça, fazendo o papel de gêmeos, indistinguíveis a olho nu, mas fundamentalmente diferentes. Às vezes ainda sente seu nome antigo, uma dor que vem sem aviso, semelhante à dor de seus dentes da frente, que vinham latejando insuportavelmente nas últimas semanas após uma obturação, por um instante ameaçando separar-se da gengiva quando ele bebia café, ou água gelada, e uma vez quando estava dentro de um elevador. Ele tem medo de ser descoberto, de que essa farsa toda se desvele de algum modo, e nos pesadelos seus arquivos são expostos, seu nome original é impresso na primeira página do *Yale Daily News*. Uma vez, ele assinou o nome antigo por engano num recibo do cartão de crédito na livraria da faculdade. De vez em quando, precisa ouvir Nikhil três vezes antes de responder.

Ainda mais assustador é quando aqueles que normalmente o chamam de Gógol referem-se a ele como Nikhil. Por exemplo, quando seus pais telefonam nas manhãs de sábado, se Brandon ou Jonathan por acaso atende ao telefone, eles perguntam se o Nikhil está. Embora ele tenha pedido aos pais que fizessem justamente isso, esse fato o perturba fazendo-o sentir nesses momentos que não é parente deles, que não é seu filho. "Por favor, venham nos visitar com o Nikhil algum fim de semana", Ashima diz aos colegas de quarto do filho quando ela e Ashoke visitam o campus durante o fim de semana dos pais em outubro, ocasião em que as garrafas de bebida, os cinzeiros e o bong de Brandon são escondidos às pressas no apartamento. Essa substituição soa equivocada para Gógol, correta mas incoerente, como quando os pais falam com ele em inglês em vez de bengali. Ainda mais estranho é quando a mãe ou o pai dirige-se a ele, na frente de seus novos amigos, diretamente como Nikhil: "Nikhil, mostre para a gente os prédios onde você tem aula", seu pai sugere. Naquela mesma noite, jantando com Jonathan num restaurante na rua Chapel, Ashima tem um deslize e pergunta: "Gógol, você já decidiu em que área vai se formar?" Embora Jonathan não escute, pois está ouvindo algo que o pai dele está dizendo, Gógol se sente impotente, incomodado mas incapaz de culpar a mãe, enredada na confusão que ele próprio criou.

* * *

Durante o primeiro semestre, por obediência mas a contragosto, ele vai para a casa dos pais a cada dois fins de semana, depois de sua última aula de sexta. Pega o Amtrak até Boston e depois faz baldeação para um trem intermunicipal, com a bolsa esportiva abarrotada de livros didáticos e roupas sujas. Em algum ponto do trajeto de duas horas e meia, Nikhil evapora e Gógol volta a tomar posse dele. Seu pai vai buscá-lo na estação, sempre telefonando antes para conferir se o trem vai chegar na hora. Juntos eles cruzam a cidade de carro, passando pelas ruas arborizadas que lhe são familiares, e o pai lhe pergunta sobre seus estudos. Entre a noite de sexta e a tarde de domingo, as roupas são lavadas, graças a sua mãe, porém os livros didáticos são deixados de lado; apesar de suas boas intenções, Gógol se vê incapaz de fazer muito mais do que comer e dormir na casa dos pais. A escrivaninha em seu quarto parece pequena demais. Ele é distraído pelo telefone que toca, por seus pais e Sonia falando e andando pela casa. Sente falta da Biblioteca Sterling, onde estuda toda noite depois do jantar, e da rotina noturna da qual agora faz parte. Sente falta de estar em seu dormitório em Farnam, fumando um dos cigarros de Brandon, ouvindo música com Jonathan, aprendendo a distinguir os compositores clássicos.

Em casa ele assiste à MTV com Sonia enquanto ela conserta sua calça jeans, cortando alguns centímetros na parte de baixo e inserindo zíperes nos tornozelos, agora mais estreitos. Certo fim de semana, a máquina de lavar está ocupada porque Sonia está tingindo de preto a maioria de suas roupas. Ela agora está no colegial, fazendo o curso de inglês do sr. Lawson, indo aos bailes em que o próprio Gógol nunca ia, já frequentando festas onde há meninos e meninas. Tirou o aparelho dos dentes, revelando um sorriso confiante, frequente, americano. Seu cabelo, antes na altura dos ombros, foi cortado assimetricamente por uma de suas amigas. Ashima convive com o medo de que Sonia pinte uma mecha de loiro, como já ameaçou fazer em mais de uma ocasião, e de que ela vá ao shopping fazer outros furos nas orelhas. Elas têm discussões violentas sobre esse tipo de coisa, Ashima chora, Sonia bate as portas. Em alguns fins de semana os pais dele são convidados a festas e insistem para Gógol e Sonia irem junto. O anfitrião ou anfitriã lhe mostra um quarto onde ele pode estudar sozinho enquanto a festa barulhenta acontece lá embaixo, mas ele sempre acaba assistindo televisão com Sonia e as outras crianças, como fez sua vida inteira. "Já tenho dezoito anos", ele diz uma vez aos pais quando todos estão no carro, voltando de uma festa; um fato que não faz diferença alguma para eles. Num fim de semana, Gógol comete o erro de referir-se a New Haven como sua casa. "Desculpa, esqueci em casa", ele diz quando o pai pergunta se ele se lembrou de comprar o adesivo de Yale que seus pais querem colar na janela de trás do carro. Ashima fica indignada com o comentário, passa o dia inteiro falando nisso. "Só três meses, e olha como você está falando", ela diz, contando a ele que, após vinte anos nos Estados Unidos, ainda não consegue referir-se a rua Pemberton como sua casa.

Mas agora seu quarto em Yale é o lugar onde Gógol se sente mais confortável. Gosta que ele seja tão antigo, gosta de sua elegância persistente. Gosta do fato de tantos estudantes terem ocupado o quarto antes dele. Gosta da solidez de suas paredes de gesso, seu assoalho de madeira escura, por mais gasto e manchado que esteja. Gosta da claraboia que vê de manhã cedinho quando abre os olhos, e de olhar para a Capela Battel. Apaixonou-se pela arquitetura gótica do campus, sempre impressionado com a beleza física à sua volta, que o deixa arraigado a seu ambiente de um jeito que ele nunca sentiu na rua Pemberton quando criança. Para seu curso de desenho, em que se pede meia dúzia de esboços toda semana, ele é inspirado a desenhar os detalhes dos prédios: arcobotantes, arcadas pontudas cheias de relevos rebuscados, batentes grossos e arredondados nas portas, colunas robustas de pedra num tom claro de cor-de-rosa. No semestre de primavera ele faz um curso introdutório de arquitetura. Lê sobre como eram construídas as pirâmides, os templos gregos e as catedrais medievais, estuda os planos de igrejas e palácios em seu livro didático. Aprende os infinitos termos, o vocabulário com que são classificados os detalhes de construções antigas, escrevendo-os em fichas de arquivo separadas com ilustrações no verso: arquitrave, entablamento, tímpano, aduela. Juntas, essas palavras formam outra língua, que ele anseia por conhecer. Ele arquiva essas fichas numa caixa de sapato, relê todas antes da prova, memorizando muito mais termos do que precisa; guarda a caixa de sapato mesmo depois de ter feito a prova, acrescentando itens a ela em seu tempo livre.

No outono de seu segundo ano, ele embarca num trem especialmente lotado na Union Station. É uma quarta-feira antes do dia de Ação de Graças. Ele anda de lado, abrindo caminho nos compartimentos, sua bolsa esportiva cheia de livros para o curso de arquitetura renascentista, para o qual tem de escrever um trabalho nos próximos cinco dias. Os passageiros já demarcaram parte do vestíbulo, sentados em suas bagagens com um ar aborrecido. "Só tem lugar de pé", berra o condutor. "Quero meu dinheiro de volta", um passageiro reclama. Gógol continua andando de um compartimento para o outro, procurando um vestíbulo não tão lotado onde possa se sentar. No último vagão do trem ele vê um assento vazio. Há uma menina sentada ao lado da janela, lendo uma edição da *New Yorker* com a capa dobrada para trás. Estendido no assento ao seu lado há um casaco de camurça marrom com forro de pele de carneiro, que é o que fizera a pessoa na frente de Gógol continuar andando. Mas algo diz a Gógol que o casaco pertence à menina, e por isso ele para e diz: "Isso é seu?".

Ela levanta seu corpo esguio e, num único movimento ágil, acomoda o casaco sob as nádegas e as pernas. É um rosto que ele reconhece do campus, alguém com quem já cruzou nos corredores dos prédios quando vai e volta das aulas. Ele lembra que no primeiro ano ela tinha o cabelo tingido de um tom forte de vermelho-mirtilo, com o corte na altura do maxilar. Ela agora o deixou crescer até os ombros e permitiu que ele recuperasse o que parece ser a cor natural, castanho-claro com um pouco de loiro aqui e ali. É repartido quase no meio, um pouco torto na base. Suas sobrancelhas são mais escuras, conferindo uma expressão séria a seus traços que, tirando isso, são simpáticos. Ela veste uma calça jeans desbotada, botas de couro marrom com cadarços amarelos e solas grossas de borracha. Seu suéter trançado, do mesmo tom cinza manchado de seus olhos, é grande demais para ela, com as mangas cobrindo-lhe parcialmente as mãos. Uma carteira masculina forma um volume proeminente no bolso da frente de sua calça jeans.

"Oi, eu sou a Ruth", ela diz, reconhecendo-o dessa mesma maneira vaga.

"Eu sou o Nikhil." Ele senta-se, exausto demais para guardar a bolsa no bagageiro. Enfia a bolsa do melhor jeito que pode embaixo do assento, com as pernas compridas dobradas num ângulo desconfortável, ciente de que está transpirando. Abre o zíper de sua parca azul forrada. Massageia os dedos, cobertos de vergões vermelhos das alças de couro da bolsa.

"Desculpa", diz Ruth, observando-o. "Acho que eu só estava tentando adiar o inevitável."

Ainda sentado, ele liberta seus braços da parca. "Como assim?"

"Fazendo parecer que tinha alguém sentado aqui. Com o casaco."

"É muito inteligente, na verdade. Às vezes finjo adormecer pelo mesmo motivo", ele admite. "Ninguém quer sentar do meu lado quando estou dormindo."

Ela ri baixinho, prendendo uma mecha de cabelo atrás da orelha. Sua beleza é direta, despretensiosa. Ela não usa maquiagem além de algo brilhante nos lábios; duas pintinhas marrons ao lado da maçã do rosto direita são as únicas coisas que o distraem da cor clara de pêssego de sua tez. Ela tem mãos finas e pequenas, com unhas sem esmalte e cutículas irregulares. Debruça-se para guardar a revista e tirar um livro da bolsa a seus pés, e num breve relance ele vê sua pele descoberta acima da cintura.

"Você está indo para Boston?", ele pergunta.

"Maine. É lá que meu pai mora. Tenho que trocar para um ônibus na South Station. São mais quatro horas a partir dali. Em que faculdade você estuda?"

"J. E."

Ele fica sabendo que ela está na Silliman, que planeja se formar em inglês. Ao comparar observações sobre as experiências dos dois na faculdade até o momento, eles descobrem que ambos tinham cursado Psicologia 110 na primavera anterior. O livro nas mãos dela é uma cópia de bolso de *Timão de Atenas*, mas, embora deixe um dedo marcando a página, ela não lê uma palavra. Ele também não se dá ao trabalho de abrir o livro sobre perspectiva que tirou de sua bolsa. Ela lhe conta que foi criada numa comunidade em Vermont, filha de hippies, educada em casa até a sétima série. Seus pais agora estão divorciados. O pai vive com a madrasta dela, criando lhamas numa fazenda. A mãe, uma antropóloga, está fazendo um trabalho de campo sobre parteiras na Tailândia.

Ele não consegue imaginar como é ter pais assim, vir desse contexto, e quando descreve a maneira como ele próprio foi criado, parece sem graça, por comparação. Mas Ruth demonstra interesse, pergunta sobre suas visitas a Calcutá. Diz a ele que os pais dela foram à Índia uma vez, a um *ashram* em algum lugar, antes de ela nascer. Ela pergunta como são as ruas e as casas, e por isso, na página em branco atrás de seu livro sobre perspectiva, Gógol desenha uma planta baixa do apartamento de seus avôs maternos, guiando Ruth entre as varandas e os terraços, contando-lhe sobre as paredes azuis que soltam pó, a cozinha estreita de pedra, a sala de estar com móveis de ratã que parecem ser feitos para um alpendre. Ele desenha com confiança, graças ao curso de desenho técnico que faz nesse semestre. Mostra a ela o quarto onde ele e Sonia dormem quando vão visitar, e descreve a vista da ruazinha minúscula cheia de lojas de telhado de zinco ondulado. Quando ele termina, Ruth pega o livro de sua mão e olha o desenho que ele fez, seguindo os cômodos com o dedo. "Eu adoraria ir", ela diz, e de repente ele a imagina com o rosto e os braços bronzeados, caminhando ao longo da Chowringhee como fazem os outros turistas ocidentais, fazendo compras em New Market, hospedada no Grand.

Enquanto eles conversam, uma mulher do outro lado do corredor os repreende, diz que está tentando tirar um cochilo. Isso só os estimula a continuar falando, numa voz mais baixa, aproximando as cabeças uma da outra. Gógol não sabe em que estado eles estão, por quais estações já passaram. O trem passa sacolejando por uma ponte; o sol poente é de uma beleza febril, lançando um brilho rosado marcante nas fachadas das casas de tábuas de madeira espalhadas à beira-rio. Em alguns minutos esses tons se dissipam, substituídos pela palidez que antecede o crepúsculo. Quando escurece, ele vê que as imagens deles estão refletidas obliquamente no vidro, pairando como se estivessem fora do trem. Suas gargantas estão secas de tanto falar, e em certo momento ele se oferece para ir ao vagão-cafeteria. Ela pede que ele lhe traga um saco de batatas fritas e uma xícara de chá com leite. Ele gosta do fato de que ela não se dá ao trabalho de tirar a carteira de sua calça jeans, de que lhe permite comprar essas coisas para ela. Volta com um café para si, as batatas, o chá, e um copo de papel cheio de leite que o barman lhe deu em vez da porção normal de creme. Eles continuam conversando, Ruth comendo as batatas fritas, limpando o sal em volta dos lábios com as costas da mão. Oferece algumas a Gógol, tirando-as uma por uma para lhe dar. Ele conta sobre as refeições que comeu em trens indianos da vez que viajou com a família para Délhi e Agra, os rotis e o *dal* levemente azedo pedidos numa estação e entregues quentes na seguinte, os bolinhos grossos de legumes servidos com pão e manteiga no café da manhã. Conta a ela do chá, como era comprado pela janela, dos homens na plataforma que o serviam de chaleiras de alumínio gigantes, já com leite e açúcar, e de como era bebido em xícaras rústicas de argila que depois eram espatifadas nos trilhos. O gosto dela por esses detalhes o deixa lisonjeado; ocorre-lhe que ele nunca falou de suas experiências na Índia para nenhum amigo americano.

Eles se separam bruscamente, mas Gógol toma coragem de pedir o telefone dela no último minuto, anotando-o no mesmo livro onde desenhara a planta do apartamento. Ele gostaria de poder ficar em South Station com ela, esperando o ônibus para o Maine, mas tem de pegar dali a dez minutos um trem intermunicipal que o levará aos subúrbios. Os dias do feriado lhe parecem intermináveis; ele só consegue pensar em voltar para New Haven e telefonar para Ruth. Pergunta a si mesmo quantas vezes seus caminhos se cruzaram, quantas vezes comeram juntos sem saber no refeitório coletivo. Lembra do curso Psicologia 110, deseja que sua memória forneça alguma imagem dela fazendo anotações do outro lado do auditório da Escola de Direito, com a cabeça debruçada sobre a carteira. No mais das vezes, ele pensa no trem, anseia por sentar-se ao lado dela outra vez, imagina seus rostos corados com o calor do compartimento, seus corpos com cãibras nos mesmos pontos, o cabelo dela brilhando sob as luzes amarelas. Na viagem de volta ele procura por ela, esquadrinhando cada um dos compartimentos, mas ela não está em lugar algum, e ele termina por sentar-se ao lado de uma freira idosa com um hábito marrom e uma distinta penugem branca no lábio superior, que ronca o caminho inteiro.

Na semana seguinte, de volta a Yale, Ruth aceita encontrá-lo para tomar um café na livraria Atticus. Chega alguns minutos atrasada e está vestindo a mesma calça jeans e o mesmo casaco de camurça marrom que usava quando os dois se conheceram. Outra vez ela pede chá. No começo ele sente um constrangimento que não tinha sentido no trem. A cafeteria parece barulhenta e caótica, a mesa entre eles parece larga demais. Ruth está mais quieta do que antes, olhando para sua xícara e brincando com os sachês de açúcar, seus olhos de quando em quando passando pelos livros que forram as paredes. Mas não demora muito até que estejam conversando facilmente, como tinham feito antes, trocando histórias sobre seus respectivos feriados. Gógol lhe conta como Sonia e ele ocuparam a cozinha na rua Pemberton por um dia, recheando um peru e abrindo massa para tortas, coisas que sua mãe não gostava muito de fazer. "Eu te procurei na viagem de volta", ele admite, contando-lhe sobre a freira que roncava. Depois disso eles caminham juntos pelo Centro de Arte Britânica; há uma mostra de obras renascentistas sobre papel, que ambos estavam pretendendo ver. Ele a acompanha de volta até a Silliman, e eles combinam tomar um café alguns dias depois. Após dar boa-noite, Ruth fica parada ao lado do portão, olhando para os livros apertados contra o peito, e ele se pergunta se deve beijá-la, que é o que vem querendo fazer há horas, ou se, na cabeça dela, os dois são apenas amigos. Ela começa a andar de costas rumo à entrada do prédio, sorrindo para ele, dando um número impressionante de passos antes de dar o último aceno e virar-se.

Ele começa a encontrar Ruth depois das aulas dela; memoriza seus horários, passa a olhar para os prédios acima e demorar-se casualmente embaixo das arcadas. Ela sempre parece contente ao vê-lo, separa-se das amigas para lhe dar oi. "É claro que ela gosta de você", Jonathan diz a Gógol, certa noite no refeitório, ao escutar pacientemente um relato minucioso de como os dois se conheceram. Poucos dias depois, quando voltava com Ruth ao quarto dela porque ela tinha esquecido um livro de que precisava para uma aula, ele coloca sua mão sobre a dela quando ela encosta na maçaneta. Suas colegas de quarto saíram. Ele fica esperando no sofá da sala coletiva enquanto ela procura o livro. Já é meio do dia, está nublado e cai uma chuva fina. "Achei", ela diz, e os dois, embora tenham aula, ficam ali na sala, sentados no sofá se beijando até que seja tarde demais para valer a pena ir.

Toda noite eles estudam juntos na biblioteca, sentados em pontas opostas de uma mesa para que não fiquem sussurrando entre si. Ela o leva para jantar no refeitório dela, e ele a leva no dele. Ele a leva ao jardim das esculturas. Pensa nela constantemente, debruçado sobre a prancheta em sua aula de desenho técnico, sob as fortes luzes brancas do estúdio, e no escuro do auditório de seu curso de arquitetura renascentista, enquanto a tela brilha com imagens de vilas palladianas, vindas de um projetor de slides. Em questão de semanas o fim do semestre se aproxima, e eles são assediados por provas, trabalhos e centenas de páginas de leitura. Muito mais que a quantidade de trabalho que têm pela frente, ele teme o mês de separação que eles terão que aguentar nas férias de inverno. Certa tarde de sábado, logo antes das provas começarem, ela menciona para ele, na biblioteca, que suas duas colegas de quarto vão ficar fora o dia inteiro. Os dois andam juntos pelo Cross Campus, de volta para a Silliman, e ele senta-se com ela em sua cama desarrumada. O quarto tem o cheiro dela, um cheiro floral com uma consistência de pó, sem a acidez de um perfume. Há cartões-postais de escritores grudados com fita adesiva na parede acima de sua escrivaninha, Oscar Wilde e Virginia Woolf. Os lábios e rostos deles ainda estão amortecidos pelo frio, e no começo eles ainda estão de casaco. Deitam-se juntos no forro de pele de carneiro do casaco dela, e ela guia a mão dele para baixo de seu volumoso suéter. Não foi assim da primeira vez, a única outra vez em que ele esteve com uma menina. Ele não se lembra de nada daquele episódio, apenas que depois se sentiu contente por não ser mais virgem.

Mas dessa vez ele tem consciência de tudo, o oco quente do abdome de Ruth, o jeito como seus cabelos escorrem em mechas grossas no travesseiro, a leve mudança nos traços de seu rosto quando ela está deitada. "Você é ótimo, Nikhil", ela sussurra enquanto ele encosta em seus peitos pequenos, apartados entre si, um mamilo pálido um pouco maior do que o outro. Ele os beija, beija as pintas espalhadas em sua barriga quando ela se arqueia de leve em sua direção, sente as mãos dela em sua cabeça e depois em seus ombros, guiando-o por entre suas pernas abertas. Ele sente--se inepto, desajeitado, ao provar ali o gosto e o cheiro dela, e, no entanto, ouve-a sussurrar seu nome, dizer-lhe que a sensação é maravilhosa. Ela sabe o que fazer, abrindo o zíper da calça jeans dele, levantando-se em dado momento para buscar um diafragma na gaveta da escrivaninha.

Uma semana depois ele está em casa outra vez, ajudando Sonia e sua mãe a decorar a árvore, ajudando o pai a tirar a neve da entrada, indo ao shopping para comprar presentes de última hora. Anda pela casa acabrunhado e irrequieto, fingindo que está ficando resfriado. Queria poder simplesmente pegar o carro dos pais emprestado e dirigir até o Maine para ver Ruth depois do Natal, ou que ela pudesse visitá-lo. Ele era totalmente bem-vindo, Ruth lhe garantira, seu pai e sua madrasta não se incomodariam. Disse que eles o acomodariam no quarto de hóspedes; à noite ele iria escondido para a cama dela. Ele se imagina na casa de fazenda que ela descreveu, acordando com o cheiro de ovos fritos, caminhando com ela pelos campos abandonados, cobertos de neve. Porém, essa viagem exigiria que ele contasse a seus pais sobre Ruth, algo que ele não tem vontade de fazer. Ele não tem paciência para a surpresa deles, seu nervosismo, sua decepção velada, suas perguntas sobre o que os pais de Ruth fazem e se o relacionamento é sério ou não. Por mais que anseie vê-la, não consegue imaginá-la sentada à mesa da cozinha na rua Pemberton, com sua calça jeans e seu suéter volumoso, comendo educadamente a comida da mãe dele. Não consegue se imaginar ficando com ela na casa onde ele ainda é Gógol.

Ele fala com ela quando sua família está dormindo, em voz baixa na cozinha vazia, debitando os telefonemas de sua conta da escola. Os dois combinam de se encontrar um dia em Boston e passam o dia juntos em Harvard Square. Há trinta centímetros de neve no chão, e o céu é de um azul penetrante. Eles primeiro vão ver um filme no Brattle e compram ingressos para o que quer que esteja prestes a começar, sentam-se no fundo da sala e beijam-se, fazendo as pessoas virarem de costas para olhar. Almoçam sanduíches prensados de presunto e tigelas de sopa de alho no Café Pamplona, numa mesa do canto. Trocam presentes: ela lhe dá um pequeno livro usado de desenhos de Goya, e ele lhe dá um par de luvas azuis de lã e uma fita gravada com suas músicas favoritas dos Beatles. Eles descobrem uma loja logo acima do café que só vende livros de arquitetura, e ele percorre as prateleiras, dando-se de presente uma edição de bolso de *A viagem do Oriente* de Le Corbusier, pois está cogitando escolher arquitetura como área de formação na primavera. Depois disso, eles andam de mãos dadas, beijando-se de vez em quando escorados num prédio, e passam pelas mesmas ruas onde ele era empurrado de um lado para o outro em seu carrinho quando criança. Ele mostra a ela a casa do professor americano onde morou com os pais, num tempo antes de Sonia nascer, anos dos quais ele não tem lembrança. Ele viu a casa em fotos, seus pais lhe disseram o nome da rua. Quem quer que more lá agora, parece estar viajando; a neve não foi retirada dos degraus do alpendre, e uma série de jornais enrolados acumulou-se no capacho da entrada. "Queria que a gente pudesse entrar", ele diz. "Queria que a gente pudesse ficar a sós." Olhando para a casa agora, com Ruth ao seu lado, sua mão de luva na dele, ele sente um estranho desamparo. Embora fosse apenas uma criancinha na época, mesmo assim sente-se traído por sua incapacidade de saber naquele tempo que um dia, anos depois, voltaria à casa em circunstâncias tão diferentes, e que estaria tão feliz.

No ano seguinte, seus pais já sabem vagamente de Ruth. Apesar de ele ter ido à fazenda no Maine duas vezes, ter conhecido o pai e a madrasta dela, é Sonia, que atualmente tem um namorado secreto, a única pessoa da família que conheceu Ruth, durante um fim de semana em que foi a New Haven. Seus pais não demonstraram curiosidade alguma sobre sua namorada. Seu relacionamento com ela é uma conquista em sua vida da qual eles não sentem o mínimo orgulho ou contentamento. Ruth lhe diz que não se importa com a desaprovação dos pais dele, que acha isso romântico. Mas Gógol sabe que não é certo. Queria que os pais pudessem simplesmente aceitá-la, assim como a família dela o aceita, sem nenhum tipo de pressão. "Você é jovem demais para se envolver desse jeito", Ashoke e Ashima lhe dizem. Até chegaram a apontar exemplos de homens bengalis, seus conhecidos, que se casaram com americanas e cujos casamentos terminaram em divórcio. Ele só piora tudo quando diz que o casamento é a última coisa que lhe passa pela cabeça. Às vezes desliga o telefone na cara deles. Não tem experiência como jovem apaixonado. Suspeita que eles sentem uma satisfação secreta quando Ruth vai passar um semestre em Oxford. Fazia tempo que ela mencionara seu interesse em estudar lá, nas primeiras semanas do namoro, quando a primavera do terceiro ano parecia uma mancha remota no horizonte. Ela perguntara se ele se incomodaria caso se candidatasse, e, embora a ideia de ela estar tão longe lhe causasse um mal-estar, ele dissera que não, claro que não, que doze semanas passariam num instante.

Ele fica perdido sem ela nessa primavera. Passa o tempo todo no estúdio, principalmente as noites de sexta e os fins de semana, quando ele normalmente ficaria com ela, os dois comeriam no Naples e veriam filmes no auditório da Escola de Direito. Ele ouve a música que ela adora: Simon & Garfunkel, Neil Young, Cat Stevens, e compra para si cópias novas dos discos que ela herdou dos pais. Fica enjoado ao pensar na distância física entre eles, ao pensar que quando ele está dormindo à noite, ela está debruçada numa pia em algum lugar, escovando os dentes e lavando o rosto para começar o próximo dia. Sente a falta dela como seus pais sentiram, todos esses anos, a falta das pessoas que eles amam na Índia — pela primeira vez na vida, ele conhece essa sensação. Mas seus pais se recusam a lhe dar dinheiro para viajar para a Inglaterra no recesso da primavera. Ele gasta o pouco que ganha com seu trabalho no refeitório em telefonemas transatlânticos para Ruth duas vezes por semana. Duas vezes por dia confere sua caixa de correio do campus, procurando cartas e cartões-postais carimbados com os perfis multicolores da rainha. Carrega essas cartas e esses cartões-postais para todo lugar aonde vai, enfiados em seus livros. "Meu curso de Shakespeare é o melhor que já fiz", ela escreveu em tinta violeta. "O café é intragável. Todo mundo diz *cheers* constantemente. Eu penso em você o tempo todo."

Um dia ele vai a um seminário de discussão de romances indianos escritos em inglês. Sente-se obrigado a comparecer; um dos palestrantes do seminário, Amit, é um primo distante que mora em Bombaim, que Gógol não conhece pessoalmente. Sua mãe pediu que ele cumprimentasse Amit em nome dela. Gógol fica entediado com os palestrantes, que não param de se referir a algo chamado "marginalidade", como se fosse algum tipo de problema de saúde. Durante a maior parte da sessão de uma hora, ele desenha retratos dos palestrantes, que ficam debruçados sobre seus papéis, sentados ao longo de uma mesa retangular. "Falando teleologicamente, os ABCDs são incapazes de responder à pergunta 'De onde você é?'", explica a socióloga na apresentação. Gógol nunca ouviu o termo "ABCD". No fim acaba entendendo que significa *American-born confused deshis.*[4] Ou seja, ele próprio. Aprende que o C também pode significar "conflituoso". Sabe que *deshi*, palavra genérica para "conterrâneo", significa "indiano", sabe que seus pais e todos os amigos sempre se referem à Índia simplesmente como *desh*. Mas Gógol nunca pensa na Índia como *desh*. Pensa nela da mesma forma que os americanos pensam, como a Índia.

Gógol se curva no assento e pondera certas verdades incômodas. Por exemplo, embora consiga entender a língua da mãe e falar essa língua fluentemente, não consegue ler nem escrever nela com uma proficiência nem sequer modesta. Nas viagens à Índia, seu inglês com sotaque americano é uma fonte infindável de entretenimento para seus parentes, e quando ele e Sonia conversam entre si, tios e primos sempre balançam a cabeça, descrentes, e dizem: "Não entendi uma palavra!". Viver com um nome de criação e um nome bom, num lugar onde essas distinções não existem, com certeza era emblemático da maior confusão de todas. Ele procura algum conhe-

4. *Deshis* confusos nascidos na América. (N.T.)

cido na plateia, porém não é sua turma — muitos graduandos em literatura com bolsas de couro, óculos de aro dourado e canetas--tinteiro, muitas pessoas que Ruth teria cumprimentado com um aceno. Também há vários ABCDs. Ele não fazia ideia de que havia tantos no campus. Não tem amigos ABCD na faculdade. Evita-os, pois eles lhe lembram demais o jeito como seus pais escolhem viver, ficando amigos das pessoas não tanto porque gostam delas, mas por causa de um passado que por acaso têm em comum. "Gógol, por que você não é membro da associação indiana daqui?", Amit pergunta depois, quando eles vão beber no Anchor. "Só não tenho tempo", responde Gógol, não dizendo a seu primo bem-intencionado que não consegue pensar numa hipocrisia maior do que entrar para uma organização que faz de bom grado comemorações às quais ele, durante toda a infância e adolescência, era obrigado pelos pais a comparecer.

"Agora eu sou o Nikhil", diz Gógol, de repente deprimido ao pensar em quantas vezes ainda terá que dizer isso, pedindo às pessoas que lembrem, lembrando-as de esquecer, sentindo como se tivesse uma folha de errata eternamente presa ao peito.

No dia de Ação de Graças de seu último ano de faculdade, ele pega o trem, sozinho, até Boston. Ele e Ruth não estão mais juntos. Em vez de voltar de Oxford após aquelas doze semanas, ela ficara para fazer um curso de verão, explicando que um professor que ela admirava ia se aposentar depois disso. Gógol passou o verão na rua Pemberton. Fez um estágio não remunerado num pequeno escritório de arquitetura em Cambridge, onde fez pequenos serviços para os designers na Charrette, fotografou obras ali perto, traçou as letras em alguns desenhos. Para ganhar dinheiro ele trabalhava à noite, lavando pratos num restaurante italiano na cidade dos seus pais.

No fim de agosto tinha ido ao Logan receber Ruth de volta. Esperou por ela no portão de desembarque, levou-a para passar uma noite num hotel, pagou com o dinheiro que ganhara no restaurante. O quarto tinha vista para o Jardim Público, as paredes eram cobertas por um papel com listras grossas cor-de-rosa e creme. Eles fizeram amor pela primeira vez numa cama de casal. Tinham saído para comer, pois as coisas no cardápio do serviço de quarto eram caras demais para os dois. Subiram a rua Newbury e foram a um restaurante grego com mesas na calçada. O dia era de um calor sufocante. Ruth tinha a mesma aparência, porém sua fala estava temperada com palavras e expressões que ela adquirira na Inglaterra, como "imagino que", "suponho que" e "é de esperar". Falara de seu semestre e do quanto gostara da Inglaterra, das viagens que fizera a Barcelona e Roma. Disse que queria voltar à Inglaterra para cursar uma pós-graduação. "Imagino que eles têm boas escolas de arquitetura", acrescentou. "Você podia vir também." Na manhã seguinte ele a colocou no ônibus para Maine. Mas passados alguns dias juntos de novo em New Haven, num apartamento que ele alugou com amigos na rua Howe, os dois começaram a brigar, ambos admitindo no final que alguma coisa havia mudado.

Eles agora se evitam, quando se cruzam por acaso na biblioteca e nas ruas. Ele riscou o número do telefone e endereços dela em Oxford e no Maine. Mas quando embarca no trem, é impossível não pensar na tarde, dois anos antes, em que eles se conheceram. Como de costume, o trem está incrivelmente lotado, e dessa vez ele passa metade da viagem sentado no vestíbulo. Depois de Westerly ele acha um assento e se instala com o guia de seleção de cursos do semestre seguinte. Mas se sente distraído por algum motivo, macambúzio, impaciente para descer do trem; não se dá ao trabalho de tirar o casaco, não se dá ao trabalho de ir ao vagão-cafeteria buscar alguma coisa para beber, embora esteja com sede. Guarda o guia de cursos e abre um livro da biblioteca que talvez seja útil para seu projeto de monografia do último ano, uma comparação entre projetos de palácios mughal e italianos renascentistas. Mas após uns poucos parágrafos ele fecha esse livro também. Seu estômago ronca e ele se pergunta o que vai ter para jantar em casa, o que seu pai preparou. Sua mãe e Sonia foram passar três semanas na Índia, para ir ao casamento de uma prima, e esse ano Gógol e o pai vão passar o dia de Ação de Graças na casa de amigos.

Ele encosta a cabeça na janela e vê a paisagem outonal passar: as águas rosadas e roxas cuspidas por uma fábrica de tingimento de tecidos, usinas elétricas, um grande tanque d'água esférico coberto de ferrugem. Fábricas abandonadas, com fileiras de janelinhas quadradas parcialmente arrombadas, como se arruinadas por traças. Nas árvores, os ramos mais altos estão desnudos, as folhas restantes, amarelas, finas como papel. O trem avança mais devagar que de costume, e quando ele olha para o relógio, vê que eles estão bastante atrasados. E então, em algum lugar nas cercanias de Providence, num campo abandonado coberto de mato, o trem para. Por mais de uma hora eles ficam ali imóveis, enquanto um sólido disco escarlate de sol mergulha no horizonte forrado de árvores. As luzes se apagam, e o ar dentro do trem começa a ficar quente, um calor desconfortável. Os condutores andam apressados e aflitos pelos compartimentos. "Provavelmente um cabo que rompeu", comenta o senhor sentado ao lado de Gógol. Do outro lado do corredor, uma mulher de cabelos grisalhos lê e faz de cobertor um casaco que segura junto ao peito. Atrás dele, dois estudantes discutem os poemas de Ben Jonson. Sem o som da locomotiva, Gógol escuta ao longe uma ópera tocando no walkman de alguém. Pela janela ele contempla o céu de safira escurecendo. Vê trechos de trilhos sobressalentes amontoados em pilhas. Só quando eles voltam a se mover é que um anúncio de emergência médica é feito no alto-

-falante. Porém a verdade, que um dos passageiros ouviu por acaso de um condutor, circula rapidamente: um suicídio fora cometido, uma pessoa tinha pulado na frente do trem.

Ele fica chocado e desconcertado com a notícia, sentindo-se mal por sua irritação e impaciência; pergunta-se se a vítima era um homem ou uma mulher, jovem ou velho. Imagina a pessoa consultando a cópia da mesma tabela de horários que ele carrega na mochila, descobrindo exatamente quando o trem passaria por ali. Os faróis do trem se aproximando. Em consequência do atraso, ele perde sua conexão com o trem intermunicipal em Boston, espera mais quarenta minutos pelo próximo. Telefona para a casa dos pais, mas ninguém atende. Tenta no departamento do pai na universidade, mas lá também o telefone só chama. Na estação ele vê o pai esperando na plataforma escurecida, de tênis e calça cotelê, com a aflição estampada no rosto. Tem um sobretudo amarrado em volta da cintura, um cachecol tricotado por Ashima enrolado na garganta, um boné de tweed na cabeça.

"Desculpe o atraso", Gógol diz. "Quanto tempo faz que você está esperando?"

"Desde as quinze para as seis", diz o pai.

Gógol olha para seu relógio de pulso. São quase oito.

"Houve um acidente."

"Eu sei. Eu telefonei. O que aconteceu? Você se machucou?"

Gógol faz que não com a cabeça. "Alguém pulou nos trilhos. Em algum lugar em Rhode Island. Tentei ligar para você. Eles tiveram que esperar a polícia, eu acho."

"Eu estava preocupado."

"Espero que você não tenha ficado esse tempo todo parado aqui fora, no frio", Gógol diz, e pela falta de resposta do pai, sabe que é exatamente isso o que ele fez. Gógol se pergunta como seu pai se sente sem sua mãe e Sonia. Imagina se seu pai sente solidão.

Mas seu pai não é o tipo de homem que admite essas coisas, que fala abertamente de seus desejos, seus humores, suas necessidades. Eles caminham até o estacionamento, entram no carro e começam a fazer o curto trajeto até a casa.

É uma noite de vento, tanto que o carro sacoleja de leve de quando em quando, e folhas marrons tão grandes quanto pés humanos cruzam a estrada, voando sob o brilho dos faróis. Normalmente, nesses percursos de carro voltando da estação, seu pai faz perguntas sobre suas aulas, suas finanças, seus planos para depois que se formar. Mas hoje eles estão em silêncio, Ashoke concentra-se em dirigir. Gógol mexe no rádio, trocando de uma estação AM de noticiário para a National Public Radio.

"Quero te contar uma coisa", o pai diz quando o programa termina, depois que eles já viraram na rua Pemberton.

"O quê?", pergunta Gógol.

"É sobre o seu nome."

Gógol olha para o pai, confuso. "Meu nome?"

O pai desliga o rádio. "Gógol."

Hoje em dia é tão raro ele ser chamado de Gógol que o som desse nome não o incomoda mais como antigamente. Após três anos sendo Nikhil quase o tempo todo, ele não se importa mais.

"Tem um motivo para isso, sabe?", o pai continua.

"Certo, Baba. Gógol é seu escritor favorito. Eu sei."

"Não", diz o pai. Ele encosta o carro na entrada de casa e desliga o motor, depois os faróis. Solta o cinto de segurança, guiando-o com a mão enquanto o cinto se retrai, voltando para trás de seu ombro esquerdo. "Outro motivo."

E com eles dois sentados juntos dentro do carro, o pai revisita uma área a duzentos e nove quilômetros de Howrah. Com os dedos segurando de leve a parte inferior do volante, seu olhar voltado para a porta da garagem através do para-brisa, ele conta a Gógol a história do trem que pegara havia vinte e oito anos, em outubro de 1961, para visitar seu avô em Jamshedpur. Conta a ele da noite em que quase perdera a vida, e do livro que o salvara, e do ano depois disso, que ele passara sem conseguir se mexer.

Gógol escuta, atordoado, com os olhos fixos no perfil do pai. Embora haja apenas centímetros entre eles, por um instante seu pai é um estranho, um homem que guardou um segredo, que sobreviveu a uma tragédia, um homem cujo passado ele não conhece totalmente. Um homem que é vulnerável, que sofreu de uma maneira inconcebível. Ele imagina o pai, com os vinte e poucos anos que Gógol tem agora, sentado num trem como Gógol estava havia pouco, lendo um conto e então, de repente, quase morto. Faz um esforço para visualizar o interior de Bengala Ocidental, que ele só viu em poucas ocasiões, o corpo mutilado de seu pai, entre centenas de mortos, sendo carregado numa maca, passando por uma extensão retorcida de compartimentos grená. Contra seu instinto, ele tenta imaginar a vida sem o pai, um mundo em que o pai não existisse.

"Por que eu não sei disso sobre você?", Gógol diz. Sua voz soa dura, acusatória, mas seus olhos estão marejados de lágrimas. "Por que você não me contou isso até agora?"

"Nunca parecia ser a hora certa", seu pai diz.

"Mas é como se você tivesse mentido para mim todos esses anos." Quando vê que o pai não responde, ele acrescenta: "É por isso que você manca desse jeito, não é?".

"Aconteceu há tanto tempo. Eu não queria te assustar."

"Não importa. Você devia ter me contado."

"Talvez", o pai admite, lançando um olhar de relance na direção de Gógol. Tira as chaves da ignição. "Vem, você deve estar com fome. O carro está ficando frio."

Mas Gógol não se mexe. Fica ali sentado, ainda lutando para absorver a informação; sente-se constrangido, estranhamente envergonhado, incorreto. “Desculpa, Baba.”

Seu pai ri baixinho. “Você não teve nada a ver com isso.”

“A Sonia sabe?”

O pai faz que não com a cabeça. “Ainda não. Vou explicar para ela um dia. Neste país, só a sua mãe sabe. E, agora, você. Eu sempre quis que você soubesse, Gógol.”

E de repente o som de seu nome de criação, pronunciado pelo pai como ele esteve acostumado a ouvir durante a vida toda, significa algo completamente novo, ligado a uma catástrofe que por anos ele personificou sem saber. “É nisso que você pensa quando pensa em mim?”, Gógol lhe pergunta. “Eu te faço lembrar dessa noite?”

“De modo algum”, o pai diz por fim, levando uma mão às costelas, um gesto habitual que Gógol nunca tinha compreendido até agora. “Você me lembra de tudo o que veio em seguida.”

6.

1994

Ele agora mora em Nova York. Em maio graduou-se no programa de arquitetura em Columbia. Está trabalhando desde então para um escritório em *midtown*,[5] responsável por projetos célebres em larga escala. Não é o tipo de trabalho que ele imaginara para si quando estudante; projetar e reformar residências particulares era o que ele queria fazer. Isso talvez viesse depois, disseram-lhe seus orientadores; por enquanto, era importante ter um aprendizado com os grandes nomes. E então, virado para a parede de tijolos fulvos de um prédio vizinho do outro lado do fosso de ventilação, ele trabalha com uma equipe em projetos de hotéis, museus e sedes de corporações em cidades que nunca viu: Bruxelas, Buenos Aires, Abu Dhabi, Hong Kong. Suas contribuições são incidentais e nunca totalmente suas: uma escadaria, uma claraboia, um corredor, um duto de ar-condicionado. No entanto, ele sabe que cada componente de um prédio, por menor que seja, é essencial, e acha gratificante que, após todos esses anos de estudo e projetos criticados e não construídos,

5. A parte de uma cidade que fica entre o centro (*downtown*) e a periferia (*uptown*). (N.T.)

seus esforços tenham alguma finalidade prática. Geralmente trabalha até tarde da noite e, na maioria dos fins de semana, desenha projetos no computador, esboça planos, escreve especificações, constrói maquetes de isopor e papelão. Volta para sua casa, um *studio* em Morningside Heights, com duas janelas viradas para oeste, na avenida Amsterdam. A entrada pode facilmente passar despercebida, uma porta de vidro arranhado entre uma banca de jornal e um salão de manicure. É o primeiro apartamento que ele tem só para si, após uma cadeia evolutiva de colegas de quarto durante toda a faculdade e pós-graduação. Há tanto barulho da rua que, quando ele está ao telefone com as janelas abertas, as pessoas muitas vezes perguntam se ele está ligando de um orelhão. A cozinha é embutida no que deveria ter sido um hall de entrada, um espaço tão pequeno que a geladeira fica a vários metros de distância, próximo à porta do banheiro. No fogão há uma chaleira que ele nunca encheu de água, e no balcão, uma torradeira que nunca ligou na tomada.

Seus pais ficam aflitos com o pouco dinheiro que ele ganha, e de vez em quando o pai lhe envia cheques pelo correio para ajudá-lo com o aluguel, com as contas do cartão de crédito. Eles ficaram decepcionados por ele ter ido estudar em Columbia. Tinham a esperança de que ele escolhesse o MIT, o outro programa de arquitetura em que foi aceito. Mas após quatro anos em New Haven, ele não queria se mudar de volta para Massachusetts, para a única cidade nos Estados Unidos que seus pais conhecem. Não queria frequentar a alma mater de seu pai e morar num apartamento na Central Square como seus pais uma vez tinham feito, e revisitar as ruas das quais eles falam com nostalgia. Não queria ir para a casa dos pais nos fins de semana, ir com eles a *pujos* e festas bengalis, permanecer inquestionavelmente no mundo deles.

Prefere Nova York, um lugar que seus pais não conhecem bem e cuja beleza eles ignoram, um lugar de que têm medo. Tinha conhecido superficialmente a cidade durante seus anos em Yale, em visitas com as turmas de arquitetura. Fora a algumas festas na Columbia. Às vezes ele e Ruth pegavam o metrô Norte e iam a museus, ou à Village, ou andavam pelo Strand para olhar livros. Mas quando criança ele estivera em Nova York uma única vez com a família, uma viagem que não lhe dera nenhuma noção de como era a cidade. Tinham ido certo fim de semana visitar amigos bengalis que moravam no Queens. Os amigos tinham levado a família dele para um passeio por Manhattan. Gógol tinha dez anos de idade, Sonia tinha quatro. "Eu quero ver a Vila Sésamo", dissera Sonia, acreditando que era um marco real da cidade, e chorou quando Gógol dera risada dela, dizendo que essa rua não existia. No passeio eles passaram por lugares como o Rockefeller Center, o Central Park e o Empire State Building, e Gógol abaixou a cabeça na janela do carro para tentar ver quão altos eram os prédios. Seus pais fizeram infinitos comentários sobre o trânsito, os pedestres, o barulho. Calcutá não era pior, disseram. Ele lembra que quis sair e ir ao topo de um dos arranha-céus, como o pai uma vez o levou ao topo do Prudential Center, em Boston, quando ele era pequeno. Mas eles só tiveram permissão de sair do carro quando chegaram a avenida Lexington, para almoçar num restaurante indiano e depois comprar mantimentos indianos, sáris de poliéster e eletrodomésticos 220 volts para dar aos parentes em Calcutá. Para os pais dele, era isso que as pessoas vinham fazer em Manhattan. Ele se lembra de querer que os pais caminhassem pelo parque, levassem-no ao Museu de História Natural para ver os dinossauros, até andar de metrô. Mas eles não tinham interesse por esse tipo de coisa.

Certa noite, Evan, um dos desenhistas do trabalho de quem ele é mais ou menos amigo, o convence a ir a uma festa. Evan diz a

Gógol que é um apartamento que vale a pena ver, um loft de Tribeca que por acaso foi projetado por um dos sócios da firma. O anfitrião da festa, Russell, um velho amigo de Evan, trabalha para a ONU e passou vários anos no Quênia, e por isso o loft está cheio de uma coleção impressionante de móveis, esculturas e máscaras africanas. Gógol imagina que será uma festa de centenas de pessoas preenchendo um vasto espaço, o tipo de festa em que ele podia chegar e partir despercebido. Mas na hora em que Gógol e Evan chegam, a festa está quase acabando e só há umas dez pessoas sentadas em volta de uma mesinha baixa de centro, rodeada de almofadas, comendo uvas e queijo que catam entre as sobras. Em dado momento, Russell, que é diabético, levanta a camisa e aplica uma injeção de insulina na barriga. Junto a Russell há uma mulher para quem Gógol não consegue parar de olhar. Está ajoelhada no chão ao lado de Russell, espalhando uma generosa porção de brie numa bolacha, sem prestar atenção ao que Russell está fazendo. Em vez disso, ela discute com um homem do outro lado da mesinha de centro sobre um filme de Buñuel. "Ah, por favor", ela diz várias vezes, "foi brilhante." Ao mesmo tempo estridente e sedutora, ela está um pouco bêbada. Tem cabelos loiro-escuros presos num coque displicente, com fios caindo aleatoriamente, de um jeito atraente, em volta do rosto. A testa é alta e lisa, o maxilar é oblíquo e excepcionalmente longo. Os olhos são esverdeados, as íris cingidas por finos aros pretos. Ela veste uma calça capri de seda e uma camisa branca sem mangas que mostra seu bronzeado. "O que você achou?", ela pergunta a Gógol, puxando-o sem aviso para dentro da discussão. Quando ele diz que não viu o filme, ela olha para o outro lado.

Ela o aborda outra vez quando ele está parado, olhando para uma imponente máscara de madeira pendurada sobre uma escada de metal suspensa, com os buracos dos olhos e a boca da máscara, em formato de losango, revelando a parede branca de tijolos atrás dela. "Tem uma ainda mais medonha no quarto", ela diz, fazendo uma careta, tremendo. "Imagine abrir os olhos e ver uma coisa dessas logo que você acorda de manhã." O jeito como ela diz isso o faz se perguntar se ela está falando por experiência própria, se é amante de Russell, ou ex-amante, se é isso que está insinuando.

O nome dela é Maxine. Ela lhe pergunta sobre o curso em Columbia, menciona que fizera a faculdade na Barnard e formara-se em história da arte. Fala apoiada numa coluna, sorrindo espontaneamente para ele e bebendo uma taça de champanhe. No começo ele assume que ela é mais velha que ele, mais perto dos trinta do que dos vinte. Fica surpreso ao saber que ela se formou na faculdade um ano após ele começar a pós-graduação, que por um ano eles estudaram ao mesmo tempo em Columbia, morando a apenas três quarteirões um do outro, e que eles muito provavelmente se cruzaram na Broadway, ou subindo os degraus da Biblioteca Low, ou na Avery. Isso o faz lembrar de Ruth, de que eles uma vez também tinham vivido tão próximos sem se conhecer. Maxine lhe conta que trabalha como editora assistente numa editora de livros de arte. Seu projeto atual é um livro sobre Andrea Mantegna, e ele a impressiona ao lembrar corretamente que seus afrescos estão em Mântua, no Palazzo Ducale. Eles conversam naquele tom ligeiramente exagerado e bobo que ele agora associa a um flerte — o intercâmbio parece desesperadamente arbitrário, fugaz. É o tipo de conversa que ele poderia ter tido com qualquer pessoa, porém Maxine tem um jeito de focar sua atenção completa nele, seus olhos claros, vigilantes, aprisionando o olhar dele, fazendo com que ele se sinta, durante esses breves minutos, o centro absoluto do mundo dela.

Na manhã seguinte ela telefona, acordando-o; às dez horas de um domingo ele ainda está na cama, com a cabeça doendo dos scotch and sodas que consumiu ao longo da noite. Ele atende ríspido, um pouco impaciente, imaginando que é sua mãe ligando para perguntar como foi a semana. Tem a sensação, pelo tom de voz de Maxine, de que ela está acordada há horas, que já tomou o café da manhã, já leu o *Times* de uma ponta à outra. "É a Maxine. De ontem à noite", ela diz, sem se importar em pedir desculpas por acordá-lo. Diz que achou o número dele na lista telefônica, embora ele não se lembre de ter lhe dito seu sobrenome. "Meu Deus, como seu apartamento é barulhento", ela comenta. Então, sem constrangimento ou pausa, convida-o para jantar na casa dela. Especifica a noite, uma sexta-feira, passa o endereço, algum lugar em Chelsea. Ele presume que será um jantar para convidados, pergunta se pode levar alguma coisa, mas ela diz que não, que vai ser só ele.

"Eu provavelmente devia te avisar que moro com os meus pais", ela acrescenta.

"Ah." Essa informação inesperada o deixa frustrado, confuso. Ele pergunta se os pais dela não vão se incomodar de ele aparecer, se talvez eles não devessem se encontrar num restaurante em vez disso.

Porém ela ri dessa sugestão, de um jeito que o faz sentir-se vagamente estúpido. "Por que é que eles iam se incomodar?"

Ele toma um táxi de seu escritório até o bairro dela, desce numa loja de bebidas para comprar uma garrafa de vinho. É uma noite fresca de setembro, de chuva constante, as árvores ainda estão fartas de folhas do verão. Ele vira num quarteirão remoto e tranquilo entre a Nona e a Décima Avenida. É seu primeiro encontro em muito tempo; com a exceção de uns poucos casos esquecíveis em Columbia, ele não sai com ninguém a sério desde Ruth. Não sabe o que pensar de todo esse combinado com Maxine, mas por mais estranhos que fossem os termos do convite, não conseguiu recusar.

Está curioso, atraído por ela, lisonjeado pela ousadia com que ela veio atrás dele.

Ele fica estupefato com a casa, em estilo neogrego, admirando-a por vários minutos feito um turista antes de abrir o portão. Nota os lintéis das janelas com frontões, as pilastras dóricas, o entablamento com cantoneiras, a porta preta com painéis cruciformes. Sobe num alpendre baixo com grades de ferro moldado. O nome sob a campainha é Ratliff. Vários minutos depois de tocá-la, tempo suficiente para fazê-lo conferir o endereço no pedaço de papel que traz no bolso do paletó, Maxine chega. Beija-o na bochecha, inclinando-se na direção dele num pé só, com a outra perna estendida, levemente erguida atrás de seu corpo. Está descalça, vestindo uma calça folgada de lã preta e um cardigã bege fino. Pelo que ele consegue enxergar, não está vestindo nada além de um sutiã por baixo do cardigã. Seu cabelo está preso do mesmo jeito relapso. A capa de chuva dele é pendurada num cabideiro, seu guarda-chuva dobrável é jogado dentro de um suporte. Ele se olha de relance num espelho no saguão, arrumando o cabelo e a gravata.

Ela o conduz, descendo um lance de escada até a cozinha, que parece ocupar um andar inteiro da casa, com uma grande mesa de fazenda numa das pontas e, atrás dela, portas francesas que dão para um jardim. As paredes são decoradas com gravuras de galos e ervas, além de um arranjo de frigideiras de cobre. Há pratos e travessas de cerâmica dispostos em prateleiras abertas, junto ao que parecem ser centenas de livros de culinária, enciclopédias de alimentos e volumes de ensaios sobre comida. Uma mulher está de pé ao lado de uma bancada perto dos eletrodomésticos, cortando as pontas de uma pilha de vagens verdes com uma tesoura.

"Esta é minha mãe, Lydia", diz Maxine. "E este é o Silas", ela diz apontando para um cocker spaniel castanho-avermelhado que cochila embaixo da mesa.

Lydia é alta e esbelta como sua filha, com cabelos lisos cor de ferro, num corte jovem que emoldura seu rosto. Está bem-arrumada, com joias de ouro nas orelhas e pescoço, um avental azul-marinho preso em volta da cintura, sapatos pretos de couro brilhante. Embora seu rosto tenha rugas e sua pele seja um pouco manchada, ela é ainda mais bonita que Maxine, com traços mais regulares, as maçãs do rosto mais altas, os olhos definidos com mais elegância.

"Encantada em conhecer você, Nikhil", ela diz com um sorriso radiante e, embora olhe para ele com interesse, não interrompe sua atividade nem lhe oferece um aperto de mão.

Maxine lhe serve uma taça de vinho sem perguntar se ele prefere outra coisa. "Vamos", ela diz, "vou te mostrar a casa." Ela o conduz por cinco lances de escada sem carpete, que rangem ruidosamente sob o peso dos dois. O plano da casa é simples, dois cômodos imensos por andar, cada um deles, ele tem certeza, maior que seu apartamento. Educadamente ele admira as molduras de gesso e os medalhões do teto, as lareiras de mármore, coisas sobre as quais agora sabe discorrer longamente e com inteligência. As paredes são pintadas de cores vistosas: rosa-hibisco, lilás, pistache, e estão lotadas de conjuntos de pinturas, desenhos e fotografias. Num cômodo ele vê um retrato a óleo de uma garotinha que ele presume ser Maxine, sentada no colo de uma jovem e deslumbrante Lydia, que usa um vestido amarelo sem mangas. Ao longo dos corredores, em todos os andares, há estantes que vão até o teto, abarrotadas de todos os romances que alguém deveria ler na vida, biografias, volumosas monografias sobre todos os artistas, todos os livros de arquitetura que Gógol já cobiçou. Em meio a esse amontoado de coisas, há na casa um despojamento que lhe agrada: o chão é descoberto, o madeirame é visível, muitas das janelas são deixadas sem cortinas para sublinhar suas proporções generosas.

Maxine tem o andar de cima só para si: um quarto cor pêssego com uma cama em estilo trenó nos fundos, um banheiro comprido preto e vermelho. A prateleira sobre a pia está cheia de cremes diferentes para seu pescoço, seu colo, seus olhos, seus pés, para o dia, para a noite, para o sol e para a sombra. Atravessando o quarto há uma saleta cinza que ela usa como closet, com seus sapatos, bolsas e roupas espalhados no chão, empilhados sobre um canapé, caindo pelos encostos das cadeiras. Esses focos de bagunça não fazem diferença — é uma casa espetacular demais para sofrer com distrações, um lugar que perdoa o descuido e a desordem.

"Lindas essas janelas de friso", ele comenta, olhando em direção ao teto.

Ela se vira para ele, confusa. "O quê?"

"É assim que elas se chamam", ele explica, apontando. "São bastante comuns em casas desse período."

Ela olha para cima, depois para ele, parecendo impressionada. "Nunca soube disso."

Ele senta-se com Maxine no canapé e folheia um livro de fotos sobre papéis de parede franceses do século XVIII que ela ajudou a editar, cada lado do livro apoiado no joelho de um deles. Ela lhe conta que esta é a casa onde cresceu, mencionando casualmente que se mudara de volta havia seis meses, depois de morar com um homem em Boston, um plano que não dera certo. Quando ele pergunta se ela pretende procurar um lugar para morar sozinha, ela diz que essa ideia ainda não lhe ocorreu. "É um transtorno tão grande alugar um apartamento na cidade", diz. "Além disso, amo esta casa. Não tem nenhum outro lugar onde eu preferiria morar." Apesar de toda a sofisticação de Maxine, ele acha encantadoramente antiquado o fato de ela voltar a morar com os pais após uma relação amorosa que azedou; é algo que ele próprio não consegue se imaginar fazendo nesse estágio da vida.

No jantar ele conhece o pai dela, um homem alto e bem-apessoado com fartos cabelos brancos, os olhos claros verde-acinzentados de Maxine, óculos retangulares de aro fino, sustentados na metade do nariz. "Como vai? Sou o Gerald", ele diz, acenando com a cabeça e apertando a mão de Gógol. Gerald lhe dá um punhado de talheres e guardanapos de pano e pede para ele pôr a mesa. Gógol faz o que ele pede, ciente de que está tocando nos pertences cotidianos de uma família que mal conhece. "Você vai sentar aqui, Nikhil", diz Gerald, apontando para uma cadeira depois que os talheres são distribuídos. Gógol toma seu lugar em um dos lados da mesa, de frente para Maxine. Gerald e Lydia estão nas pontas. Gógol ficou sem almoçar nesse dia para poder sair do escritório a tempo do encontro com Maxine, e o vinho, ao mesmo tempo mais pesado e mais suave do que o que ele está acostumado a beber, já lhe subiu à cabeça. Ele sente uma dor agradável nas têmporas e uma repentina gratidão pelo dia e pelo lugar aonde este dia lhe trouxe. Maxine acende um par de velas. Gerald completa seu vinho. Lydia serve a comida em largos pratos brancos: um bife fino enrolado em forma de trouxa e amarrado com barbante, disposto no meio de numa porção de molho escuro; as vagens cozidas de modo que continuassem crocantes. Uma tigela de pequenas batatas vermelhas redondas assadas é passada de mão em mão, e depois uma salada. Eles comem com gosto, comentando como a carne é tenra, como as vagens estão frescas. Sua mãe nunca teria servido tão poucos pratos a um convidado. Ficaria com os olhos grudados no prato de Maxine, insistindo para ela repetir mais de uma vez. Em volta da mesa haveria uma fileira de vasilhas para as pessoas se servirem. Mas Lydia não presta atenção ao prato de Gógol. Não faz nenhum anúncio indicando que tem mais comida. Silas fica sentado aos pés de Lydia enquanto eles comem, e em certo momento Lydia corta uma porção generosa de sua carne e serve para ele na palma da mão.

Os quatro esvaziam rapidamente duas garrafas de vinho, depois passam para uma terceira. Os Ratliff são barulhentos à mesa, cheios de opiniões sobre coisas às quais os pais dele são indiferentes: filmes, exposições em museus, bons restaurantes, o design de objetos do cotidiano. Falam de Nova York, de lojas, bairros e prédios que eles desprezam ou adoram, com uma intimidade e desprendimento que fazem Gógol sentir que mal conhece a cidade. Falam sobre a casa, que Gerald e Lydia compraram nos anos 1970, quando ninguém queria morar naquela área, sobre a história do bairro e sobre Clement Clarke Moore, que, Gerald explica, era um professor de estudos clássicos no liceu do outro lado da rua. "Ele foi a pessoa responsável pelo zoneamento residencial da região", diz Gerald. "Além de ter escrito 'Foi na noite antes do Natal', é claro." Gógol não está acostumado a esse tipo de conversa na hora da comida, ao ritual indulgente da refeição que se prolonga e aos agradáveis vestígios que se acumulam na mesa, garrafas e migalhas e copos vazios. Algo lhe diz que nada disso é por causa de Gógol, que é assim que os Ratliff comem todas as noites. Gerald é advogado. Lydia é curadora de têxteis no Met. Eles ficam ao mesmo tempo satisfeitos e intrigados com a origem dele, com seus anos em Yale e Columbia, sua carreira de arquiteto, sua aparência mediterrânea. "Você poderia ser italiano", Lydia comenta em dado momento durante a refeição, examinando-o à luz da vela.

Gerald se lembra de uma barra de chocolate francês que comprou a caminho de casa, e ela é desembrulhada, partida e passada de mão em mão em volta da mesa. Por fim, a conversa se volta para a Índia. Gerald faz perguntas sobre a ascensão recente do fundamentalismo hindu, um assunto de que Gógol sabe pouco. Lydia fala extensamente sobre miniaturas e tapetes indianos, Maxine sobre uma aula na faculdade que fez uma vez sobre stupas budistas. Eles nunca conheceram ninguém que tenha ido a Calcutá. Gerald tem um colega indiano no trabalho que só foi à Índia passar a lua de mel.

Voltou com fotos espetaculares, de um palácio construído sobre um lago. Isso era em Calcutá?

"Isso é em Udaipur", Gógol diz a eles. "Nunca fui para lá. Calcutá fica no leste, mais perto da Tailândia."

Lydia espia dentro da saladeira, pesca um pedaço solto de alface e come com os dedos. Agora parece mais relaxada, com um sorriso mais ágil, as bochechas rosadas por causa do vinho. "Como é Calcutá? É bonita?"

A pergunta o surpreende. Ele está acostumado a ouvir pessoas perguntarem da pobreza, dos mendigos e do calor. "Partes da cidade são bonitas", diz. "Tem muita arquitetura vitoriana linda, deixada pelos britânicos. Mas a maior parte está caindo aos pedaços."

"Isso parece Veneza", diz Gerald. "Lá tem canais?"

"Só durante as monções. É a época em que as ruas inundam. É o mais perto que chega de Veneza."

"Quero ir a Calcutá", diz Maxine, como se isso tivesse lhe sido negado a vida inteira. Ela se levanta e anda até o fogão. "Estou a fim de um chá. Quem quer chá?"

Mas Gerald e Lydia decidem não tomar chá esta noite; querem assistir a um episódio de *Eu, Cláudio* antes de dormir. Sem se preocupar com os pratos, eles se levantam. Gerald leva as taças dos dois e o resto do vinho. "Boa noite, querido", diz Lydia, dando um beijo de leve na bochecha de Gógol. E então os passos deles rangem, ruidosos, ao subirem a escada.

"Imagino que você nunca foi submetido aos pais de alguém num primeiro encontro", Maxine diz quando eles estão a sós, bebericando Laspang Souchong com leite em pesadas canecas brancas.

"Gostei de conhecê-los. Eles são encantadores."

"É uma maneira de ver as coisas."

Eles continuam sentados à mesa por um tempo, conversando, com o som da chuva ecoando baixo no espaço fechado atrás da casa.

As velas encolhem até virarem tocos e manchas de cera pingam na mesa. Silas, que esteve andando devagar de um lado para o outro no chão, vem e encosta a cabeça na perna de Gógol, olhando para ele e abanando o rabo. Gógol se debruça e o acaricia timidamente.

"Você nunca teve cachorro, teve?", diz Maxine, observando-o.

"Não."

"Você nunca quis ter um?"

"Quando era criança, sim. Mas meus pais nunca quiseram essa responsabilidade. Além disso, tínhamos que ir à Índia a cada tantos anos."

Ele se dá conta de que é a primeira vez que menciona seus pais, seu passado. Ele imagina que ela vá perguntar mais dessas coisas. Em vez disso, ela diz: "O Silas gosta de você. Ele é muito seletivo".

Ele olha para ela, observando-a soltar os cabelos e deixá-los pender soltos por um instante sobre seus ombros antes de enrolá-los distraidamente em volta da mão. Ela olha de volta para ele, sorrindo. Mais uma vez ele se dá conta de que ela está nua sob o cardigã.

"Eu devia ir", ele diz. Mas fica contente quando ela aceita sua oferta de ajudá-la com a limpeza antes de partir. Eles se demoram nessa tarefa, enchendo a máquina de lavar pratos, passando pano na mesa e na bancada, lavando e secando as panelas e frigideiras. Eles combinam de ir ao Film Forum na tarde de domingo, para assistir à sessão dupla de Antonioni, que Lydia e Gerald viram recentemente e recomendaram durante o jantar.

"Eu te acompanho até o metrô", diz Maxine quando eles terminam, colocando uma coleira em Silas. "Ele precisa sair." Eles sobem até a sala de visitas, vestem os casacos. Através do teto, ele ouve o som abafado de uma televisão. Para no pé da escada. "Esqueci de agradecer aos seus pais", diz.

"Pelo quê?"

"Por me receber. Pelo jantar."

Ela dá o braço a ele. "Você pode agradecer da próxima vez."

Desde o começo ele se sente incorporado sem esforço à vida deles. É uma hospitalidade diferente daquela à qual está acostumado; pois, embora os Ratliff sejam generosos, são pessoas que não deixam de fazer o que querem só para agradar os outros, convencidas, nesse caso corretamente, de que suas vidas serão interessantes para eles. Gerald e Lydia, ocupados com seus próprios compromissos, não criam obstáculos. Gógol e Maxine entram e saem quando querem, chegando do cinema ou de jantares. Ele vai fazer compras com ela na avenida Madison, em lojas onde eles precisam esperar ser chamados por um aparelho para entrar, escolhem cardigãs de caxemira e colônias inglesas absurdamente caras que Maxine compra sem deliberação ou culpa. Vão a restaurantes escuros de aparência humilde no centro da cidade, onde as mesas são minúsculas e as contas, altíssimas. Quase sempre acabam voltando para a casa dos pais dela. Sempre há algum queijo ou patê delicioso para fazer um lanche, sempre algum bom vinho para beber. É na banheira dela, de pés em forma de garras, que eles ficam de molho juntos, com taças de vinho ou copos de single-malt scotch no chão. À noite ele dorme com Maxine no quarto onde ela cresceu, num colchão macio que afunda, segurando o corpo dela, quente como uma fornalha, a noite inteira, fazendo amor com ela num quarto logo acima daquele onde Gerald e Lydia estão deitados. Nas noites em que precisa ficar trabalhando até tarde, ele simplesmente aparece lá; Maxine guarda o jantar para ele, e então eles sobem para a cama. Gerald e Lydia não pensam nada de manhã, quando ele e Maxine juntam-se aos dois na cozinha, de cabelos despenteados, e procuram canecas de café com leite e fatias de baguete torradas com geleia. Na primeira manhã depois de dormir ali, ele sentiu pavor de encontrá-los, tomou uma ducha antes, vestiu sua camisa e calça amassadas do dia anterior; no entanto, eles apenas sorriram, ainda de roupão de banho, e ofereceram a ele pãezinhos quentes de sua padaria favorita no bairro e cadernos do jornal.

Rapidamente, simultaneamente, ele se apaixona por Maxine, pela casa e pelo modo de vida de Gerald e Lydia, pois conhecê-la e amá-la é conhecer e amar todas essas coisas. Ele adora a bagunça que cerca Maxine, suas centenas de coisas sempre cobrindo o chão e a mesa de cabeceira, seu hábito, quando os dois estão sozinhos no quinto andar, de não fechar a porta quando vai ao banheiro. Seu jeito desmazelado, um desafio para o gosto cada vez mais minimalista dele, o encanta. Ele aprende a adorar a comida que ela e os pais comem, a polenta e o risoto, a *bouillabaisse* e o ossobuco, a carne assada em papel-manteiga. Ele passa a esperar em suas mãos o peso dos talheres deles e a deixar no colo o guardanapo de pano, ainda parcialmente dobrado. Aprende que não se acrescenta parmesão ralado a pratos de massas com frutos do mar. Aprende a não colocar colheres de pau na lavadora de louças, como fizera uma vez por engano certa noite quando estava ajudando na limpeza. Nas noites em que passa ali, aprende a acordar mais cedo que de costume, ao som de Silas latindo lá embaixo, querendo sair para seu passeio matinal. Aprende a ansiar, toda noite, pelo som de uma rolha saindo de uma nova garrafa de vinho.

Maxine é bastante aberta sobre seu passado, mostra-lhe fotos dos ex-namorados nas páginas de um álbum de papel marmorizado, fala desses relacionamentos sem constrangimento ou arrependimento. Ela tem o dom de aceitar a própria vida; conhecendo-a melhor, ele se dá conta de que ela nunca desejou ser outra pessoa a não ser ela mesma, nem ter sido criada em outro lugar, de algum outro jeito. Essa, na opinião dele, é a maior diferença entre os dois, uma coisa muito mais estranha para ele do que a bela casa onde ela cresceu ou sua educação em escolas particulares. Além disso, ele fica o tempo todo espantado com o modo como Maxine emula os pais, o quanto ela respeita seus gostos e modos de agir. Na mesa de jantar, discute com eles sobre livros, quadros e pessoas que eles conhecem em comum, do jeito que alguém discutiria com um amigo. Não há nada da exasperação que ele sente com seus pais. Não há um senso de obrigação. Ao contrário dos pais dele, os dela não a pressionam a fazer nada e, no entanto, ela vive fiel, alegremente, ao lado deles.

Ela fica surpresa ao ouvir certas coisas sobre a vida dele: que todos os amigos dos seus pais são bengalis, que eles tiveram um casamento arranjado, que sua mãe faz comida indiana todo dia, que usa sáris e um bindi. "É mesmo?", ela diz, sem acreditar totalmente nele. "Mas você é tão diferente. Eu nunca teria imaginado." Ele não se sente insultado, mas está ciente de que, mesmo assim, uma linha foi traçada. Para ele, os termos do casamento de seus pais são algo ao mesmo tempo impensável e corriqueiro; quase todos os amigos e parentes deles se casaram do mesmo jeito. Mas a vida deles não tem nenhuma semelhança com a de Gerald e Lydia: joias caras de presente no aniversário de Lydia, flores trazidas para casa sem motivo algum, os dois se beijando sem reserva, indo caminhar pela cidade, ou saindo para jantar como Gógol e Maxine fazem. Ao ver os dois encolhidos no sofá à noite, a cabeça de Gerald recostada no ombro de Lydia, Gógol lembra que, em sua vida inteira, nunca testemunhou um único momento de afeto físico entre os pais. Qualquer amor que exista entre eles é algo totalmente privado, sem nenhuma ostentação. "Isso é tão deprimente", diz Maxine quando Gógol lhe confessa isso, e embora fique incomodado ao ouvir a reação dela, não consegue deixar de concordar com ela. Um dia Maxine lhe pergunta se seus pais querem que ele se case com uma indiana. Faz essa pergunta por curiosidade, sem esperar uma resposta específica. Ele sente raiva dos pais nesse momento, desejando que fossem diferentes, pois seu coração sabe qual é a resposta. "Não sei", responde. "Acho que sim. Não importa o que eles querem."

Maxine o visita com pouca frequência; por uma razão qualquer, ela e Gógol nunca estão perto do bairro dele, e mesmo a privacidade absoluta que teriam ali não é um atrativo para eles. Mesmo assim, em algumas noites quando seus pais têm um jantar que não lhe interessa, ou simplesmente para ser justa, ela aparece lá, rapidamente preenchendo o pequeno espaço com seu perfume de gardênia, seu casaco, sua grande bolsa de couro marrom, suas roupas jogadas, e eles fazem amor no futon enquanto o trânsito estrondeia lá embaixo. Ele fica nervoso de recebê-la em casa, pois sabe que não pregou nada nas paredes, que não se deu ao trabalho de comprar luminárias para substituir o brilho triste da lâmpada do teto. "Ai, Nikhil, é terrível demais", ela diz, por fim, numa dessas ocasiões, depois de pouco mais de três meses que estão juntos. "Não vou deixar você morar aqui." Quando a mãe dele dissera mais ou menos a mesma coisa, da primeira vez que seus pais visitaram o apartamento, ele discutira com ela, defendendo acaloradamente os méritos de sua existência espartana e solitária. Mas quando Maxine diz isso, acrescentando: "Você devia simplesmente ficar comigo", ele vibra em silêncio. A essa altura ele a conhece o suficiente para saber que ela não é de fazer propostas que não pretende sustentar. Ainda assim, ele objeta; o que os pais dela iam pensar? Ela dá de ombros. "Meus pais te adoram", diz num tom casual, definitivo, como diz qualquer outra coisa. E então ele mais ou menos se muda para a casa dela, levando umas poucas sacolas de roupa, mais nada. Seu futon e sua mesa, sua chaleira, sua torradeira, sua televisão e o resto de suas coisas continuam na avenida Amsterdam. Sua secretária eletrônica continua gravando suas mensagens. Ele continua recebendo sua correspondência ali, numa caixa de metal sem nome.

Em menos de seis meses ele tem as chaves da casa dos Ratliff, um conjunto que Maxine lhe dá de presente num chaveiro de prata da Tiffany. Assim como os pais dela, ele passou a chamá-la de Max. Deixa suas camisas na lavanderia que fica bem na esquina da casa dela. Tem uma escova de dente e um barbeador em sua pia abarrotada. De manhã, algumas vezes por semana, levanta mais cedo e vai correr pelo Hudson com Gerald antes do trabalho, indo até Battery Park City e voltando. Oferece-se para passear com Silas, segurando a coleira enquanto o cachorro fareja e cutuca árvores, e recolhe as fezes quentes de Silas com um saco plástico. Passa fins de semana inteiros enfurnado na casa, lendo livros das estantes de Gerald e Lydia, admirando a luz do sol que vem filtrada ao longo do dia pelas enormes janelas sem adornos. Começa a ter seus sofás e cadeiras preferidos; quando não está lá, consegue visualizar as pinturas e fotografias dispostas na parede. Precisa se obrigar a ir a seu apartamento, rebobinar a fita da secretária eletrônica, pagar o aluguel e as contas.

Muitas vezes, nos fins de semana, ajuda a fazer compras e preparar os jantares dados por Gerald e Lydia, seja descascando maçãs e retirando as tripas de camarões junto com Lydia, seja abrindo ostras ou descendo até o porão com Gerald para trazer mais cadeiras e vinho. Está levemente apaixonado por Lydia e pelo jeito tácito, descontraído, como ela entretém seus convidados. Sempre fica impressionado com esses jantares: mais ou menos doze convidados sentados em volta da mesa iluminada por velas, uma mistura cuidadosamente selecionada de pintores, editores, acadêmicos, donos de galerias, que comem a refeição, um prato por vez, e falam coisas inteligentes até a noite terminar. Como são diferentes das festas dos pais dele, noites de bagunça alegre em que nunca havia menos de trinta pessoas convidadas, além das crianças pequenas. Peixe e carne servidos lado a lado, tantos pratos que as pessoas precisavam comer em turnos; a comida, ainda nas assadeiras onde foi preparada, abarrotava a mesa. As pessoas se sentavam onde podiam, nos diversos cômodos da casa; metade delas terminava antes de a outra metade começar. Diferentes de Gerald e Lydia, que presidem seu jantar no centro, os pais dele agiam mais como garçons em sua própria casa, solícitos e vigilantes, esperando até que os pratos da maioria dos convidados estivessem empilhados na pia para somente então se servirem. Às vezes, quando as risadas se elevam na mesa de Gerald e Lydia, abre-se outra garrafa de vinho, e Gógol ergue sua taça para ser preenchida mais uma vez, ele se dá conta de que imergir assim na família de Maxine é trair sua própria família. Não é apenas por seus pais não saberem nada de Maxine, não fazerem ideia de quanto tempo ele passa com ela, Gerald e Lydia. Mas sim por ele saber que, além de ricos, Gerald e Lydia são seguros de um jeito que seus pais nunca serão. Ele não consegue imaginar seus pais sentados à mesa de Lydia e Gerald, gostando da comida de Lydia, apreciando a seleção de vinhos de Gerald. Não consegue imaginá-los contribuindo para a conversa num desses jantares. E, no entanto, lá está ele, noite após noite, um novo elemento acolhido de bom grado no universo dos Ratliff, fazendo justamente isso.

Em junho Gerald e Lydia desaparecem, partem para sua casa do lago em New Hampshire. É um ritual que ninguém questiona, uma migração anual para a cidadezinha onde os pais de Gerald moram. Por alguns dias, uma série de bolsas de lona acumulam-se na entrada, caixas de papelão cheias de bebidas, sacolas de compras cheias de comida, caixotes de vinho. A partida deles lembra a Gógol as preparações de sua família para a viagem a Calcutá de tempos em tempos, quando a sala de estar ficava abarrotada de malas que seus pais tinham arrumado e rearrumado, encaixando o máximo possível de presentes para os parentes. Apesar da empolgação dos pais, sempre havia uma solenidade que acompanhava essas preparações; Ashima e Ashoke, ao mesmo tempo apreensivos e afoitos, preparavam o coração para encontrar menos rostos no aeroporto de Calcutá, para confrontar a morte de familiares desde a última vez em que estiveram lá. Por mais vezes que tivessem ido a Calcutá, seu pai sempre ficava aflito com a tarefa de transportar os quatro por uma distância tão grande. Gógol estava ciente de que era uma obrigação sendo cumprida, de que era, acima de tudo, um senso de dever que fazia seus pais voltarem. No entanto, é o chamado do prazer que leva Gerald e Lydia a New Hampshire. Eles partem sem alarde, no meio do dia, quando Gógol e Maxine estão no trabalho. Junto com Gerald e Lydia, certas coisas desaparecem: Silas, alguns dos livros de culinária, o processador de alimentos, romances e CDs, o fax que Gerald usa para manter contato com os clientes, a perua Volvo vermelha que eles deixam estacionada na rua. Há um recado sobre a bancada da cozinha: "Partimos!", escreveu Lydia, deixando beijos e abraços.

De repente Gógol e Maxine têm a casa em Chelsea só para eles. Perambulam pelos andares de baixo, fazem amor em inúmeros móveis, no chão, na bancada da cozinha, uma vez até nos lençóis cinza-pérola da cama de Gerald e Lydia. Nos fins de semana andam pelados de um cômodo para o outro, subindo e descendo os cinco lances de escadas. Comem em lugares diferentes de acordo com seus humores, estendem uma velha colcha de algodão no chão, às vezes pedem comida para viagem e comem nos pratos da louça mais requintada de Gerald e Lydia, adormecem em horários insólitos enquanto os dias compridos de verão vertem sobre seus corpos sua luz forte através das enormes janelas. Conforme os dias ficam mais quentes, param de cozinhar coisas complicadas. Vivem à base de sushi, saladas e salmão cozido frio. Trocam o vinho tinto pelo branco. Agora que são só os dois, parece a ele, mais do que nunca, que estão morando juntos. E, no entanto, por algum motivo sente que isso é dependência, não uma vida adulta. Sente-se livre de expectativas, de responsabilidades, num exílio voluntário de sua própria vida. Não é responsável por nada na casa; apesar de sua ausência, Gerald e Lydia continuam reinando, embora cegamente, sobre os dias dos dois. São os livros deles que ele lê, a música deles que ele ouve. A porta deles que ele destranca quando volta do trabalho. São os recados telefônicos deles que ele anota.

Ele descobre que a casa, apesar de toda a sua beleza, tem certos defeitos nos meses de verão e, portanto, faz ainda mais sentido que Gerald e Lydia evitem esse lugar uma vez por ano. Não tem ar-condicionado, algo que Gerald e Lydia nunca se deram ao trabalho de instalar porque nunca estão lá quando faz calor, e não há telas nas enormes janelas. Por conta disso, os cômodos ficam sufocantes durante o dia, e à noite, já que é necessário deixar as janelas escancaradas, ele é atacado por pernilongos que zumbem em seus ouvidos e deixam enormes inchaços entre seus dedos dos pés, seus braços e coxas. Anseia por um mosquiteiro para cobrir a cama de Maxine e se lembra das caixas de náilon azul fino dentro das quais ele e Sonia dormiam em suas visitas a Calcutá, os cantos enganchados nas quatro colunas da cama e as bordas bem presas embaixo do colchão, criando um minúsculo quarto temporário impenetrável para passar a noite. Há momentos em que ele não consegue aguentar, acende a luz e fica em pé na cama, à procura deles, com uma revista enrolada ou um chinelo na mão, enquanto Maxine, imperturbada e intacta, suplica-lhe que volte a dormir. Ele às vezes os vê em contraste com a tinta cor pêssego da parede, pontinhos quase imperceptíveis empanturrados do sangue dele, a poucos centímetros abaixo do teto, sempre voando alto demais para que ele possa matá-los.

Usando o trabalho como desculpa, ele passa o verão inteiro sem ir a Massachusetts. A firma está entrando numa concorrência, enviando projetos para um novo hotel cinco estrelas que será construído em Miami. Às onze da noite ele ainda está lá, junto com a maioria dos outros projetistas de sua equipe, todos correndo para terminar os desenhos e modelos até o fim do mês. Quando seu telefone toca, ele torce para que seja Maxine ligando para convencê-lo a sair do escritório. Em vez disso, é sua mãe.

"Por que você está me ligando aqui tão tarde?", ele pergunta, distraído, os olhos ainda focados na tela do computador.

"Por que você não está no seu apartamento", a mãe diz. "Você nunca está no seu apartamento, Gógol. No meio da noite eu telefonei e você não estava lá."

"Estou, Ma", ele mente. "Preciso dormir. Deixei o telefone desligado."

"Não consigo imaginar por que alguém teria um telefone só para deixá-lo desligado", a mãe diz.

"Então, você está me telefonando por algum motivo?"

Ela lhe pede que vá visitá-los no fim de semana seguinte, o sábado anterior ao aniversário dele.

"Não posso", ele responde. Diz que tem um prazo no trabalho, mas não é verdade — esse é o dia que ele e Maxine partem para New Hampshire, por duas semanas. Porém a mãe insiste; seu pai vai viajar para Ohio no dia seguinte — Gógol não quer ir com eles ao aeroporto, vê-lo partir?

Ele sabe vagamente dos planos do pai de passar nove meses numa pequena universidade em algum lugar nas redondezas de Cleveland; ele e um colega receberam uma bolsa financiada pela universidade do segundo, para dirigir uma pesquisa para uma empresa dali. O pai lhe enviara um recorte sobre a bolsa, impresso no jornal do campus, com uma foto dele parado em frente ao prédio de engenharia: "Bolsa de prestígio para o professor Ganguli", dizia a legenda. Primeiro ele presumiu que os pais fossem trancar a casa, ou alugá-la para estudantes, e que sua mãe iria também. Mas então a mãe os surpreendera; ela constatou que não teria nada para fazer em Ohio por nove meses, que seu pai estaria ocupado o dia inteiro no laboratório, e que ela preferia ficar em Massachusetts, mesmo que isso significasse ficar sozinha em casa.

"Por que eu tenho que ir vê-lo partir?", Gógol pergunta à mãe. Sabe que, para os pais, o ato de viajar nunca é encarado casualmente, que mesmo na viagem mais corriqueira há alguém de quem se despedir na partida e alguém para recebê-los na chegada. E, no entanto, ele continua: "O Baba e eu já moramos em estados diferentes. Estou praticamente tão longe de Ohio quanto de Boston."

"Isso não é jeito de se pensar", a mãe diz. "Por favor, Gógol. Você não vem para casa desde maio."

"Eu tenho um emprego, Ma. Estou ocupado. Além disso, a Sonia não vai."

"A Sonia mora na Califórnia. Você está tão perto."

"Escuta, eu não posso ir neste fim de semana", ele diz. Lentamente deixa escapar a verdade. Sabe que, a essa altura, é sua única defesa. "Vou sair de férias. Já fiz planos."

"Por que você deixa para nos contar essas coisas na última hora?", a mãe pergunta. "Que tipo de férias? Que planos?"

"Vou passar duas semanas em New Hampshire."

"Ah", a mãe diz. Parece ao mesmo tempo aliviada e não convencida. "Por que você quer ir justamente para lá? Qual a diferença entre New Hampshire e aqui?"

"Vou com uma garota com quem estou saindo", ele diz. "Os pais dela têm uma casa lá."

Embora ela fique em silêncio por um instante, ele sabe o que a mãe está pensando. Que ele está disposto a sair de férias com os pais de outra pessoa, mas não a visitar seus próprios pais.

"Onde fica exatamente essa casa?"

"Não sei. Em algum lugar nas montanhas."

"Qual é o nome dela?"

"Max."

"É nome de homem."

Ele balança a cabeça. "Não, Ma. É Maxine."

E então, no caminho para New Hampshire, eles param para almoçar na rua Pemberton, que é o que, no fim, ele acabou concordando em fazer. Maxine não se importa — afinal é caminho —, e a essa altura ela está curiosa para conhecer os pais dele. Os dois partem de Nova York num carro alugado, o porta-malas lotado com mais suprimentos que Gerald e Lydia lhes pediram no verso de um cartão-postal: vinho, pacotes de um macarrão importado específico, uma lata grande de azeite, pedaços grossos de queijo parmesão e asiago. Quando ele pergunta a Maxine por que essas coisas são necessárias, ela explica que eles estão indo para o meio do nada, que se fossem depender do mercadinho, teriam de viver à base de batata frita, pão de forma e Pepsi. A caminho de Massachusetts, ele lhe diz as coisas que acha que ela deveria saber de antemão: que eles não vão poder se encostar nem se beijar na frente dos pais dele, que não haverá vinho no almoço.

"Tem um monte de vinho no porta-malas do carro", observa Maxine.

"Não importa", ele diz. "Meus pais não têm saca-rolhas."

Ela acha engraçadas essas restrições; encara isso como o desafio de uma única tarde, uma anormalidade que jamais se repetirá. Não o associa aos hábitos de seus pais; ainda não consegue acreditar que será a primeira namorada que ele leva para casa. Ele não sente nenhum entusiasmo com essa ideia, quer apenas que isso acabe logo. Quando eles pegam a saída da estrada que dá na casa dos seus pais, ele sente que a paisagem é estranha para ela: os pequenos centros de comércio, o vasto prédio com fachada de tijolos do colégio público onde ele e Sonia se formaram, as casas revestidas de plaquinhas de madeira desconfortavelmente próximas umas das outras, em seus terrenos de um quarto de acre cheios de grama. A placa que diz crianças brincando. Ele sabe que esse tipo de vida, que para seus pais é uma conquista de que eles tanto se orgulham, para ela não tem nenhuma relevância, nenhum interesse, e ela o ama apesar disso.

Uma van de uma empresa que instala sistemas de segurança está bloqueando a entrada da casa dos pais dele, por isso ele estaciona na rua, ao lado da caixa de correio, na beira do gramado. Ele conduz Maxine pelo caminho de lajotas de pedra e toca a campainha porque seus pais sempre deixam a porta da frente trancada. A mãe dele abre a porta. Ele percebe que ela está nervosa, vestindo um de seus melhores sáris, usando batom e perfume, em contraste com as calças cáqui, camisetas e mocassins leves de couro que tanto Gógol quanto Maxine usam.

"Oi, Ma", ele diz, curvando-se para dar um beijo rápido na mãe. "Esta é a Maxine. Max, esta é minha mãe, Ashima."

"É tão bom finalmente te conhecer, Ashima", diz Maxine, curvando-se para dar um beijo na mãe dele também. "Isto é para você", ela diz, entregando a Ashima uma cesta embrulhada em papel celofane, cheia de patês enlatados, frascos de picles e chutneys que Gógol sabe que os pais nunca vão abrir nem apreciar. E, no entanto, quando Maxine foi comprar as coisas para montar a cesta, na Dean and DeLuca, ele não disse nada para dissuadi-la. Maxine anda de sapato dentro da casa, em vez de calçar um par de chinelos que seus pais guardam no armário do corredor. Os dois seguem a mãe dele, cruzando a sala de estar até chegarem à cozinha. A mãe volta para o fogão, para fritar uma leva de samosas, e o ar se enche de uma névoa de fumaça.

"O pai do Nikhil está lá em cima", a mãe diz a Maxine, retirando uma samosa com uma escumadeira e colocando-a num prato forrado com papel-toalha. "Com o homem da empresa de alarmes. Desculpe, o almoço estará pronto num minuto", acrescenta. "Achei que vocês chegariam só daqui a meia hora."

"Mas por que é que nós vamos comprar um sistema de alarme?", Gógol quer saber.

"Foi ideia do seu pai", a mãe diz, "agora que eu vou ficar sozinha." Ela conta que duas casas do bairro foram assaltadas recentemente, ambas no meio da tarde. "Mesmo em áreas boas como esta, hoje em dia esses crimes acontecem", ela diz a Maxine, balançando a cabeça.

A mãe lhes oferece copos de *lassi* cor-de-rosa espumante, espesso e doce, com um toque de água de rosas. Eles se sentam na sala de estar formal, onde geralmente nunca se sentam. Maxine vê as fotos escolares de Sonia e dele com fundos cinza-azulados, dispostas sobre a lareira de tijolos, os retratos de família da Olan Mills. Olha os álbuns de infância com a mãe dele. Admira o material do sári de Ashima, mencionando que sua mãe é curadora de têxteis no Met.

"O Met?"

"O Metropolitan Museum of Art", Maxine explica.

"Você já esteve lá, Ma", Gógol diz. "É o museu grande na Quinta Avenida. Com todos aqueles degraus. Eu te levei lá para ver o templo egípcio, lembra?"

"Sim, lembro. Meu pai era artista", ela diz a Maxine, apontando para uma das aquarelas do pai na parede.

Eles ouvem passos vindo da escada, e então o pai dele entra na sala de estar acompanhado de um homem uniformizado que segura uma prancheta. Diferente da mãe, o pai não está nem um pouco bem vestido. Veste uma calça fina de algodão marrom, uma camiseta de manga curta, solta para fora da calça e meio amassada, e chinelos. Os cabelos grisalhos parecem mais rarefeitos que da última vez que Gógol o vira, e a barriga está mais saliente. "Aqui está sua via da nota fiscal. Qualquer problema, é só o senhor ligar para o número 0800", diz o homem de uniforme. Ele e o pai de Gógol dão um aperto de mão. "Tenha um bom dia", o homem lhe deseja antes de ir embora.

"Oi, Baba", Gógol diz. "Quero que você conheça a Maxine."

"Olá", o pai diz, estendendo-lhe a mão, como alguém que está prestes a fazer um juramento. Não se senta com eles. Em vez disso, pergunta a Maxine: "Este carro lá fora é seu?".

"É alugado", ela diz.

"Melhor colocar na entrada", diz o pai dele.

"Tanto faz", opina Gógol. "Está bem onde está."

"Mas é melhor tomar cuidado", o pai insiste. "As crianças do vizinho, elas não são muito cuidadosas. Uma vez meu carro estava na rua e foi atingido por um taco de baseball na janela. Posso estacionar para você, se quiser."

"Eu faço isso", diz Gógol, levantando-se irritado com o eterno medo de desastres dos pais. Quando volta para a casa, o almoço está servido, uma comida pesada demais para esse tempo. Junto com as samosas há bolinhos empanados de frango, grão-de-bico com molho de tamarindo, *biryani* de cordeiro, chutney feito com tomates do jardim. É uma refeição que ele sabe que a mãe levou mais de um dia para preparar e, no entanto, esse grau de esforço o deixa envergonhado. Os copos d'água já estão cheios, pratos, garfos e guardanapos de papel dispostos na mesa da sala de jantar que eles só usam em ocasiões especiais, com cadeiras desconfortáveis de encosto alto e assentos estofados em veludo dourado.

"Podem começar", a mãe diz, ainda se deslocando entre a sala de jantar e a cozinha, terminando as últimas samosas.

Os pais ficam acanhados com a presença de Maxine e no começo mantêm distância, sem a efusividade típica que têm com os amigos bengalis. Perguntam que faculdade ela cursou, o que os pais dela fazem. No entanto, Maxine é imune ao constrangimento deles, tirando-os para fora da toca, dedicando-lhes inteiramente sua atenção, e Gógol se lembra do dia em que a conheceu, quando ela o seduziu da mesma maneira. Ela pergunta ao pai dele sobre seu projeto de pesquisa em Cleveland, à mãe, sobre seu trabalho de meio período na biblioteca pública local, o qual ela começou recentemente. Gógol só presta atenção em parte da conversa. Está ciente demais de que eles não estão acostumados a passar coisas de mão em mão pela mesa, ou a mastigar a comida com a boca totalmente fechada. Desviam os olhos quando Maxine, sem querer, se inclina para passar a mão no cabelo dele. Para seu alívio, ela come generosamente, perguntando à mãe dele como fez isso e aquilo, diz que é a melhor comida indiana que ela já comeu, e aceita a oferta de Ashima de embrulhar alguns bolinhos e samosas a mais para a viagem.

Quando a mãe dele confidencia que está nervosa de ficar sozinha em casa, Maxine lhe diz que ficaria nervosa também. Menciona uma vez que invadiram sua casa quando ela estava sozinha. Quando conta para eles que mora com os pais, Ashima diz: "É mesmo? Achei que ninguém fazia isso nos Estados Unidos". Quando conta a eles que nasceu e cresceu em Manhattan, o pai dele balança a cabeça. "Nova York é um excesso", ele diz, "excesso de carros, excesso de prédios altos." Conta a história da vez em que eles foram de carro para a formatura de Gógol em Columbia e o porta-malas fora arrombado em apenas cinco minutos, a mala deles roubada, tendo ele de comparecer à cerimônia sem terno e gravata.

"É uma pena que vocês não possam ficar para o jantar", a mãe dele diz quando a refeição termina.

Mas o pai os incita a partir logo. "Melhor não dirigir no escuro", diz.

Depois disso há o chá e as tigelas de *payesh* feito em homenagem ao aniversário dele. Ele ganha um cartão da Hallmark assinado pelos pais, um cheque de cem dólares, um suéter de algodão azul-marinho da Filene's.

"Ele vai precisar disso no lugar aonde estamos indo", Maxine diz num tom de aprovação. "A temperatura às vezes cai muito à noite."

Na entrada da casa há abraços e beijos de despedida por iniciativa de Maxine, e os pais dele retribuem meio sem jeito. A mãe convida Maxine a visitá-los outra vez. Gógol recebe um papel com o telefone novo do pai em Ohio e a data em que será ativado.

"Faça uma boa viagem para Cleveland", ele diz ao pai. "Boa sorte com o projeto."

"O.k.", diz o pai. Dá um tapinha no ombro de Gógol. "Vou sentir saudade de você", diz. Em bengali, ele acrescenta: "Lembre-se de ver como sua mãe está de vez em quando".

"Não se preocupe, Baba. Nos vemos no dia de Ação de Graças."

"Sim, nos vemos", o pai diz. E então: "Dirija com cuidado, Gógol".

Na hora ele não se dá conta do deslize. Mas assim que eles estão dentro do carro, afivelando os cintos de segurança, Maxine diz: "Do que foi que seu pai te chamou agora há pouco?".

Ele balança a cabeça. "Não é nada. Eu te explico depois." Vira a chave na ignição e começa a sair de ré da entrada da casa, afastando-se dos pais, que continuam parados ali, acenando, até o último instante possível. "Telefone para avisar que chegou bem", a mãe diz a Gógol em bengali. No entanto, ele acena e parte, fingindo que não ouviu.

É um alívio estar de volta ao mundo dela, rumando para o norte, cruzando a fronteira do estado. Por um tempo não há nada de diferente, a mesma extensão de céu, o mesmo trecho da rodovia, grandes lojas de bebidas e cadeias de fast-food dos dois lados. Maxine conhece o caminho, por isso não é preciso consultar um mapa. Ele já foi a New Hampshire uma ou duas vezes com a família para ver as folhas de outono, dirigindo o dia inteiro para lugares onde era possível encostar à beira da estrada, tirar fotos e admirar a vista. Porém nunca esteve tão ao norte. Eles passam por fazendas, vacas malhadas pastando nos campos, silos vermelhos, igrejas brancas de madeira, celeiros com telhados enferrujados de zinco. Cidadezinhas esparsas. Os nomes das cidades não significam nada para ele. Eles deixam a rodovia para trás e dirigem por trechos íngremes e estreitos de estradas de pista dupla, as montanhas surgindo como enormes ondas leitosas suspensas em contraste com o céu. Chumaços de nuvens pendem um pouco acima dos cumes, feito fumaça erguendo-se das árvores. Outras nuvens lançam sombras largas que cobrem o vale. No fim, só há alguns carros na estrada, nenhuma placa indicando instalações turísticas ou áreas de acampamento, apenas mais fazendas e bosques, os campos cheios de flores azuis e roxas. Ele não faz ideia de onde está, ou do quanto eles já se distanciaram. Maxine diz que não estão longe do Canadá, que se eles se empolgarem, podem ir de carro passar um dia em Montreal.

Eles viram numa longa estrada de terra no meio de uma floresta densa, cheia de cicutas e bétulas. Não há nada assinalando o lugar onde eles entraram, nenhuma caixa de correio ou placa. A princípio não há nenhuma casa visível, nada além de grandes samambaias verde-lima cobrindo o chão. Os pneus do carro espalham pedrinhas para todos os lados, e as árvores desenham uma sombra no capô do carro. Eles chegam a um lugar que é quase uma clareira, na qual há uma casa humilde revestida de plaquinhas de madeira marrom desbotada, cercada por um muro baixo de pedras chatas. O Volvo de Gerald e Lydia está estacionado na grama, pois não há garagem. Gógol e Maxine saem do carro, e ele é conduzido pela mão até os fundos da casa, os membros rígidos depois de tantas horas no carro. Embora o sol esteja começando a se pôr, o calor ainda é palpável, o ar é preguiçoso e ameno. À medida que eles se aproximam, Gógol vê que após um trecho de terra há um declive no quintal, e então ele avista o lago, num tom de azul mil vezes mais intenso e mais brilhante que o céu, e cingido por pinheiros. As montanhas assomam atrás deles. O lago é maior do que ele estava esperando, uma distância que ele não consegue se imaginar atravessando a nado.

"Chegamos", Maxine anuncia, acenando, com os braços em V. Eles andam em direção aos pais dela, que estão sentados em cadeiras Adirondack na grama, com as pernas e os pés de fora, bebendo coquetéis e admirando a vista. Silas vem correndo na direção deles, latindo pelo gramado. Gerald e Lydia estão mais bronzeados, mais magros, vestidos de modo frugal; Lydia, com uma camiseta regata branca e uma saia de brim; Gerald, com shorts azuis amassados e uma camisa polo verde desbotada pelo uso. Os braços de Lydia estão quase tão morenos quanto os de Gógol. Gerald está bronzeado. Há livros jogados aos seus pés, virados para baixo na grama. Uma libélula turquesa paira acima deles, depois dispara num trajeto torto. Eles viram a cabeça para cumprimentá-los, protegendo os olhos do brilho do sol. "Bem-vindos ao paraíso", Gerald diz.

É o contrário de como eles vivem em Nova York. A casa é escura, com um pouco de mofo, cheia de móveis primitivos e desemparelhados. Há canos expostos nos banheiros, fios presos aos batentes de portas, pregos despontando de vigas de madeira. Nas paredes há conjuntos de borboletas locais, montadas e enquadradas, um mapa da região num papel branco fino, fotos da família no lago ao longo dos anos. Cortinas de algodão xadrez pendem de finos varões brancos nas janelas. Em vez de ficar com Gerald e Lydia, ele e Maxine dormem numa cabana sem aquecimento, separada da casa principal por um caminho de terra. Não maior que uma cela, o espaço foi originalmente construído para Maxine brincar quando era criança. Há um pequeno gaveteiro, uma mesa de cabeceira rústica entre duas camas de solteiro, um abajur com uma cúpula de papel xadrez, dois baús de madeira onde se guardam colchas extras. As camas estão cobertas com antigos cobertores elétricos. No canto, há um aparelho cujo zumbido supostamente espanta os morcegos. Troncos farpados, não lixados, sustentam o teto, e há um vão entre o lugar onde o chão termina e onde começa a parede, deixando à mostra uma linha fina de grama. Há carcaças de insetos por toda parte, esmagadas nos vidros das janelas e nas paredes, definhando em poças d'água atrás das torneiras da pia. "É parecido com um acampamento", Maxine diz enquanto eles desfazem as malas; porém, Gógol nunca foi a um acampamento, e embora esteja a apenas três horas de distância da casa dos pais, esse é um mundo desconhecido para ele, um tipo de férias que ele nunca vivenciou.

De dia ele fica sentado com a família de Maxine numa faixa estreita de praia, com vista para o brilhante lago cor de jade, cercado por outras casas, canoas emborcadas. Longas docas avançam para dentro da água. Girinos nadam em disparada perto da praia. Gógol faz o que eles fazem: senta-se numa espreguiçadeira, com um boné de algodão na cabeça, passa protetor solar nos braços em intervalos regulares, lê, cai no sono pouco depois de uma página. Entra na água e nada até a doca quando seus ombros ficam quentes demais, a areia lisa, sem pedras nem vegetação, cedendo sob seus pés. De vez em quando vêm juntar-se a eles Hank e Edith, os avós de Maxine, que moram no lago, a várias casas de distância. Hank, um professor aposentado de arqueologia clássica, sempre traz um pequeno volume de poesia grega para ler, com seus dedos compridos, manchados pelo sol, dobrados no topo das páginas. Em algum momento ele se levanta, penosamente tirando os sapatos e as meias, e entra na água até a altura das panturrilhas, observando à sua volta com as mãos nos quadris, de queixo erguido no ar num gesto de orgulho. Edith é pequena e magra, com as proporções de uma menina, tem cabelos brancos num corte chanel e um rosto com rugas profundas. Eles já viajaram um pouco pelo mundo: Itália, Grécia, Egito, Irã. "Nunca fomos tão longe quanto a Índia", Edith diz a ele. "Certamente adoraríamos ter visto esse lugar."

O dia inteiro ele e Maxine caminham descalços pelo terreno, em trajes de banho. Gógol sai para correr ao redor do lago com Gerald, dando voltas árduas por estradas íngremes de terra, tão pouco utilizadas que eles podem andar no meio dela. Na metade do percurso há um pequeno cemitério particular onde membros da família Ratliff estão enterrados, local em que Gerald e Gógol sempre param para recuperar o fôlego. Onde Maxine será enterrada um dia. Gerald passa a maior parte do tempo em sua horta, com as unhas permanentemente enegrecidas, cultivando alfaces e ervas com esmero. Um dia, Gógol e Maxine nadam até a casa de Hank e Edith para almoçar sanduíches de salada com ovos e sopa de tomate enlatada. Em certas noites, quando está quente demais dentro da cabana, ele e Maxine pegam uma lanterna e andam de pijama até o lago para nadar pelados. Nadam na água escura, sob a luz da lua, com algas roçando seus membros, até a doca vizinha. A sensação insólita da água envolvendo seu corpo nu é excitante para Gógol, e, quando eles voltam à praia, fazem amor na grama, molhada por seus corpos. Ele olha para ela, e para trás dela, para o céu, que abriga mais estrelas do que ele jamais viu de uma vez só reunidas, uma confusão de poeira e pedras preciosas.

Apesar do fato de não haver nada especial para fazer, os dias acabam se encaixando num padrão. Há certa austeridade na vida, um esforço voluntário de abdicação. De manhã eles acordam cedo com o pipilar frenético dos pássaros, quando o lado leste do céu se enche de finíssimas faixas de nuvens rosadas. O café da manhã é servido às sete, na varanda protegida por uma tela, com vista para o lago, onde eles fazem todas as refeições, as conservas caseiras espalhadas em fatias grossas de pão. As notícias do mundo vêm do magro jornal local, que Gerald traz todo dia do mercadinho. Nos fins de tarde, eles tomam banho e se vestem para o jantar. Sentam-se com suas bebidas na grama, comendo pedaços dos queijos que Gógol e Maxine trouxeram de Nova York, e assistem ao pôr do sol atrás das montanhas, morcegos voam em disparada entre pinheiros tão altos quanto prédios de dez andares, todas as roupas de banho penduradas para secar num varal. Os jantares são simples: milho cozido comprado numa banquinha na estrada, frango frio, macarrão ao pesto, tomates da horta fatiados e salgados num prato. Lydia assa tortas e prepara sangrias com frutas silvestres colhidas à mão. De vez em quando ela some por um dia, vai procurar antiguidades nas pequenas cidades vizinhas. Não há televisão para assistir à noite, apenas um velho aparelho de som onde eles às vezes tocam uma sinfonia ou um jazz. No primeiro dia de chuva, Gerald e Lydia os ensinam a jogar *cribbage*. Eles muitas vezes vão para a cama antes das nove. O telefone, na casa principal, quase nunca toca.

Ele passa a apreciar a ideia de estar totalmente desconectado do mundo. Acostuma-se à quietude, ao cheiro de madeira aquecida ao sol. Os únicos sons são uma ou outra lancha que cruza a água, portas com tela sendo fechadas. Ele dá de presente a Gerald e Lydia um desenho da casa principal feito certa tarde na praia, a primeira coisa não relacionada ao trabalho que ele desenha em anos. Eles colocam o desenho em cima da cornija abarrotada da lareira de pedra, junto com pilhas de livros e fotos, e prometem que vão mandar enquadrá-lo. A família parece ser dona de todos os elementos da paisagem, não só da casa em si, mas de cada árvore e cada folha de grama. Nada fica trancado, nem a casa principal, nem a cabana onde ele e Maxine dormem. Qualquer pessoa poderia entrar. Ele pensa no sistema de alarme agora instalado na casa de seus pais e pergunta-se por que eles não conseguem ser relaxados em relação a seu ambiente físico. Os Ratliff são donos da lua que flutua sobre o lago, e do sol e das nuvens. É um lugar que faz bem a eles, que é tanto uma parte deles quanto um membro da família. A ideia de voltar ano após ano para o mesmo lugar é profundamente sedutora para Gógol. No entanto, ele não consegue imaginar sua família ocupando uma daquelas casas, distraindo-se com os jogos de tabuleiro nas tardes de chuva, observando estrelas cadentes à noite, todos os seus parentes reunidos em harmonia numa pequena faixa de areia. É um impulso que seus pais nunca sentiram, essa necessidade de ficar tão longe das coisas. Teriam se sentido solitários nesse ambiente, ao notarem que são os únicos indianos. Não iam querer sair para caminhar, como ele, Maxine, Gerald e Lydia fazem quase todos os dias, subindo as trilhas rochosas nas montanhas para assistir ao pôr do sol sobre o vale. Não teriam interesse em cozinhar com o manjericão fresco que cresce frondoso na horta de Gerald, ou passar um dia inteiro fervendo mirtilos para fazer geleia. Sua mãe não vestiria um maiô nem iria nadar. Ele não sente nostalgia alguma das férias que passou com a família, e agora percebe que jamais foram férias de verdade. Foram, em vez disso, expedições exaustivas e desorientadoras, ou para Calcutá, ou para ver pontos turísticos em lugares aos quais eles não pertenciam e que não pretendiam visitar nunca mais. Em alguns verões houvera viagens de carro com uma ou duas famílias bengalis, em vans alugadas, indo para Toronto, Atlanta ou Chicago, lugares onde eles tinham outros amigos bengalis. Os pais iam amontoados na frente, revezando-se ao volante, consultando mapas assinalados pela American Automobile Association. Todas as crianças iam sentadas atrás, com bacias plásticas de *aloo dum* e *luchis* frios achatados embrulhados em papel-alumínio, fritos no dia anterior, que eles paravam para comer em mesas de piquenique nos parques estaduais. Tinham se hospedado em motéis, com famílias inteiras dormindo no mesmo quarto, nadado em piscinas que podiam ser vistas da estrada.

Um dia eles atravessam o lago de canoa. Maxine o ensina a remar corretamente, inclinando o remo e puxando-o de volta pela água calma, cinzenta. Ela fala com reverência dos verões que passou ali. Esse é seu lugar favorito no mundo, ela diz, e ele entende que essa paisagem, a água desse lago específico onde ela aprendeu a nadar, são partes essenciais dela, ainda mais do que a casa em Chelsea. Ela confessa que foi lá que perdeu a virgindade, quando tinha catorze anos, num abrigo para barcos, com um menino cuja família uma vez passou o verão ali. Ele pensa em si mesmo aos catorze anos, sua vida nada parecida com o que é hoje, ainda chamado de Gógol e nada mais. Lembra da reação de Maxine quando lhe contou sobre seu outro nome, enquanto eles partiam de carro da casa dos pais dele. "Essa é a coisa mais fofa que já ouvi", ela dissera. E depois nunca voltara a tocar no assunto, esse fato essencial sobre sua vida fugira da mente dela, assim como tantos outros. Ele se dá conta de que esse é um lugar que sempre estará à disposição dela. Assim fica fácil imaginar seu passado e futuro, imaginá-la envelhecendo. Ele a vê com mechas grisalhas no cabelo, o rosto ainda bonito, o corpo esguio um pouco avolumado e flácido, sentada numa cadeira de praia com um chapéu de aba mole na cabeça. Vê Maxine voltando para lá, de luto, para enterrar os pais, ensinando os filhos a nadar no lago, conduzindo-os para dentro da água pelas duas mãos, mostrando a eles como mergulhar de cabeça da beira da doca.

É lá que eles comemoram o aniversário de vinte e sete anos de Gógol, o primeiro aniversário de sua vida que ele não passou com os pais, seja em Calcutá ou na rua Pemberton. Lydia e Maxine planejam um jantar especial e passam dias debruçadas sobre livros de culinária na praia. Decidem fazer uma paella, ir de carro até Maine para comprar mariscos e mexilhões. Assam um bolo de pão de ló a partir do zero. A mesa de jantar é levada para o gramado, e umas poucas mesas dobráveis são acrescentadas para que haja lugar para todo mundo. Além de Hank e Edith, alguns amigos da região do lago são convidados. As mulheres chegam com chapéus de palha e trajam vestidos de linho. O gramado da frente fica cheio de carros, e crianças pequenas brincam entre eles. Fala-se do lago, da queda de temperatura, da água que está esfriando, do verão que chega ao fim. Há reclamações sobre lanchas, fofocas sobre o dono do mercadinho, cuja esposa fugiu com outro homem e está pedindo o divórcio. "Este aqui é o arquiteto que Max trouxe com ela", Gerald diz a certa altura, conduzindo-o até um casal interessado em construir um anexo em seu chalé. Gógol conversa com o casal sobre os planos deles, promete dar uma olhada no lugar antes de ir embora. No jantar, sua vizinha de mesa, uma mulher de meia-idade chamada Pamela, pergunta com que idade ele se mudou da Índia para os Estados Unidos.

"Eu sou de Boston", ele diz.

Pamela, por coincidência, também é de Boston, mas quando ele diz o nome do subúrbio onde seus pais moram, ela balança a cabeça. "Nunca ouvi falar desse lugar." Ela continua: "Tive uma amiga que já foi à Índia".

"Ah, é? Para onde ela foi?"

"Não sei. Só lembro que ela voltou magra que nem um poste, e que fiquei com uma inveja tremenda." Pamela dá risada. "Mas vocês devem ter sorte nesse sentido."

"Como assim?"

"Quero dizer, vocês nunca devem ficar doentes."

"Isso não é verdade", ele diz, levemente incomodado. Olha para Maxine, tentando travar contato visual, mas ela está absorta numa conversa com seu vizinho de mesa. "Nós ficamos doentes o tempo todo. Temos que tomar vacinas antes de ir. Meus pais reservam mais da metade de uma mala para os remédios."

"Mas vocês são indianos", diz Pamela, franzindo a testa. "Achei que o clima não fosse afetar vocês, dada a sua herança genética."

"Pamela, o Nick é americano", diz Lydia, debruçando-se sobre a mesa, salvando Gógol da conversa. "Ele nasceu aqui." Ela se vira para ele, e ele vê na expressão de Lydia que, após todos esses meses, ela mesma não tem certeza. "Não nasceu?"

Champanhe é servido junto com o bolo. "Ao Nikhil", anuncia Gerald, erguendo a taça. Todos cantam "Parabéns a você", esse grupo que o conhece há apenas uma noite. Que se esquecerá dele no dia seguinte. É em meio aos risos desses adultos bêbados e aos gritos de seus filhos correndo descalços, perseguindo vaga-lumes na grama, que ele lembra que seu pai partiu para Cleveland uma semana antes, que agora está lá, num novo apartamento, sozinho. Que sua mãe está sozinha na rua Pemberton. Ele sabe que deveria telefonar para conferir se seu pai chegou em segurança e para saber como sua mãe está se saindo sozinha. Mas essas preocupações não fazem sentido aqui, com Maxine e sua família. Naquela noite, deitado na cabana ao lado de Maxine, ele é despertado pelo som do telefone que toca com insistência na casa principal. Levanta-se da cama, convencido de que são seus pais telefonando para lhe desejar um feliz aniversário, horrorizado com a ideia de que isso vai acordar Gerald e Lydia. Sai tropeçando para o gramado, mas quando seus pés descalços tocam a grama fria, há um silêncio, e ele percebe que o telefone que ouvira tocar tinha sido um sonho. Ele volta para a cama, espremendo-se junto ao corpo quente e adormecido de Maxine, e passa o braço em volta de sua cintura estreita, encaixa os joelhos atrás dos dela. Pela janela vê que a alvorada está surgindo no céu, com apenas um punhado de estrelas ainda visíveis, os contornos dos pinheiros e das cabanas em volta ficando, aos poucos, mais distintos. Um pássaro começa a cantar. E, então, ele se lembra de que é impossível seus pais o localizarem: Gógol não passou o número para eles, e os Ratliff não estão na lista. Que aqui, ao lado de Maxine, isolado no meio do mato, ele é livre.

7.

Ashima está sentada à mesa da cozinha na rua Pemberton, endereçando cartões de Natal. Uma xícara de chá Lipton esfria lentamente ao lado de sua mão. Há três agendas de endereços diferentes abertas diante dela, junto com algumas canetas de caligrafia que ela achou na gaveta da escrivaninha no quarto de Gógol, a pilha de cartões e um pedaço de esponja umedecida para selar os envelopes. A mais antiga das agendas, comprada há vinte e oito anos numa papelaria na Harvard Square, tem a capa preta granulada e páginas azuis, presas por um elástico. As outras duas são maiores, mais bonitas, com as linguetas alfabéticas ainda intactas. Uma tem a capa verde--escura acolchoada e páginas com borda dourada. Sua favorita, um presente de aniversário de Gógol, traz pinturas que estão expostas no Museu de Arte Moderna. Nas folhas de guarda dessas agendas há números de telefone que não correspondem a ninguém, os números 0800 de todas as empresas aéreas pelas quais eles foram e voltaram de Calcutá, e números de reservas, além dos rabiscos que ela fez com a esferográfica enquanto esperava na linha.

Ter três agendas diferentes torna sua tarefa atual um pouco complicada. No entanto, Ashima não pensa em riscar nomes, nem em consolidá-los numa única agenda. Tem orgulho de cada item anotado em cada um dos volumes, pois juntos eles formam um registro de todos os bengalis que ela e Ashoke conheceram ao longo dos anos, todas as pessoas com quem ela teve a sorte de compartilhar arroz numa terra estrangeira. Ela se lembra do dia em que comprou a agenda mais antiga, logo depois de chegar aos Estados Unidos, numa de suas primeiras saídas do apartamento sem Ashoke ao seu lado, com a nota de cinco dólares — que lhe parecia uma fortuna — na bolsa. Lembra que escolheu o modelo menor e mais barato, dizendo: "Eu gostaria de comprar esta, por favor", enquanto colocava o produto no balcão, seu coração acelerado de medo de não ser compreendida. O vendedor não olhou nem de relance para ela, não disse nada além do preço. Ela voltou para o apartamento e anotou nas páginas azuis da agenda o endereço de seus pais em Calcutá, na rua Amherst, e então o de seus sogros, em Alipore, e finalmente o seu próprio, o apartamento na Central Square, para que lembrasse depois. Anotou o ramal de Ashoke no MIT, ciente de que estava escrevendo o nome dele pela primeira vez na vida, o sobrenome também. Esse tinha sido o mundo dela.

Esse ano ela fez seus próprios cartões de Natal, uma ideia que tirou de um livro da seção de artesanato da biblioteca. Normalmente em janeiro ela compra, em lojas de departamento, caixas de cartões marcadas com cinquenta por cento de desconto, mas sempre se esquece, no inverno seguinte, de onde exatamente os colocou. Toma o cuidado de escolher aqueles que dizem "Boas Festas" ou "Felicidades", e não "Feliz Natal"; evita anjos ou cenas de presépio, preferindo imagens que ela considera solidamente seculares — um trenó sendo puxado por um campo coberto de neve, ou pessoas patinando num lago. O cartão desse ano é um desenho feito por ela mesma, de um elefante coberto de joias vermelhas e verdes, colado em papel prateado. O elefante é uma réplica de um desenho que seu pai fez para Gógol há mais de vinte e sete anos, nas margens de um aerograma. Ela guarda as cartas de seus pais já falecidos na prateleira de cima do armário, numa grande bolsa branca que usava nos anos 1970 até a alça romper. Uma vez por ano despeja as cartas na cama e as relê, dedicando um dia inteiro às palavras de seus pais, permitindo-se chorar bastante. Revisita o afeto e a preocupação deles, transmitidas semanalmente, fielmente, de um continente a outro — todas as notícias que não tinham nada a ver com sua vida em Cambridge, mas que, mesmo assim, haviam sido seu sustento naqueles dias. Ela fica surpresa com sua capacidade de reproduzir o elefante. Não desenhava nada desde que era criança, assumira que tinha esquecido havia muito tempo o que seu pai uma vez lhe ensinara, e o que seu filho herdou: como segurar a caneta com confiança e fazer traços destemidos, velozes. Passou um dia todo refazendo o desenho em folhas diferentes de papel, colorindo-o, cortando do tamanho certo, levando-o à copiadora da universidade. Durante uma noite inteira, foi de carro a várias papelarias da cidade procurar envelopes vermelhos onde os cartões coubessem.

Ela tem tempo para fazer esse tipo de coisa, agora que está sozinha. Agora que não há ninguém para alimentar ou entreter ou conversar por semanas seguidas. Aos quarenta e oito anos está vivenciando a solidão que o marido, o filho e a filha já conhecem e que alegam não incomodá-los. "Não é nada de mais", os filhos lhe dizem. "Todo mundo deveria morar sozinho em algum momento." No entanto, Ashima sente-se velha demais para aprender uma coisa dessas. Odeia voltar à noite para uma casa escura, vazia, dormir de um lado da cama e acordar do outro. No começo empenhou-se energicamente, limpando os armários dos quartos, esfregando por dentro os armarinhos da cozinha, raspando as prateleiras da geladeira, lavando as gavetas de legumes. Apesar do sistema de segurança, sentava na cama assustada no meio da noite ao ouvir um barulho em algum lugar da casa, ou as rápidas batidas que percorriam as tábuas do assoalho quando o calor passava pelos canos.

Noite após noite, checava duas vezes todas as trancas das janelas, conferindo se estavam fechadas e firmes. Houve uma noite em que ela foi despertada por uma série de batidas na porta da frente e ligou para Ashoke em Ohio. Com a orelha grudada no telefone sem fio, desceu para olhar pelo olho mágico e, ao finalmente abrir a porta, vira que era só a tela da porta que ela esquecera de prender, oscilando descontroladamente ao vento.

Agora ela lava roupa uma vez por mês. Não tira mais o pó da casa, nem mesmo repara no pó, aliás. Come no sofá, em frente à televisão, refeições simples de torradas com manteiga e *dal* — uma única receita dura uma semana inteira —, e um omelete para acompanhar quando ela tem energia para se dar ao trabalho de fazer. Às vezes come do jeito que Gógol e Sonia comem quando vêm visitar, de pé na frente da geladeira, sem se incomodar em aquecer a comida no forno ou colocá-la num prato. Seu cabelo está rareando, encanecendo, ainda repartido no meio, preso num coque em vez de numa trança. Recentemente mandou fazer óculos bifocais, que ficam pendurados junto às dobras de seu sári numa corrente em volta do pescoço. Três tardes por semana e dois sábados por mês, ela trabalha na biblioteca pública, assim como Sonia fizera quando estava no colegial. É o primeiro emprego de Ashima nos Estados Unidos, o primeiro desde que ela se casou. Ela endossa os cheques de seu módico salário em nome de Ashoke, que os deposita para ela na conta deles no banco. Ela trabalha na biblioteca para passar o tempo — faz anos que vai lá regularmente; costumava levar os filhos para a hora da história quando eram pequenos e procurar revistas e livros de tricô para si, até que um dia a sra. Buxton, a bibliotecária-chefe, perguntou se ela estaria interessada num posto de meio período. No começo suas responsabilidades eram as mesmas das meninas do colegial: recolocar na estante os livros que as pessoas devolviam, conferir se as seções das prateleiras estavam precisamente em ordem alfabética e, às vezes, passar um espanador de penas pelas lombadas. Consertava livros velhos, punha capas protetoras nas aquisições recentes, organizava seleções mensais de assuntos como jardinagem, biografias de presidentes, poesia, história afro-americana. Ultimamente começou a trabalhar no balcão principal, cumprimentando pelo nome os frequentadores habituais quando eles entram pela porta, preenchendo formulários para empréstimos entre bibliotecas. Fez amizade com as outras mulheres que trabalham na biblioteca, a maioria delas também com filhos crescidos. Algumas vivem sozinhas, como Ashima está vivendo agora, porque são divorciadas. São as primeiras amigas americanas que ela fez na vida. Quando tomam chá na sala dos funcionários, elas fofocam sobre os frequentadores, falam dos perigos de sair num encontro na meia-idade. De vez em quando ela chama as amigas da biblioteca para almoçar em casa e vai com elas às compras em lojas de ponta de estoque no Maine.

A cada três fins de semana o marido vem para casa. Chega de táxi, pois embora ela esteja disposta a dirigir sozinha pela cidade, não está disposta a pegar a estrada e dirigir até aeroporto Logan. Quando o marido está em casa, ela faz compras e cozinha como antes. Se há um convite para um jantar na casa de amigos, eles vão juntos de carro pela rodovia sem as crianças, tristemente cientes de que Gógol e Sonia, agora ambos crescidos, nunca mais vão estar sentados no banco de trás. Durante essas visitas, Ashoke deixa suas roupas guardadas na mala, seus apetrechos de barbear numa bolsa ao lado da pia. Faz as coisas que ela ainda não sabe fazer. Paga todas as contas, limpa o gramado com um rastelo e põe gasolina no carro dela no posto de autoatendimento. As visitas dele são breves demais para fazer qualquer diferença, parecem durar apenas algumas horas até que o domingo chegue e ela fique sozinha de novo. Quando eles estão longe um do outro, falam por telefone toda noite, às oito. Às vezes, sem saber o que fazer com o tempo livre depois do jantar, ela já está na cama a essa hora, de camisola, vendo alguma coisa na pequena TV em preto e branco que eles possuem há décadas e que está do lado dela da cama, a imagem desaparecendo aos poucos, com uma borda preta permanente enquadrando a tela. Se não há nada decente na televisão, ela folheia os livros que pega emprestados da biblioteca, os quais ocupam o espaço que normalmente é de Ashoke na cama.

Agora são três da tarde, a força do sol aos poucos se esvai do céu. É o tipo de dia que parece terminar minutos depois que começa, embargando as intenções de Ashima de passá-lo de forma produtiva, distraída pela inevitabilidade do anoitecer. É o tipo de dia em que às cinco Ashima já está com vontade de jantar. Essa é uma das coisas que ela sempre odiou na vida aqui: esses dias de friagem, dias curtos do começo do inverno, a escuridão que cai poucas horas depois do meio-dia. Ela não tem nenhuma expectativa em dias como esse, apenas espera que terminem. Resigna-se a aquecer o jantar dali a pouco, veste a camisola e liga o cobertor elétrico na cama. Toma um gole de seu chá, agora totalmente frio. Levanta para encher de novo a chaleira, preparar outra xícara. As petúnias na floreira de sua janela, plantadas no fim de semana do Memorial Day, última vez em que Gógol e Sonia estiveram juntos em casa, murcharam até os caules ficarem marrons, e há semanas ela quer desenterrá-las. "Ashoke vai fazer isso", ela pensa consigo mesma, e quando o telefone toca e o marido diz alô, essa é a primeira coisa que ela lhe diz. Ela ouve barulhos ao fundo, pessoas falando. "Você está assistindo televisão?", pergunta.

"Estou no hospital", ele lhe diz.

"O que aconteceu?" Ela desliga a chaleira com apito, assustada, com um aperto no peito, apavorada achando que ele sofreu algum tipo de acidente.

"Meu estômago está me incomodando desde hoje cedo." Ele diz a Ashima que é provavelmente alguma coisa que comeu, que na noite anterior fora convidado a ir à casa de alguns estudantes bengalis que conhecera em Cleveland e que ainda estão aprendendo a cozinhar, onde ele foi submetido a um *biryani* de frango de aparência suspeita.

Ela exala um suspiro, aliviada por não ser nada sério. "Então tome um Alka-Seltzer."

"Eu tomei. Não adiantou. Só vim ao pronto-socorro porque todos os consultórios médicos estão fechados hoje."

"Você está trabalhando demais. Você não é mais estudante, sabe. Espero que você não desenvolva uma úlcera", ela diz.

"Não. Espero que não."

"Quem te levou até aí?"

"Ninguém. Estou aqui sozinho. Não é tão ruim, não mesmo."

Mesmo assim ela sente uma onda de compaixão por ele, ao pensar em Ashoke dirigindo sozinho até o hospital. De repente sente falta dele ao lembrar das tardes de anos anteriores, quando eles se mudaram para essa cidade, quando ele a surpreendia e voltava para casa da universidade no meio do dia. Eles se davam ao luxo de fazer um almoço bengali decente em vez dos sanduíches que tinham se acostumado a comer; cozinhavam arroz e esquentavam os restos da noite anterior, enchendo o estômago e conversando sentados à mesa, sonolentos e saciados, enquanto as palmas de suas mãos ficavam amarelas e secas.

"O que o médico disse?", ela pergunta a Ashoke.

"Estou esperando para falar com ele. É uma espera bem demorada. Faz uma coisa para mim?"

"O quê?"

"Liga para o dr. Sandler amanhã. Estou para fazer um checkup, de qualquer modo. Marca uma consulta para mim no sábado que vem, se ele tiver horário."

"Tá bom."

"Não se preocupe. Já estou me sentindo melhor. Eu te telefono quando chegar em casa."

"Tá bom." Ela desliga o telefone, prepara o chá, volta para a mesa. Escreve "Ligar para o dr. Sandler" num dos envelopes vermelhos, deixando-o apoiado de pé no saleiro e no pimenteiro. Toma um gole do chá e faz uma careta, detectando uma fina película de detergente na borda da xícara, e repreende-se por seu desleixo na hora do enxágue. Ela se pergunta se deveria ligar para Gógol e Sonia, contar-lhes que o pai está no hospital. Mas rapidamente lembra a si mesma que ele não está tecnicamente no hospital, que se hoje fosse um dia qualquer e não um domingo, ele estaria num consultório médico fazendo um exame de rotina. Ashoke conversou com ela normalmente, talvez um pouco cansado, mas não sentindo grandes dores.

E por isso ela volta ao seu projeto. Na parte de baixo dos cartões, assina os nomes deles repetidas vezes: o nome do marido, que ela nunca pronunciou na presença dele, seguido de seu próprio nome, e então os nomes dos filhos, Gógol e Sonia. Recusa-se a escrever Nikhil, embora saiba que é isso que ele preferiria. Nenhum pai ou mãe jamais chamava um filho por seu nome bom. Os nomes bons não tinham lugar dentro de uma família. Ela escreve os nomes um embaixo do outro, por ordem de idade, Ashoke, Ashima, Gógol, Sonia. Decide enviar um cartão para cada um deles, transferindo o respectivo nome para a parte de cima do cartão: para o apartamento do marido em Cleveland, para Gógol em Nova York, acrescentando o nome de Maxine também. Embora tenha sido bastante educada da única vez que Gógol trouxe Maxine àquela casa, Ashima não a quer como nora. Ficou surpresa quando Maxine se dirigiu a ela como Ashima, e ao seu marido como Ashoke. E, no entanto, agora já faz mais de um ano que Gógol e ela estão namorando. A essa altura Ashima já sabe que Gógol passa as noites com Maxine, dormindo sob o mesmo teto que os pais dela, algo que Ashima se recusa a admitir para seus amigos bengalis. Ela até tem o número dele lá; já ligou uma vez, ouviu a voz da mulher que devia ser a mãe de Maxine, mas não deixou nenhum recado. Sabe que esse relacionamento é algo que ela tem que estar disposta a aceitar. Sonia lhe disse isso, e também suas amigas americanas da biblioteca. Ela endereça um cartão para Sonia e para as duas amigas com quem ela mora em San Francisco. Ashima está ansiosa pelo Natal, para que estejam os quatro juntos. Ainda está chateada porque nem Gógol nem Sonia vieram passar o dia de Ação de Graças em casa esse ano. Sonia, que está trabalhando para uma agência ambiental e estudando para seu exame de admissão na faculdade de direito, disse que era longe demais para fazer a viagem. Gógol, que tinha de trabalhar no dia seguinte por causa de um projeto da empresa, passou o feriado com a família de Maxine em Nova York. Por ter sido privada da companhia dos próprios pais ao mudar-se para os Estados Unidos, a independência dos filhos, sua necessidade de manter distância dela, é algo que Ashima jamais compreenderá. Mesmo assim, ela não discutiu com eles. Isso, também, ela está começando a aprender. Queixou-se para as amigas na biblioteca, e elas disseram que era inevitável, que em algum momento os pais tinham que parar de assumir que os filhos voltariam fielmente para passar os feriados em casa. E, então, ela e Ashoke passaram o dia de Ação de Graças juntos, sem se dar ao trabalho, pela primeira vez em anos, de comprar um peru. "Com amor, Ma", ela escreve agora para os filhos na parte de baixo dos cartões. E no cartão para Ashoke, simplesmente "Ashima".

Ela passa por duas páginas preenchidas apenas com os endereços da filha, e depois com os do filho. Pariu um par de nômades.

É a guardiã de todos esses nomes e números agora, números que já soube de cor, números e endereços que os filhos não lembram mais. Pensa em todos os apartamentos escuros e quentes que Gógol habitou ao longo dos anos, começando por seu quarto na moradia estudantil em New Haven e agora o apartamento em Manhattan, com o aquecedor descascando e rachaduras nas paredes. Sonia fez a mesma coisa que o irmão, um novo quarto a cada ano desde os dezoito, novas colegas de quarto de quem ela tem que se lembrar toda vez que liga. Ela pensa no apartamento do marido em Cleveland, onde o ajudou a se instalar num fim de semana em que foi visitá-lo. Comprou para ele panelas e pratos baratos, do tipo que usava quando morava em Cambridge, não como esses brilhantes da Williams-Sonoma que os filhos lhe dão de presente hoje em dia. Lençóis e toalhas, algumas cortinas simples para as janelas, um saco grande de arroz. A própria Ashima só morou em cinco casas na vida: o apartamento dos pais em Calcutá, a casa dos sogros por um mês, a casa que eles alugaram em Cambridge, no andar embaixo dos Montgomery, o apartamento para professores no campus e, por último, a casa que eles possuem agora. Uma mão, cinco lares. Uma vida inteira num punho.

De quando em quando, ela olha pela janela, para o céu lilás do entardecer, vividamente tingido com duas faixas paralelas cor-de-rosa. Olha para o telefone na parede, desejando que toque. Decide que vai comprar um celular para o marido no Natal. Continua a trabalhar na casa silenciosa, sob a luz que baixa, não tomando o cuidado de descansar, embora seu pulso tenha começado a doer, e não se dá ao trabalho de levantar e acender a luminária sobre a mesa, nem as luzes no gramado ou em nenhum dos outros cômodos, até que o telefone toca. Ela atende após meio toque, mas é só um operador de telemarketing, alguma pobre alma trabalhando no fim de semana, perguntando com relutância se a senhora... hmm...

"Ganguli", Ashima responde, ríspida, antes de desligar.

No crepúsculo o céu assume um tom pálido, porém intenso, de azul, e as árvores no gramado e as formas das casas vizinhas viram silhuetas negras e sólidas. Às cinco horas o marido ainda não telefonou. Ela liga para o apartamento dele e ninguém atende. Liga dez minutos depois, e outra vez dez minutos depois disso. É a sua própria voz que escuta na secretária eletrônica, dizendo o número devagar e pedindo que a pessoa deixe uma mensagem. Ela pensa nos lugares onde ele pode ter parado a caminho de casa — na farmácia para comprar um remédio, no supermercado para comprar comida. Às seis da tarde não consegue mais se distrair colando e selando os envelopes que passou o dia inteiro endereçando. Liga para o auxílio à lista, pede um operador em Cleveland e depois liga para o número do hospital aonde ele dissera que tinha ido. Pede para falar com o pronto-socorro e é transferida várias vezes de uma seção do hospital para a outra. "Ele só foi aí fazer um exame", ela diz às pessoas que atendem e pedem que ela espere. Soletra o sobrenome como já fez centenas de milhares de vezes, "G de grama", "N de navio". Fica na linha até pensar em desligar, perguntando-se o tempo todo se o marido está tentando telefonar para ela de casa, e lamenta não ter o serviço de chamada em espera. A ligação cai, ela liga de novo. "Ganguli", diz. Outra vez pedem que ela espere. Então entra uma pessoa na linha, a voz de uma moça provavelmente não mais velha do que Sonia. "Sim. Peço desculpas pela demora. Com quem estou falando?"

"Ashima Ganguli", diz Ashima. "Esposa de Ashoke Ganguli. Com quem estou falando, por favor?"

"Entendo. Sinto muito, senhora. Sou a médica estagiária que fez o primeiro exame no seu marido."

"Estou esperando na linha há quase meia hora. Meu marido ainda está aí ou já foi?"

"Sinto muito mesmo, senhora", a moça repete. "Estávamos tentando falar com a senhora."

E então a moça lhe diz que o paciente, Ashoke Ganguli, seu marido, expirou.

Expirou. Uma palavra usada para cartões de biblioteca, para assinaturas de revista. Uma palavra que, por vários segundos, não tem efeito algum em Ashima.

"Não, não, deve ser um engano", Ashima diz calmamente, balançando a cabeça e deixando escapar uma breve risada. "Meu marido não está aí numa emergência. É só por causa de uma dor de estômago."

"Sinto muito, sra. ... Ganguli, certo?"

Ela ouve alguma coisa sobre um ataque cardíaco, que tinha sido severo, que todas as tentativas de ressuscitá-lo tinham sido em vão. Ela gostaria de doar algum dos órgãos do marido?, a moça pergunta. E depois, tem alguém na região de Cleveland que possa identificar o corpo? Em vez de responder, Ashima desliga o telefone enquanto a mulher ainda está falando, aperta o fone no ganho com toda a força que tem e deixa a mão ali por um minuto inteiro, como se quisesse abafar as palavras que acabou de ouvir. Olha para a xícara vazia, depois para a chaleira no fogão, que desligou para escutar a voz do marido apenas algumas horas antes. Começa a tremer violentamente, a casa de repente parece estar dez graus mais fria. Ela puxa o sári e o aperta em volta dos ombros, como um xale. Levanta-se e anda sistematicamente pelos cômodos da casa, ligando todos os interruptores, acendendo a luminária no jardim e o holofote da garagem, como se ela e Ashoke estivessem esperando companhia. Volta para a cozinha e olha para a pilha de cartões na mesa, já dentro dos envelopes vermelhos que comprou com tanto prazer, a maioria pronta para ser colocada na caixa de correio. O nome do marido está em todos eles. Ela abre a agenda de endereços, de repente não conseguindo lembrar o telefone do filho, algo que normalmente poderia discar dormindo. Ninguém atende no escritório nem no apartamento dele, por isso ela tenta o número de Maxine. Está listado, junto com os outros números, na letra G, tanto de *Ganguli* quanto de *Gógol*.

Sonia vem de avião de San Francisco para ficar com Ashima. Gógol voa de LaGuardia para Cleveland sozinho. Parte cedo na manhã seguinte, embarcando no primeiro voo que consegue. No avião ele fica olhando pela janela a terra lá embaixo, os trechos nevados do Meio-Oeste e os rios curvos que parecem cobertos de papel-alumínio brilhando ao sol. A forma do avião cria uma mancha escura no chão. Mais da metade dos assentos está desocupada, os homens e algumas mulheres de terno, pessoas acostumadas a esses voos e a viajar nesses horários, digitam em seus laptops ou leem as notícias do dia. Ele não está acostumado à banalidade dos voos domésticos, à cabine estreita, à única mala que ele levou, pequena o bastante para ser guardada no compartimento acima da sua cabeça. Maxine se ofereceu para ir junto, mas ele disse que não. Não quer estar com alguém que mal conhecia seu pai, que só o encontrou uma vez. Ela caminhou com ele até a Nona Avenida, ficou esperando com ele de manhãzinha, os cabelos despenteados, o rosto ainda pesado de sono, o casaco e um par de botas vestidos por cima do pijama. Ele tirou dinheiro num caixa automático, chamou um táxi. A maioria dos habitantes da cidade, incluindo Gerald e Lydia, ainda estava na cama dormindo.

Ele e Maxine tinham ido ao lançamento do livro de um dos amigos escritores de Maxine na noite anterior. Depois foram jantar com um grupo pequeno. Por volta das dez horas voltaram para a casa dos pais dela como de costume, cansados como se fosse muito mais tarde, e fizeram uma pausa ao subir as escadas para dar boa-noite a Gerald e Lydia, que estavam sentados no sofá, debaixo de um cobertor, assistindo a um filme francês no vídeo e bebendo taças de vinho após o jantar. As luzes estavam apagadas, mas por causa do brilho da tela da TV, Gógol viu que Lydia estava repousando a cabeça no ombro de Gerald e que ambos estavam com os pés apoiados na borda da mesinha de centro. "Ah, Nick. Sua mãe ligou", Gerald disse, erguendo o olhar da tela. "Duas vezes", acrescentou Lydia. Ele sentiu uma pontada de vergonha. Não, ela não deixara nenhum recado, eles disseram. A mãe telefonava para ele com mais frequência ultimamente, agora que estava morando sozinha. Parecia que precisava ouvir a voz dos filhos todos os dias. Mas nunca tinha ligado na casa dos pais de Maxine. Ligava para ele no trabalho, ou deixava mensagens no seu apartamento, que ele recebia dias depois. Ele decidiu que, o que quer que fosse, podia esperar até o dia seguinte. "Obrigado, Gerald", disse, abraçando a cintura de Maxine e virando-se para sair da sala. Mas então o telefone tocou outra vez. "Alô", Gerald disse, e então para Gógol: "É sua irmã dessa vez".

Ele toma um táxi do aeroporto para o hospital, chocado ao perceber como está mais frio em Ohio do que em Nova York, o chão coberto por uma grossa camada de neve. O hospital é um complexo de prédios de pedra bege, situado no cume de um morro com um declive suave. Ele entra no mesmo pronto-socorro onde seu pai entrou no dia anterior. Depois que ele dá seu nome, mandam-no pegar o elevador até o sexto andar e então esperar numa sala vazia, com as paredes pintadas num tom forte de azul-escuro. Ele observa o relógio na parede, doado, junto com o restante dos móveis da sala, pela devota família de alguém chamado Eugene Arthur. Não há revistas na sala de espera nem televisão, apenas uma coleção de poltronas iguais alinhadas junto às paredes e um bebedouro numa das pontas. Pela porta de vidro ele vê um corredor branco e alguns leitos vazios. Há pouco movimento, não há médicos nem enfermeiros andando com pressa pelos corredores. Ele mantém os olhos fixos no elevador, meio na expectativa de que o pai saia dali e venha buscá-lo, que ele indique, inclinando de leve a cabeça, que é hora de ir embora. Quando as portas do elevador por fim se abrem, ele vê um carrinho com uma pilha de bandejas de café da manhã, a maioria contendo coisas escondidas sob tampas, e caixinhas de leite. De repente sente fome, arrepende-se de não ter pensado em guardar o *bagel* que a aeromoça lhe deu no avião. Sua última refeição foi no restaurante na noite anterior, um lugar iluminado e movimentado em Chinatown. Eles tinham passado quase uma hora na calçada, esperando a mesa, e depois se banquetearam, cebolinhas em flor, lula salgada e mariscos com molho de feijão-preto que Maxine adorava mais do que tudo. Eles já estavam bêbados desde o lançamento do livro, bebiam com preguiça suas cervejas e xícaras de chá de jasmim frio. Todo esse tempo o pai estava no hospital, já morto.

A porta se abre e entra na sala um homem baixo, de barba grisalha e aspecto simpático. Veste um avental branco até os joelhos por cima das roupas e tem nas mãos uma prancheta. "Olá", ele diz, dando um sorriso gentil para Gógol.

"Você é... era o médico do meu pai?"

"Não. Sou o sr. Davenport. Vou levar você até lá embaixo."

O sr. Davenport acompanha Gógol em um elevador reservado a pacientes e médicos até o subsolo do hospital. Fica junto de Gógol no necrotério enquanto um lençol é retirado, mostrando o rosto de seu pai. O rosto está amarelo e tem a textura de cera, uma imagem mais espessa, estranhamente inchada. Os lábios, quase sem cor, estão paralisados numa expressão atípica de arrogância. Gógol percebe que o pai está nu sob o lençol. Isso o deixa envergonhado, faz com que ele desvie o olhar por um breve instante. Quando ele olha de novo, estuda o rosto mais de perto, ainda pensando que talvez seja um engano, que o pai pode ser despertado com um tapinha no ombro. A única coisa que lhe parece familiar é o bigode, o excesso de pelos em suas bochechas e seu queixo raspado há menos de vinte e quatro horas.

"Ele está sem os óculos", Gógol diz, olhando para o sr. Davenport.

O sr. Davenport não responde. Após alguns minutos, diz: "Sr. Ganguli, você identifica com certeza este corpo? Este é o seu pai?"

"Sim, é ele", Gógol se ouve dizendo. Depois de alguns instantes percebe que alguém trouxe uma cadeira para ele se sentar, que o sr. Davenport deu um passo para o lado. Gógol senta-se. Pergunta-se se deveria encostar no rosto do pai, pôr a mão na testa dele, como o pai costumava fazer com Gógol quando ele passava mal, para ver se estava com febre. E, no entanto, sente pavor de fazer isso, sem conseguir se mexer. Por fim, com o indicador, alisa o bigode do pai, uma sobrancelha, uma mecha de seus cabelos, as partes dele que, Gógol sabe, continuam vivendo em silêncio.

O sr. Davenport pergunta a Gógol se ele está pronto, então o lençol é recolocado e ele é conduzido para fora do necrotério. Uma médica residente chega, explicando exatamente como e quando o ataque cardíaco aconteceu, por que não havia nada que os médicos pudessem ter feito. Gógol recebe as roupas que o pai estava vestindo: uma calça azul-marinho, uma camisa branca com listras marrons, um suéter cinza sem mangas da L. L. Bean que Gógol e Sonia tinham comprado para ele no Natal de algum ano. Meias marrom-escuras, sapatos marrom-claros. Os óculos. Um sobretudo e um cachecol. As peças de roupa enchem até a boca uma grande sacola de compras de papel. Há um livro no bolso do sobretudo, uma cópia de *Os comediantes*, de Graham Greene, com páginas amareladas e letras minúsculas. Ao abrir a capa ele vê que era um livro de segunda mão; o nome de um desconhecido, Roy Goodwin, está escrito do lado de dentro. Num envelope separado ele recebe a carteira do pai, as chaves do carro. Diz ao hospital que não é necessário nenhum serviço religioso e é informado de que as cinzas estarão prontas dali a alguns dias. Ele pode vir retirá-las pessoalmente, na funerária que o hospital indica, ou pedir que sejam enviadas, junto com a certidão de óbito, diretamente para a rua Pemberton. Antes de ir embora ele pede para ver o lugar exato no pronto-socorro onde o pai esteve vivo pela última vez. O número do leito é procurado numa tabela; um rapaz com o braço numa tipoia está deitado nele agora, falando ao telefone, bem-humorado apesar da situação. Gógol olha de relance para as cortinas que cercavam parcialmente o pai quando a vida esvaiu-se dele — estampadas com flores verdes e cinza e com uma parte de malha branca no topo; ganchos de metal pendem do teto, correndo num trilho em formato de U.

O carro alugado do pai, cuja descrição a mãe lhe passou por telefone na noite anterior, ainda está parado no estacionamento de visitantes. O noticiário de uma rádio AM chega a seus ouvidos assim que ele vira a chave na ignição, dando-lhe um susto; o pai sempre fez questão de desligar o rádio depois de dirigir. Na verdade, não há indício algum do pai no carro. Não há mapas nem pedaços de papel, nenhum copo vazio, moedas de troco ou notas fiscais. Só o que ele encontra no porta-luvas é o registro do veículo e o manual do proprietário. Ele passa alguns minutos folheando o manual, comparando os itens do painel com a ilustração no livro. Liga e desliga os limpadores de para-brisa e testa os faróis, embora ainda seja dia. Desliga o rádio, dirige em silêncio pela tarde fria, lúgubre, pela cidadezinha plana e sem graça que ele nunca mais vai visitar. Segue as orientações que o enfermeiro do hospital lhe deu para chegar ao apartamento onde o pai morava, perguntando-se se esse trajeto é o mesmo que o pai fez quando foi de carro sozinho ao hospital. Cada vez que passa por um restaurante, cogita encostar o carro, mas então se vê numa área residencial, quarteirões de mansões vitorianas com gramados cobertos de neve, calçadas cobertas por poças intricadas de gelo.

O apartamento do pai faz parte de um conjunto chamado Baron's Court. Atrás do portão há uma fileira de enormes caixas de correio prateadas, com espaço suficiente para abrigar um mês de correspondência. Um homem em frente ao primeiro dos prédios, identificado como administração, acena para ele com a cabeça quando ele passa, parecendo reconhecer o carro. Será que o homem o confundiu com seu pai?, Gógol se pergunta, e acha essa ideia reconfortante. A única coisa que distingue cada um dos prédios é um número e um nome; dos dois lados dele há mais prédios, absolutamente idênticos, todos com três andares, dispostos em volta de uma vasta rua circular. Fachadas em estilo Tudor, pequenas sacadas de metal, aparas de madeira embaixo das escadas. Essa uniformidade impecável o perturba profundamente, ainda mais do que o hospital, além da imagem do rosto do pai. Ao pensar no pai morando ali sozinho nesses últimos três meses, sente a primeira ameaça de lágrimas, mas sabe que o pai não se importava, que não se ofendia com esse tipo de coisa. Estaciona em frente ao prédio do pai, demorando-se dentro do carro por tempo suficiente para ver surgir um casal de idosos sorridentes com raquetes de tênis. Lembra que o pai lhe disse que a maioria dos moradores é de aposentados ou divorciados. Há caminhos de pedra na grama, uma pequena praça de exercícios, uma lagoa artificial rodeada de bancos e salgueiros.

O apartamento do pai fica no segundo andar. Ele destranca a porta, tira os sapatos, coloca-os na passadeira de plástico que o pai deve ter posto ali para proteger o carpete quase branco que vai de uma parede a outra. Vê um par de tênis do pai e um par de chinelos de dedo para usar em casa. A porta se abre para uma sala de estar espaçosa, com uma porta de correr de vidro à direita, a cozinha à esquerda. Não há nada pendurado nas paredes recém-pintadas de marfim. A cozinha é separada, de um dos lados, por meia parede, uma das coisas que sua mãe sempre quis na casa deles, para poder cozinhar enquanto via e conversava com as pessoas no outro cômodo. Na porta da geladeira há uma foto dele com sua mãe e Sonia, presa por um ímã de um banco da região. Eles estão parados em Fatehpur Sikri com os pés embrulhados em panos para protegê-los da superfície quente de pedra. Ele estava no primeiro ano do colegial, magro e emburrado, Sonia ainda era uma menina, sua mãe vestia um *salwar kameeze*, algo que era tímida demais para usar na frente de seus parentes em Calcutá, que sempre esperavam que ela estivesse de sári. Ele abre os armários da cozinha, primeiro os que ficam em cima do balcão, depois os de baixo. Em sua maioria, estão vazios. Ele acha quatro pratos, duas canecas, quatro copos. Numa gaveta ele encontra uma faca e dois garfos, um padrão que reconhece de casa. Em outro armário há uma caixa de saquinhos de chá, biscoitos Peak Freans, um saco de dois quilos de açúcar que não foi despejado num açucareiro, uma lata de leite condensado. Há vários pacotes de ervilhas amarelas partidas e um grande saco plástico de arroz. Uma panela de fazer arroz está cuidadosamente disposta no balcão, fora da tomada. Alinhados na prateleira do fogão há alguns vidros de temperos, etiquetados com a letra da mãe dele. Embaixo da pia ele acha um frasco de Windex, uma caixa de sacos de lixo, uma única esponja.

Ele caminha pelo resto do apartamento. Atrás da sala de estar há um dormitório pequeno que contém apenas uma cama, e do outro lado, um banheiro sem janelas. Um vidro de creme Pond's, que o pai usou a vida inteira como loção pós-barba, está ao lado da pia. Ele se põe a trabalhar imediatamente, esquadrinhando o cômodo e jogando coisas em sacos de lixo: os temperos, o creme, a edição da revista *Time* ao lado da cama do pai. "Não traga nada para casa", a mãe lhe disse ao telefone. "Não é assim que nós fazemos." No começo ele não hesita em jogar nada, mas na cozinha ele para. Sente-se culpado de jogar comida fora; se fosse o pai no lugar dele, teria guardado na mala o resto de arroz e os saquinhos de chá. O pai abominava qualquer tipo de desperdício, a ponto de reclamar quando Ashima enchia uma chaleira com água demais.

Em sua primeira ida ao porão, Gógol vê uma mesa sobre a qual outros inquilinos deixaram coisas para doar: livros, fitas de vídeo, uma caçarola branca com tampa transparente de vidro. A mesa logo fica cheia com o aspirador de pó manual de seu pai, a máquina de arroz, o toca-fitas, a televisão, as cortinas ainda presas a seus varões dobráveis de plástico. Do saco que trouxe do hospital, ele guarda a carteira do pai, com seus quarenta dólares, três cartões de crédito, um maço de notas fiscais, fotos de Gógol e Sonia quando eram bebês. Guarda a foto que estava na geladeira.

Tudo leva muito mais tempo do que ele imaginava. A tarefa de esvaziar três cômodos, que antes já estavam praticamente vazios, o deixa exausto. Ele fica surpreso ao ver quantos sacos de lixo conseguiu encher, quantas vezes teve que subir e descer as escadas. Quando ele termina, já está começando a escurecer. Ele tem uma lista das pessoas para quem precisa ligar antes do fim do horário comercial: ligar para a administração do condomínio; ligar para a universidade; cancelar serviços. "Lamentamos muito", ele ouve de uma série de pessoas que não conhece. "Nós o vimos nessa sexta-feira", diz uma das colegas de seu pai. "Que choque deve ser." A administração do condomínio lhe diz para não se preocupar, que eles vão mandar alguém para retirar o sofá e a cama. Quando ele termina, cruza a cidade de carro até a empresa onde o pai alugou o carro e, então, toma um táxi de volta para Baron's Court. No saguão ele nota um cardápio de entrega de pizzas. Pede uma pizza e liga para casa enquanto a espera. A linha fica ocupada durante uma hora; quando ele consegue ligar, a mãe e Sonia estão dormindo, informa-lhe um amigo da família. Há muito barulho na casa, e é só então que ele se dá conta de como está silencioso do lado dele da linha. Ele pensa em descer de novo até o porão para buscar o toca-fitas ou a televisão. Em vez disso liga para Maxine e descreve os detalhes de seu dia, espantado ao pensar que ela estava com ele hoje cedo, que era nos braços dela, na cama dela, que ele tinha acordado.

"Eu devia ter ido com você", ela diz. "Ainda dá para chegar aí de manhã."

"Já terminei. Não tem mais nada para fazer. Vou pegar o primeiro voo de volta amanhã."

"Você não vai passar a noite aí, vai, Nick?", ela pergunta.

"Eu preciso. Não há nenhum outro voo hoje à noite."

"Nesse apartamento, eu quis dizer."

Ele sente-se defensivo; depois de todo o esforço que fez, se sente o protetor dos três cômodos vazios. "Não conheço ninguém aqui."

"Pelo amor de Deus, sai daí. Vá a um hotel."

"O.k.", ele diz. Pensa na última vez em que viu o pai, três meses atrás: a imagem dele acenando para se despedir enquanto ele e Maxine tiravam o carro da garagem a caminho de New Hampshire. Não se lembra da última vez que ele e o pai se falaram. Duas semanas antes? Quatro? O pai não era de ficar telefonando, ao contrário da mãe.

"Você estava comigo", ele diz a ela.

"O quê?"

"Da última vez que vi meu pai. Você estava lá."

"Eu sei. Lamento muito, Nick. Só me promete que você vai para um hotel."

"Tá. Eu prometo." Ele desliga e abre a lista telefônica, olha as opções de lugares onde ficar. Está acostumado a obedecer a ela, a aceitar seus conselhos. Liga para um dos números. "Boa noite, em que posso ajudar?", pergunta uma voz. Ele pergunta se há um quarto disponível para essa noite, mas, enquanto está na espera, ele desliga. Não quer habitar um quarto anônimo. Enquanto está ali, não quer deixar vazio o apartamento do pai. Fica deitado no sofá no escuro, de roupa, seu corpo coberto pelo paletó, preferindo isso ao colchão sem lençol no quarto. Por horas ele fica deitado no escuro, adormecendo e acordando. Pensa no pai, no apartamento na manhã do dia anterior. O que ele estava fazendo quando começou a passar mal? Estava ao pé do fogão, fazendo chá? Sentado no sofá, onde Gógol está agora? Gógol imagina o pai perto da porta, curvando-se para amarrar os cadarços pela última vez. Imagina-o vestindo o sobretudo e o cachecol e pegando o carro para ir ao hospital. Parando no semáforo, ouvindo a previsão do tempo no rádio, com a ideia da morte longe de sua mente. Por fim Gógol nota uma luz azulada entrando no cômodo. Sente-se estranhamente vigilante, como se, prestando a devida atenção, algum sinal do pai talvez se manifestasse, dando um fim aos acontecimentos daquele dia. Observa o céu embranquecer, ouve quando o completo silêncio é suplantado pelo zumbido muito distante do trânsito, até que de repente ele sucumbe, por algumas horas, ao sono mais profundo possível, sua mente vazia e serena, seus membros imóveis, pesados.

São quase dez da manhã quando ele acorda de novo, com a luz do sol iluminando todo o cômodo. Uma dor abafada, constante, persiste do lado direito de sua cabeça, emanando do fundo de seu crânio. Ele abre a porta corrediça de vidro da sacada e fica parado do lado de fora. Seus olhos ardem de fadiga. Ele olha para a lagoa artificial onde, como o pai lhe contou numa conversa por telefone, ele dava vinte voltas toda noite antes do jantar, o que equivalia a uma distância de três quilômetros. Poucas pessoas estão ali agora, passeando com seus cachorros, casais fazendo exercícios juntos, balançando os braços, com faixas grossas de *fleece* cobrindo as orelhas. Gógol veste seu casaco, sai e tenta dar uma volta inteira na lagoa. No começo acha agradável o ar frio em seu rosto, mas a friagem fica brutal, implacável, perpassando seu corpo e comprimindo a parte de trás de sua calça contra as pernas, e por isso ele volta ao apartamento. Toma uma ducha, veste as mesmas roupas que usou no dia anterior. Chama um táxi e desce até o porão uma última vez para jogar fora a toalha que usou para se secar e o telefone cinza de botões. É levado até o aeroporto, embarca num voo para Boston. Sonia e a mãe estarão lá, junto com alguns amigos da família, esperando por ele no portão de desembarque. Ele queria que fosse diferente. Queria poder simplesmente entrar em outro táxi e pegar outra rodovia, protelar o momento em que teria de encará-los. Sente pavor de ver a mãe, mais do que sentiu de ver o corpo do pai no necrotério. Ele agora conhece a culpa que seus pais carregavam dentro de si, de não poder fazer nada quando os pais deles morreram na Índia, de chegar semanas, às vezes meses depois, quando não havia mais nada a fazer.

O trajeto até Cleveland pareceu interminável, porém dessa vez, ao olhar pela janela do avião sem conseguir ver nada, ele rapidamente sente no peito a descida da aeronave. Logo antes da aterrissagem ele vai ao banheiro, vomita no pequeno vaso de metal. Lava o rosto e se olha no espelho. Com a exceção da barba de um dia em seu rosto, ele parece exatamente igual. Lembra-se de quando o avô paterno morreu, em algum momento dos anos 1970; lembra-se da mãe gritando ao entrar no banheiro e ver seu pai raspando a cabeça toda com uma gilete descartável. O couro cabeludo ficou sangrando em diversos pontos, e durante semanas ele usou um boné para esconder as feridas. "Para, você está se machucando", a mãe disse. Seu pai tinha fechado e trancado a porta, e saíra encolhido e careca. Anos depois Gógol compreendeu o significado desse gesto, era dever de um filho bengali raspar a cabeça logo após a morte de seu pai ou sua mãe. Mas na época Gógol era jovem demais para entender; quando a porta do banheiro se abriu, ele deu risada ao ver seu pai sem cabelo, consternado. E Sonia, que ainda era bebê, chorou.

Durante a primeira semana eles nunca ficam sozinhos. Não são mais uma família de quatro pessoas, viram uma casa de dez, às vezes vinte, com amigos que aparecem para ficar sentados com eles em silêncio na sala de estar, de cabeça baixa, bebendo xícaras de chá; um punhado de pessoas tentando compensar a perda do pai dele. Sua mãe lavou com xampu a tinta vermelha da testa. Tirou do braço sua pulseira de ferro de casamento, forçando-a a sair com creme hidratante, junto com todas as outras pulseiras que sempre usou. Cartas e flores chegam sem parar, de colegas de seu pai na universidade, das mulheres que trabalham com a mãe dele na biblioteca, de vizinhos que normalmente não fazem muita coisa além de acenar de seus gramados. Ligam pessoas da Costa Oeste, do Texas, de Michigan e Washington, D. C. Todas as pessoas na agenda de endereços de sua mãe, sempre acrescentados, jamais riscados, ficam abaladas com a notícia. Quem é que tinha abandonado tudo para vir a este país, para construir uma vida melhor, apenas para morrer ali? O telefone toca o tempo todo, e os ouvidos deles doem de escutar todas essas pessoas, suas gargantas ficam fracas por ter que explicar a mesma coisa inúmeras vezes. Não, ele não estava doente, dizem; sim, foi completamente inesperado. Um obituário curto é publicado no jornal da cidade, citando os nomes de Ashima, Gógol e Sonia, e é mencionado que as crianças tinham sido educadas nas escolas locais. No meio da noite eles telefonam para seus parentes na Índia. Pela primeira vez na vida, são eles que têm más notícias para dar.

Durante dez dias após a morte do pai, ele, a mãe e Sonia comem uma dieta de luto, abstendo-se de carne e peixe. Só comem arroz, *dal*, verduras e legumes de preparo simples. Gógol lembra que teve de fazer a mesma coisa quando era mais novo, quando seus avós morreram, e que sua mãe gritou com ele um dia quando se esqueceu e comeu um hambúrguer na escola. Lembra que, na época, ficou incomodado com isso, irritado por ter que cumprir um ritual que não era seguido por mais ninguém que ele conhecia, em homenagem a pessoas que ele só tinha visto poucas vezes na vida. Lembra-se do pai sentado numa cadeira, de barba malfeita, olhando para o vazio atrás deles, sem falar com ninguém. Ele se lembra dessas refeições feitas em completo silêncio, com a televisão desligada. Agora, sentados juntos à mesa da cozinha às seis e meia toda noite, uma hora que mais parece meia-noite pela janela, com a cadeira do pai vazia, essa refeição sem carne é a única coisa que parece fazer sentido. Ninguém pensa em pular essa refeição; pelo contrário, durante dez noites, os três ficam estranhamente famintos, ávidos do sabor brando de seus pratos. É a única coisa que estrutura seus dias: o som da comida sendo aquecida no micro-ondas, três pratos tirados do armário, três copos enchidos. O resto — os telefonemas, as flores que estão por toda parte, as visitas, as horas que eles passam sentados juntos na sala de estar sem conseguir dizer uma palavra, isso não significa nada. Sem articular isso entre si, reconfortam-se com o fato de que é o único momento do dia em que eles estão sozinhos, isolados, como uma família; mesmo quando há visitas na casa, só eles três participam dessa refeição. E só enquanto ela dura é que a dor deles arrefece um pouco, com a ausência forçada de certos alimentos em seus pratos evocando, de algum modo, a presença do pai.

No décimo primeiro dia eles convidam os amigos para marcar o fim do período de luto. Uma cerimônia religiosa é realizada no chão, num canto da sala de estar; pede-se que Gógol sente-se em frente a uma foto do pai, enquanto um sacerdote canta versos em sânscrito. Antes da cerimônia eles tinham passado um dia inteiro procurando uma foto para emoldurar, olhado todos os álbuns. Mas quase não há fotos do pai sozinho, o pai que sempre estava atrás da lente. Eles decidem cortar uma das fotos, que mostrava ele e Ashima, anos antes, parados diante do mar. Ele está vestido como um homem da Nova Inglaterra, com uma parca e um cachecol. Sonia leva a foto à CVS para ampliação. Eles preparam uma refeição elaborada, com peixe e carne comprados numa manhã de frio cortante em Chinatown e Haymarket, cozidos do jeito preferido do pai, com muitas batatas e folhas frescas de coentro. Quando eles fecham os olhos, é como se fosse só mais uma festa, a casa cheirando a comida. Todos esses anos recebendo convidados os haviam preparado, de algum modo. Ashima se aflige, pois acha que vai faltar arroz; Gógol e Sonia pegam os casacos das pessoas e os guardam no andar de cima, na cama do quarto de hóspedes. Os amigos que seus pais fizeram ao longo de quase trinta anos estão presentes, para prestar suas condolências, carros de seis estados diferentes estacionados em toda a rua Pemberton.

Maxine vem de carro de Nova York, trazendo para Gógol as roupas que ele normalmente deixa na casa dela, seu laptop, sua correspondência. Os chefes dele lhe deram um mês de folga do trabalho. É quase um choque ver Maxine, apresentá-la a Sonia. Dessa vez ele não se importa com a aparência da casa aos olhos dela, com a pilha de sapatos dos convidados amontoados na entrada. Ele percebe que ela se sente inútil, um pouco excluída nessa casa cheia de bengalis. E, no entanto, ele não se dá ao trabalho de traduzir o que as pessoas estão falando, de apresentá-la para todo mundo, de ficar perto dela. "Lamento muito", ele a ouve dizer a sua mãe, sabendo que a morte de seu pai não afeta Maxine nem um pouco. "Vocês dois não podem ficar com a sua mãe para sempre", Maxine diz quando eles ficam sozinhos no quarto dele, sentados lado a lado na beirada da cama, depois da cerimônia. "Você sabe disso." Ela diz isso com delicadeza, põe a mão no rosto dele. Ele olha fixo para ela, pega a mão dela e a põe de volta no colo.

"Eu sinto sua falta, Nikhil."

Ele assente com a cabeça.

"E o Ano-Novo?", ela diz.

"Que tem o Ano-Novo?"

"Você ainda quer ir à New Hampshire?" Pois eles tinham conversado sobre isso, de viajar juntos, só eles dois; Maxine viria buscá-lo depois do Natal, e eles ficariam na casa do lago. Maxine ia ensiná-lo a esquiar.

"Acho que não."

"Talvez te fizesse bem", ela diz, inclinando a cabeça para um lado. Olha de relance para o cômodo à sua volta. "Para fugir disso tudo."

"Eu não quero fugir."

Nas semanas seguintes, enquanto as cercas vivas e as janelas de seus vizinhos são enfeitadas com pisca-piscas coloridos, enquanto pilhas de cartões de Natal chegam à casa, cada um deles assume uma tarefa que o pai normalmente fazia. De manhã, a mãe dele vai até a caixa de correio e traz o jornal. Sonia vai de carro ao centro para comprar comida para a semana. Gógol paga as contas, limpa a entrada com a pá quando neva. Em vez de pôr os cartões de Natal à mostra na lareira, Ashima olha os endereços dos remetentes e, sem abrir os envelopes, joga-os no lixo.

Cada pequena coisa parece uma enorme realização. A mãe passa horas ao telefone e pede para mudar todos os nomes na conta do banco, na hipoteca, nas contas a pagar. Não consegue estancar o fluxo de propagandas que continuarão chegando pelo correio durante anos, endereçadas ao marido. Nas tardes pálidas, sombrias, Gógol sai para correr. Às vezes vai de carro até a universidade, estaciona atrás do departamento do pai e corre pelas ruas do campus, pelo universo confinado e pitoresco que tinha sido o mundo do pai nos últimos vinte e cinco anos. Por último, nos fins de semana, eles começam a visitar as casas dos amigos dos pais que moram nos subúrbios ao redor. Gógol dirige na ida e Sonia, na volta. Nas casas dos amigos, a mãe conta a história de quando ligou para o hospital. "Ele entrou por causa de uma dor de estômago", ela diz toda vez; relata os detalhes daquela tarde, as faixas cor-de-rosa no céu, a pilha de cartões, a xícara de chá ao seu lado. A mãe relata isso de um jeito que Gógol não aguenta ouvir repetidas vezes, de um jeito que ele rapidamente passa a temer. Amigos sugerem que ela vá para a Índia, ver o irmão e os primos por um tempo. Mas pela primeira vez na vida, Ashima não tem vontade de fugir para Calcutá, não agora. Recusa-se a ficar tão longe do lugar onde o marido construiu sua vida, do país onde ele morreu. "Agora sei por que ele foi a Cleveland", ela diz às pessoas, recusando-se, mesmo após sua morte, a pronunciar o nome do marido. "Ele estava me ensinando a morar sozinha."

No começo de janeiro, depois dos feriados que eles não comemoram, nos primeiros dias de um ano que o pai não viveu para ver, Gógol embarca num trem e volta para Nova York. Sonia vai ficar com Ashima, está pensando em arranjar um apartamento em Boston ou Cambridge para poder ficar mais perto de casa. Elas vão até a estação despedir-se dele, ficam paradas na plataforma fria, a família reduzida; tentam, mas não conseguem ver Gógol, que acena para elas de trás do vidro fumê. Ele lembra que eles todos vinham se despedir toda vez que, no primeiro ano da faculdade, ele partia de volta a Yale. E embora, ao longo dos anos, suas partidas tenham se tornado corriqueiras, o pai sempre ficava parado na plataforma até o trem sumir de vista. Agora Gógol bate na janela com os nós dos dedos, mas o trem começa a se movimentar enquanto a mãe e Sonia ainda estão tentando localizá-lo.

O trem avança chacoalhando, balança de um lado para o outro, e a locomotiva faz um barulho de hélice de avião. O apito berra intermitentemente, num tom da escala menor. Ele senta do lado esquerdo do trem, com o sol de inverno forte em seu rosto. Há instruções, coladas no vidro, de como remover, em três passos, a janela no caso de uma emergência. A neve cobre o chão cor de palha. Árvores erguem-se feito lanças, folhas secas cor de cobre da última estação ainda estão presas a uns poucos galhos. Ele vê os fundos das casas de tijolo e madeira. Pequenos gramados com neve. Uma camada sólida de nuvens de inverno paira pouco acima do horizonte. A expectativa é de mais neve, possivelmente pesada, no começo da noite. Ele ouve uma jovem, em algum lugar do compartimento, falar com o namorado ao celular, rindo baixo. Fala de onde eles deveriam se encontrar para jantar assim que ela chegar à cidade. "Estou tão entediada", ela reclama. Gógol também chegará a Nova York a tempo do jantar. Maxine estará lá para recebê-lo na estação Penn, algo que nunca se deu ao trabalho de fazer no passado, esperando por ele sob a placa de chegadas e partidas.

A paisagem avança aos trancos, afasta-se, e o trem lança uma sombra passageira num trecho de prédios indistintos. Os trilhos lembram uma escada infinita que se estende para a frente, e não para cima, aferrados ao chão. Entre Westerly e Mystic, os trilhos são dispostos num ângulo inclinado, embutidos na terra oblíqua, de modo que o trem inteiro ameaça, muito de leve, capotar para o lado. Embora os outros passageiros raramente comentem isso, como fazem, por exemplo, quando a locomotiva muda em New Haven de diesel para energia elétrica com um tranco repentino, essa mudança momentânea nunca deixa de tirar Gógol de seu cochilo, do livro que está lendo, da conversa em que está entretido, ou do pensamento que tem na mente. O trem inclina-se para a esquerda, rumando sentido sul a Nova York, à direita quando está indo a Boston. Nesse breve período de perigo insinuado, ele pensa, sempre, naquele outro trem que nunca viu, aquele que quase matou seu pai. No desastre que lhe deu seu nome.

O trem se endireita, o ângulo inclinado fica para trás. Outra vez ele sente seu movimento na base das costas. Por alguns quilômetros, os trilhos abraçam o oceano, de modo que eles quase podem se tocar. Ele vê uma ponte de pedra, ilhas esparsas do tamanho de quartos, graciosas casas brancas e cinza com vistas agradáveis. Casas quadradas construídas sobre palafitas. Garças solitárias e cormorões empoleirados em estacas de madeira caiada. A marina está abarrotada de barcos com os mastros nus. É uma vista que seu pai teria apreciado, e Gógol se lembra das inúmeras vezes em que foi de carro com a família, em tardes frias de domingo, para o mar. Houve vezes em que estava tão frio que eles tinham simplesmente ficado dentro do carro, no estacionamento, olhando para a água, seus pais compartilhando o chá de uma garrafa térmica no banco da frente, com o motor ligado para mantê-los aquecidos. Uma vez eles tinham ido a Cape Cod, percorrendo esse trecho curvo de terra até não poderem mais seguir de carro. Ele e o pai tinham caminhado até a ponta, cruzando a arrebentação, uma faixa de pedras cinzentas oblíquas, gigantes, e depois sobre o último trecho estreito de areia, em forma de lua crescente. Sua mãe tinha parado depois de algumas pedras e ficado esperando junto com Sonia, que era pequena demais para ir com eles. "Não vão muito longe", a mãe advertira, "não vão aonde eu não possa ver vocês." As pernas dele começaram a doer na metade do caminho, porém o pai seguiu em frente, parando às vezes para dar o braço a Gógol, inclinando levemente o corpo quando ele se apoiava numa pedra. Enquanto ele estava sobre essas pedras, algumas delas espaçadas o suficiente para fazê-los parar e pensar no melhor jeito de alcançar a próxima, a água os cercava de ambos os lados. Era o começo do inverno. Patos nadavam nas poças de maré. As ondas fluíam em duas direções. "Ele é pequeno demais", a mãe gritou. "Você está ouvindo? Ele é pequeno demais para ir tão longe." Gógol parou nesse momento, pensando que talvez o pai fosse concordar. "O que você diz?", o pai perguntou, porém. "Você é pequeno demais? Não, acho que não."

No fim da arrebentação havia um campo de juncos amarelos à direita, dunas mais além e o oceano atrás de tudo aquilo. Ele estava esperando que o pai fosse voltar, porém eles tinham continuado, pisando na areia. Andaram ao longo da água para a esquerda, seguindo na direção do farol, e passaram por carcaças enferrujadas de barcos, espinhas de peixe grossas feito canos presas a crânios amarelos, uma gaivota morta cujo peito branco coberto de penas tinha manchas recentes de sangue. Eles começaram a recolher pedrinhas pretas desbotadas com listras brancas em volta, enfiando-as nos bolsos, o que os fez pender volumosos dos dois lados. Gógol se lembra das pegadas do pai na areia; por ele mancar, a ponta de seu sapato direito estava sempre virada para fora, o esquerdo apontado para a frente. As sombras deles dois naquele dia eram extraordinariamente delgadas e longas, inclinadas uma em direção à outra, com o sol do fim de tarde às suas costas. Eles pararam para observar uma boia de madeira rachada pintada de azul e branco, no formato de um antigo guarda-sol. A superfície estava envolta por finos fios de algas marrons e incrustada de cracas. O pai a havia levantado e examinado, apontando para um marisco vivo embaixo dela.

Por fim, eles chegaram junto ao farol, exaustos, cercados de água por três lados, azul-claro no porto, azul-celeste mais além. Aquecidos pelo esforço, abriram o zíper de seus casacos. O pai afastou-se para urinar. Ele ouviu o pai gritar — eles tinham deixado a câmera com a mãe dele. "Fizemos este caminho inteiro e não vamos tirar fotos", ele disse, balançando a cabeça. Ele enfiou a mão no bolso e começou a jogar as pedras listradas na água. "Vamos ter que lembrar, então." Eles olharam em volta, para a cidade cinzenta e branca que brilhava do outro lado do porto. Então deram início ao caminho de volta, tentando por um tempo não deixar novas pegadas, pisando nas que tinham acabado de fazer. Um vento começou a soprar tão forte que os obrigou a parar de vez em quando.

"Você vai se lembrar desse dia, Gógol?", o pai perguntou, virando-se para olhar para ele, com as mãos pressionadas feito aquecedores de ouvido, dos dois lados da cabeça.

"Por quanto tempo tenho que lembrar?"

Por cima do vento que subia e descia, ele escutou a risada do pai. Estava ali parado, esperando Gógol alcançá-lo, e estendeu uma das mãos quando Gógol se aproximou.

"Tente lembrar para sempre", ele disse quando Gógol chegou até ele, e o conduziu lentamente de volta, cruzando a arrebentação, até o lugar onde sua mãe e Sonia estavam esperando. "Lembre que você e eu fizemos esta jornada, que fomos juntos a um lugar de onde não havia mais lugar algum para ir."

8.

Um ano se passou desde a morte de seu pai. Ele ainda mora em Nova York, no apartamento alugado na avenida Amsterdam. Trabalha para a mesma firma. A única diferença significativa em sua vida, além da ausência permanente do pai, é a ausência adicional de Maxine. No começo ela foi paciente com ele, e por um tempo ele se permitiu entrar mais uma vez na vida dela, voltar para a casa dela depois do trabalho, para o mundo deles em que nada havia mudado. No início ela havia tolerado os silêncios dele à mesa de jantar, sua indiferença na cama e sua necessidade de falar com a mãe e Sonia toda noite e de visitá-las nos fins de semana sem ela. Contudo, não entendeu por que tinha sido excluída dos planos da família de viajar a Calcutá naquele verão, para ver os parentes deles e espalhar as cinzas de Ashoke no Ganges. Eles logo começaram a discutir isso e outras coisas, e Maxine chegou um dia a admitir que sentia ciúme da mãe e da irmã dele, uma acusação que pareceu tão absurda para Gógol que ele não teve mais energia para continuar discutindo. E então, poucos meses após a morte do pai, ele saiu da vida de Maxine de uma vez por todas. Recentemente, ao cruzar por acaso com Gerald e Lydia numa galeria, ficou sabendo que a filha deles estava noiva de outro homem.

Nos fins de semana ele pega o trem para Massachusetts, para a casa onde a foto do pai, aquela usada durante o funeral, está emoldurada e pendurada numa parede no corredor do andar de cima. No aniversário de morte do pai, e também no seu aniversário de nascimento, um dia que eles jamais comemoravam quando o pai era vivo, eles se reúnem diante da foto, colocam uma guirlanda de pétalas de rosa em volta da moldura, e ungem a testa do pai com pasta de sândalo através do vidro. É essa foto, mais que qualquer outra coisa, que faz Gógol continuar voltando à casa, e um dia, ao sair do banheiro para a cama e ver de relance o rosto sorridente do pai, ele se dá conta de que essa é a coisa mais próxima de um túmulo que o pai possui.

Suas visitas à casa agora são diferentes; muitas vezes é Sonia quem cozinha. Sonia ainda está morando lá com a mãe, instalada outra vez no quarto que ocupou quando era menina. Quatro dias por semana ela sai de casa às cinco e meia da manhã, toma um ônibus até um trem que a leva ao centro de Boston. Trabalha como assistente num escritório de advocacia e está se candidatando a faculdades de direito na região. É ela quem leva a mãe às festas de fim de semana e a Haymarket nas manhãs de sábado. A mãe emagreceu, seu cabelo está grisalho. A marca branca em sua testa, a imagem de seus pulsos nus, causam uma dor em Gógol sempre que ele a vê. Por Sonia ele fica sabendo como a mãe passa as noites, sozinha na cama, sem conseguir comer, assistindo televisão sem som. Certo fim de semana ele sugere ir a uma das praias onde o pai gostava de caminhar. No começo a mãe concorda, animada com a ideia, porém, no instante em que eles saem para o estacionamento cheio de vento, ela volta para dentro do carro, dizendo que vai ficar esperando.

Ele está se preparando para fazer seu exame de registro, a provação de dois dias que permitirá que ele se torne um arquiteto licenciado, que ele assine desenhos e projetos com o próprio nome. Ele estuda em seu apartamento e, de vez em quando, numa das bibliotecas da Columbia, aprendendo sobre aspectos práticos de sua profissão: eletricidade, materiais, forças laterais. Matricula-se num curso de revisão que o ajuda a se preparar para o exame. As aulas acontecem duas vezes por semana à noite, depois do trabalho. Ele gosta da passividade de estar sentado outra vez numa sala de aula, ouvindo um instrutor, alguém que lhe diz o que fazer. Lembra-se de quando era estudante, de um tempo em que o pai ainda era vivo. É uma classe pequena, e depois da aula vários deles logo saem para beber. Embora seja convidado a ir junto, Gógol sempre recusa. Então um dia, quando estão todos saindo da sala, uma das mulheres o aborda e diz: "Então, qual é sua desculpa?", e por não ter desculpa alguma, nessa noite ele vai junto. O nome da mulher é Bridget, e no bar ela senta ao lado dele. Ela tem uma beleza severa, cabelos castanhos extremamente curtos, o tipo de corte que seria um desastre na maioria das mulheres. Fala devagar, deliberadamente, sem pressa. Foi criada no sul, em New Orleans. Diz a ele que trabalha para uma firma pequena, uma equipe de marido e mulher sediada num prédio de tijolinhos marrons em Brooklyn Heights. Por um tempo eles falam dos projetos em que estão trabalhando, os arquitetos que ambos admiram: Gropius, Van der Rohe, Saarinen. Ela tem a idade dele, é casada. Vê o marido nos fins de semana; ele é professor numa faculdade em Boston. Ele pensa em seus pais naquela época, morando separados durante os últimos meses de vida do pai. "Isso deve ser difícil", ele diz a ela. "Às vezes é", ela diz. "Mas era isso ou uma vaga de adjunto em Nova York." Ela fala da casa que o marido aluga em Brookline, uma vasta construção em estilo vitoriano que custa menos da metade de seu apartamento de um quarto em Murray Hill. Diz que o marido insistiu em pôr o nome dela na caixa de correio, a voz dela na secretária eletrônica. Até insistiu em pendurar algumas coisas dela no guarda-roupa, deixar um batom no gabinete do banheiro. Ela diz a Gógol que seu marido se compraz com essas ilusões, é consolado por elas, enquanto ela as vê simplesmente como lembretes do que está faltando.

Nessa noite eles pegam um táxi juntos até o apartamento dele. Bridget pede licença para usar o banheiro e, quando volta, sua aliança não está mais no dedo. Quando os dois se deitam, ele é voraz; há muito tempo não faz amor. E, no entanto, nunca pensa em vê-la em nenhuma outra ocasião. No dia em que sai com seu guia da cidade de Nova York para explorar Roosevelt Island, não lhe ocorre convidá-la para ir junto. Só duas vezes por semana, nas noites da aula de revisão, é que ele anseia pela companhia dela. Eles não têm o telefone um do outro. Ele não sabe exatamente onde ela mora. Ela sempre vai com ele para o apartamento dele. Nunca dorme lá. Ele gosta das limitações. Nunca esteve numa situação com uma mulher em que houvesse tão pouco dele envolvido, tão poucas expectativas. Ele não sabe, e nem quer saber, o nome do marido dela. Então, certo fim de semana, quando está no trem para Massachusetts para ver sua mãe e Sonia, um trem indo em sentido contrário passa rente a sua janela, e ele se pergunta se o marido de Bridget está no outro trem, indo vê-la. De repente ele imagina a casa onde o marido de Bridget mora sozinho, com saudade dela, o nome da esposa infiel na caixa de correio, o batom dela ao lado de seus apetrechos de barbear. Só nesse momento ele sente culpa.

De quando em quando sua mãe lhe pergunta se ele tem uma namorada nova. Antigamente ela mencionava esse assunto num tom defensivo, mas agora está esperançosa, tacitamente preocupada. Até pergunta, certa vez, se é possível ajeitar as coisas com Maxine. Quando ele comenta que ela não gostava de Maxine, a mãe diz que a questão não é essa, a questão é ele tocar sua vida adiante. Ele se esforça para manter a calma durante essas conversas, para não acusá-la de estar se intrometendo, como teria feito em outra época. Quando lhe diz que ainda não tem nem trinta anos, ela responde que com essa idade já tinha comemorado seu décimo aniversário de casamento. Ele percebe, sem que alguém precise lhe dizer isso, que a morte do pai acelerou certas expectativas, que agora a mãe quer que ele se assente. O fato de estar solteiro não o preocupa, e, no entanto, ele está ciente do quanto isso perturba sua mãe. Ela faz questão de mencionar os noivados e casamentos dos bengalis com quem ele crescera em Massachusetts, e de seus primos na Índia. Menciona os netos que nascem.

Certo dia, quando ele está falando com a mãe por telefone, ela pergunta se ele estaria disposto a ligar para alguém. Ele a conheceu quando criança, sua mãe explica. O nome dela é Moushumi Mazoomdar. Gógol se lembra vagamente dela. Era filha de amigos de seus pais que tinham morado por um tempo em Massachusetts e depois se mudado para Nova Jersey, quando ele estava no colegial. Ela tem sotaque britânico. Sempre com um livro na mão nas festas. É só isso que ele se lembra dela — detalhes que não o atraem nem o repelem. Sua mãe diz que ela é um ano mais nova que ele, que tem um irmão muito mais novo, que seu pai é um químico famoso com uma patente em seu nome. Que ele chamava a mãe dela de Rina *Mashi*, o pai dela de Shubir *Mesho*. Os pais dela tinham vindo de carro de Nova Jersey ao funeral do pai dele, sua mãe diz, mas Gógol não se lembra deles ali. Moushumi mora atualmente em Nova York, é pós-graduanda na NYU. Devia ter se casado um ano antes, um casamento ao qual ele, sua mãe e Sonia tinham sido convidados, porém o noivo dela, um americano, desmanchara o noivado, muito depois de terem reservado o hotel, enviado os convites e listado os presentes. Os pais estão um pouco preocupados com ela. A mãe dela diz que um amigo lhe faria bem. Por que ele não liga para ela?

Quando sua mãe pergunta se ele tem uma caneta para anotar o telefone, ele mente, dizendo que sim, e não presta atenção quando ela lhe passa o número. Ele não tem intenção alguma de ligar para Moushumi; seu exame é logo em breve e, além disso, por mais que queira fazer a mãe feliz, ele se recusa a permitir que ela arranje um encontro para ele. Recusa-se a chegar a esse ponto. Da vez seguinte que ele passa o fim de semana em casa, a mãe menciona o assunto de novo. Dessa vez, por estarem no mesmo cômodo, ele anota o número, ainda sem intenção de telefonar. Porém a mãe insiste, lembrando-lhe, da vez seguinte em que eles se falam, que os pais dela tinham vindo ao funeral do pai dele, que isso era o mínimo que ele podia fazer. Um chá, uma conversa — ele não tinha tempo para isso?

Eles se encontram num bar em East Village, um lugar que Moushumi tinha sugerido quando eles conversaram ao telefone. É um espaço pequeno, escuro e silencioso, um único recinto quadrado com apenas três cabines encostadas na parede. Ela já está lá quando ele chega, sentada no balcão lendo um livro de bolso, e quando ela ergue o rosto das páginas, embora ela esteja esperando por ele, Gógol tem a sensação de estar interrompendo. Ela tem um rosto delgado, traços agradavelmente felinos, sobrancelhas escassas e retas. Seus olhos têm pálpebras pesadas com linhas grossas de lápis, à maneira de uma estrela de cinema dos anos 1960. Seus cabelos são repartidos no meio, amarrados num coque, e ela usa óculos de tartaruga estreitos e estilosos. Veste uma saia de lã cinza e um suéter azul fino que acompanham sugestivamente os contornos de seu corpo. Uma meia-calça preta opaca cobre suas panturrilhas. Há várias sacolas brancas de compras reunidas na base de seu banco. Ao telefone, ele não se dera ao trabalho de perguntar como ela era, assumindo que a reconheceria, mas agora não tem mais certeza.

"Moushumi?", ele diz, aproximando-se dela.

"Olá", ela diz, fechando o livro, e o cumprimenta com dois beijos no rosto. O livro tem uma capa simples cor marfim, o título em francês. Seu sotaque britânico, uma das poucas coisas que ele lembra nitidamente dela, desapareceu; ela soa tão americana quanto ele, com a voz baixa meio áspera que o surpreendera ao telefone. Ela já pediu um martíni com azeitonas. Ao lado do copo há um maço azul de Dunhill.

"Nikhil", ela diz quando ele senta no banco ao seu lado e pede um uísque *single malt*.

"Sim."

"Em vez de Gógol."

"Sim." Ele ficou incomodado, quando ligou para Moushumi, de ela não reconhecê-lo como Nikhil. Essa é a primeira vez que ele sai com uma mulher que o conheceu por aquele outro nome. Ao telefone, pareceu reservada, levemente desconfiada, assim como ele. A conversa foi breve e totalmente constrangedora. "Espero que você não se incomode por eu ligar", ele começou, depois de explicar para ela que mudara de nome. "Deixa eu conferir minha agenda", ela disse quando ele perguntou se ela estava livre no domingo à noite para beber alguma coisa, e então ele ouviu os passos dela estalando num piso nu de madeira.

Ela o examina por um instante, torcendo os lábios num gesto de brincadeira. "Se eu bem me lembro, meus pais me ensinaram a chamar você de Gógol *Dada*, já que você é um ano mais velho que eu."

Ele percebe o barman olhando de relance para eles, avaliando seu potencial. Sente o perfume de Moushumi, ligeiramente agressivo, que o faz pensar em musgo molhado e ameixas. O silêncio e a intimidade do recinto o desconcertam. "Não vamos ficar falando desse assunto."

Ela ri. "Vou fazer um brinde a isso", diz, levantando o copo. Depois acrescenta: "Eu nunca te chamei, é claro".

"Nunca me chamou do quê?"

"De Gógol *Dada*. Não me lembro de a gente ter conversado alguma vez, na verdade."

Ele toma um gole de seu uísque. "Eu também não."

"Então, é a primeira vez que faço isso", ela diz após uma pausa. Fala num tom corriqueiro e, no entanto, desvia o olhar.

Ele sabe ao que ela está se referindo. Apesar disso, pergunta: "Isso o quê?".

"Sair num encontro com um desconhecido, arranjado pela minha mãe."

"Bom, eu não sou exatamente um desconhecido", ele diz.

"Não?"

"Nós já nos conhecemos, de certo modo."

Ela encolhe os ombros e dá um sorriso breve, como se ainda não estivesse convencida. Seus dentes são muito juntos, não totalmente retos. "Acho que sim. Acho que nos conhecemos."

Juntos, os dois observam o barman colocar um CD no aparelho instalado na parede. Um jazz. Ele fica grato pela distração.

"Fiquei triste quando soube do seu pai", ela diz.

Embora sua compaixão pareça legítima, ele se pergunta se ela ao menos se lembra do pai dele. É tentado a perguntar isso, mas apenas assente com a cabeça. "Obrigado", diz, sempre a única coisa que consegue responder.

"Como sua mãe tem passado?"

"Está bem, acho."

"Ela está se virando bem sozinha?"

"A Sonia está morando com ela agora."

"Ah. Que bom. Isso deve ser um alívio para você." Ela pega o Dunhill, abre o maço e retira o papel-alumínio dourado. Depois de oferecer-lhe um, pega a cartela de fósforos que está dentro de um cinzeiro no balcão e acende um cigarro para si. "Vocês ainda moram naquela mesma casa aonde eu ia?", ela pergunta.

"Ahã."

"Eu me lembro dela."

"Lembra?"

"Lembro que a entrada ficava à direita da casa, olhando de frente. Tinha um caminho de pedra que cruzava o gramado."

O fato de ela conseguir se lembrar desses detalhes com tanta precisão é ao mesmo tempo surpreendente e enternecedor. "Uau. Estou impressionado."

"Também lembro que assistia bastante televisão num quarto coberto com um carpete marrom-dourado supergrosso."

Ele resmunga. "Ainda é assim."

Ela pede desculpas por não ter comparecido ao funeral, estava em Paris nessa época. Foi ali que ela morou depois de se formar na Brown, explica. Agora ela está fazendo um doutorado em literatura francesa na NYU. Mora na cidade há quase dois anos. Passou o verão anterior num emprego temporário, trabalhando por dois meses na administração de um hotel caro em *midtown*. Seu trabalho era ler e arquivar todos os questionários de satisfação deixados pelos hóspedes, fazer cópias, distribuí-las para as pessoas destinadas. Essa simples tarefa ocupava todo o seu dia. Ela ficava espantada com a energia que as pessoas dedicavam aos questionários. Reclamavam que os travesseiros eram duros demais ou macios demais, ou que não havia espaço suficiente em volta da pia para seus artigos de higiene, ou que a colcha tinha um fio solto. A maioria das pessoas nem estava pagando pelos quartos. Estavam em convenções, com todas as despesas cobertas. Uma pessoa havia reclamado que uma gravura de arquitetura em cima da escrivaninha tinha um grão de poeira visível embaixo do vidro.

Ele acha graça na anedota. "Esse poderia ter sido eu", especula.

Ela dá risada.

"Por que você trocou Paris por Nova York?", ele pergunta. "Imaginei que você fosse preferir estudar literatura francesa na França."

"Eu me mudei para cá por amor", ela diz. Sua franqueza o surpreende. "Com certeza você já sabe do meu desastre pré-nupcial."

"Na verdade, não", ele mente.

"Bom, deveria saber." Ela balança a cabeça. "Todos os outros bengalis que moram na Costa Leste já sabem." Ela fala num tom de descaso, mas ele detecta certo amargor em sua voz. "Pensando bem, tenho quase certeza de que você e sua família foram convidados para o casamento."

"Quando foi a última vez que a gente se viu?", ele diz, num esforço para mudar de assunto.

"Me corrija se eu estiver enganada, mas acho que foi na sua festa de formatura do colegial."

Ele se recorda de um espaço muito iluminado no porão de uma igreja que os pais dele e seus amigos às vezes alugavam para festas especialmente grandes. Era onde normalmente aconteciam as aulas de catecismo aos domingos. Nos corredores havia penduricalhos de feltro, frases sobre Jesus. Ele se lembra das mesas dobráveis, grandes e compridas, que ajudou seu pai a armar, das lousas nas paredes, de Sonia de pé numa cadeira, escrevendo "Parabéns".

"Você estava lá?"

Ela faz que sim com a cabeça. "Foi logo antes de a gente se mudar para Nova Jersey. Você estava com os seus amigos americanos do colegial. Alguns dos seus professores estavam lá. Você parecia meio constrangido com tudo aquilo."

Ele balança a cabeça. "Não me lembro de você lá. Eu falei com você?"

"Você me ignorou completamente. Mas isso não importa." Ela sorri. "Tenho certeza de que levei um livro."

Eles tomam uma segunda rodada. O bar está começando a encher, pequenos grupos ocupam cada uma das cabines, há pessoas sentadas à direita e à esquerda deles. Entra um grupo grande, e agora há clientes parados atrás deles pedindo bebidas. Quando ele chegou, ficou incomodado com a falta de pessoas, de barulho, sentindo-se muito à mostra, mas agora a lotação o incomoda ainda mais.

"Está ficando meio tumultuado aqui", ele diz.

"Geralmente não é assim aos domingos. Vamos embora?"

Ele pensa. "Talvez."

Eles pedem a conta, saem juntos para a noite fria de outubro. Ao olhar seu relógio de pulso, ele vê que não se passou nem uma hora.

"Em que direção você está indo?", ela pergunta de um jeito que o faz perceber que ela assume que o encontro terminou.

Ele não tinha planejado levá-la para jantar. Pretendia voltar ao seu apartamento depois do bar, estudar e pedir comida chinesa. Mas agora se pega dizendo que está pensando em comer alguma coisa, será que ela queria ir junto?

"Eu gostaria", ela diz.

Nenhum deles consegue pensar num lugar para ir, por isso eles decidem andar um pouco. Ele se oferece para carregar suas compras e, embora as sacolas não pesem nada, ela aceita, diz que tinha ido a uma liquidação de peças de mostruário no SoHo pouco antes de eles se encontrarem. Eles param em frente a um pequeno restaurante aparentemente recém-inaugurado. Examinam o cardápio escrito à mão, grudado na vitrine com fita adesiva, e o artigo que saiu alguns dias antes no *Times*. Ele se distrai com o reflexo dela no vidro, uma versão mais severa de si mesma, por algum motivo mais impactante.

"Vamos experimentar?", ele pergunta, dando um passo para trás e abrindo a porta para ela. Do lado de dentro, as paredes são pintadas de vermelho. Eles estão cercados por velhos cartazes de propaganda de vinhos, placas de rua e fotos de Paris dispostos acima de um trilho usado para pendurar quadros.

"Este lugar deve parecer meio bobo para você", ele reconhece, vendo-a percorrer as paredes com os olhos.

Ela faz que não com a cabeça. "É bem autêntico, na verdade."

Ela pede uma taça de champanhe e estuda cuidadosamente a carta de vinhos. Ele pede outro *single malt*, mas lhe dizem que só tem cerveja e vinho.

"Vamos pedir uma garrafa?", ela diz, entregando-lhe a carta.

"Você escolhe."

Ela pede uma salada, uma *bouillabaisse* e uma garrafa de Sancerre. Ele pede um *cassoulet*. Ela não fala francês com o garçom, que é francês, porém, o jeito como pronuncia os nomes no cardápio deixa claro que ela é fluente. Isso o impressiona. Além de bengali, ele nunca fez questão de aprender outra língua direito. A refeição passa depressa. Ele fala de seu trabalho, dos projetos em que está envolvido, do exame que fará em breve. Eles comentam os pratos um do outro, trocando porções em seus pratinhos de pão. Pedem café expresso e dividem um *crème brûlée*, suas duas colheres de chá rompendo dos dois lados a superfície dura cor de âmbar.

Ela se oferece para pagar sua parte quando chega a conta, assim como fez no bar, mas dessa vez ele insiste em pagar. Caminha com ela até seu apartamento, que fica num quarteirão residencial malcuidado porém bonito, perto do bar onde eles tinham se encontrado. O prédio dela tem uma escadaria podre na entrada, uma fachada cor de terracota com uma cimalha verde cafona. Ela agradece o jantar, diz que se divertiu muito. Outra vez o beija nas duas bochechas, depois começa a procurar as chaves na bolsa.

"Não esqueça isto." Ele lhe dá as sacolas de compras e fica olhando enquanto ela as pendura no pulso. Agora que está sem elas, Gógol se sente meio constrangido, sem saber o que fazer com as mãos. Está desidratado pelo álcool que consumiu. "Então, será que a gente devia se ver de novo para deixar nossos pais contentes?"

Ela olha para ele, estudando atentamente seu rosto. "Talvez." Seus olhos se perdem num carro que passa na rua, os faróis iluminando seus corpos por um breve instante, mas então o olhar dela volta para o rosto dele. Ela sorri para ele, fazendo que sim com a cabeça. "Me liga."

Ele a observa subir rapidamente os degraus da entrada com as compras, os saltos suspensos sobre os degraus de um jeito que parece instável. Ela se vira por um breve instante para acenar para ele e então passa por uma segunda porta de vidro, sem esperar para vê-lo acenar de volta. Por mais um minuto ele fica ali, parado, olhando a porta abrir-se de novo e um morador sair para depositar algo numa das latas de lixo embaixo da escada. Gógol olha para o prédio, imaginando qual dos apartamentos seria o dela, e aguarda para ver se uma luz se acenderá numa das janelas.

Ele não esperava que fosse se divertir nem sentir a mínima atração por ela. Acontece que não existe um termo para a relação que eles tinham antes. Seus pais eram amigos, não eles. Ela é uma conhecida da família, mas não é parente. O contato deles até essa noite tinha sido artificial, imposto, algo parecido com a relação dele com os primos na Índia, mas sem a justificativa dos laços de sangue. Até eles se encontrarem essa noite, ele nunca a tinha visto fora do contexto da família dela, ou ela, da família dele. Ele chega à conclusão de que é justamente o fato de ela lhe ser familiar que o deixa curioso a seu respeito, e enquanto começa a andar rumo a oeste, para o metrô, ele se pergunta quando irá revê-la. Quando chega à Broadway ele muda de ideia e toma um táxi. A decisão lhe parece caprichosa, pois não está especialmente tarde, nem frio, nem chovendo, e ele tampouco está com pressa de chegar em casa. Mas tem de repente uma ânsia de estar só, de estar totalmente passivo, de revisitar a noite sozinho. O taxista é de Bangladesh; o nome na matrícula do carro colada no acrílico atrás do banco do motorista diz Mustafa Sayeed. Ele está falando em bengali ao celular, reclamando do trânsito na FDR, de passageiros difíceis, enquanto eles rumam para longe do centro, passando pelas lojas e restaurantes fechados na Oitava Avenida. Se seus pais estivessem no táxi, teriam puxado conversa com o motorista, perguntando de que parte de Bangladesh ele vinha, há quanto tempo estava no país, se a mulher e os filhos moravam aqui ou lá. Gógol fica sentado em silêncio, como se fosse outro passageiro qualquer, perdido em suas próprias reflexões, pensando em Moushumi. Mas quando eles se aproximam do seu apartamento, ele se curva na direção do acrílico e diz ao taxista, em bengali: "É aquela ali, do lado direito".

O taxista se vira, surpreso, e sorri. "Não tinha percebido", diz.

"Tudo bem", diz Gógol, pegando a carteira. Dá ao taxista uma gorjeta generosa e sai do carro.

Nos dias seguintes, ele começa a se lembrar de coisas sobre Moushumi, imagens que lhe vêm sem aviso quando ele está sentado em sua mesa no trabalho, ou durante uma reunião, ou caindo no sono, ou de manhã, parado embaixo do chuveiro. São cenas que ele carregou consigo, enterradas porém intactas, cenas em que ele nunca pensou nem teve motivo para evocar até agora. Sente-se grato a sua mente por ter retido essas imagens dela, contente consigo mesmo, como se tivesse acabado de descobrir um talento inato para um esporte ou um jogo que nunca jogou. Lembra-se dela principalmente nos *pujos* que frequentava todo ano, duas vezes por ano, com sua família, onde ela vestia um sári cuidadosamente preso com alfinetes em cima do ombro. Sonia tinha que fazer o mesmo, mas sempre tirava o sári depois de uma ou duas horas e vestia sua calça jeans, enfiando o sári num saco plástico que pedia a Gógol ou ao pai para guardar no carro. Ele não se lembra de Moushumi ter acompanhado nenhuma vez os outros adolescentes até o McDonald's do outro lado da rua, em frente ao prédio em Watertown onde os *pujos* muitas vezes aconteciam, nem de ter acabado sentada no carro de alguém no estacionamento, ouvindo rádio e bebendo cerveja de lata. Ele se esforça, mas não consegue se lembrar da presença dela na rua Pemberton; ainda assim, sente um prazer secreto por ela ter visto aqueles cômodos, saboreado a comida da mãe dele, lavado as mãos no banheiro, por mais que tenha sido há muito tempo.

Ele se lembra de ter ido uma vez a uma festa de Natal na casa dos pais dela. Ele e Sonia não queriam ir; o Natal supostamente era para se passar só com a família. Mas os pais deles haviam respondido que, nos Estados Unidos, os amigos bengalis eram o mais próximo que eles tinham de uma família, e por isso eles foram a Bedford, onde os Mazoomdar moravam. A mãe dela, Rina *Mashi*, serviu bolo frio e *donuts* congelados aquecidos que murchavam ao toque. Seu irmão, Samrat, agora no terceiro ano do colegial, era um menino de quatro anos obcecado pelo Homem-Aranha. Rina *Mashi* tivera um trabalho enorme para organizar uma troca de presentes anônima. Pediu-se que cada família levasse tantos presentes quantos membros tivesse, para que houvesse algo para todo mundo abrir. Alguém pediu a Gógol que escrevesse números em quadrados de papel, um conjunto para grudar nos presentes e outro para os convidados passarem de mão em mão, dobrados numa bolsinha de pano. Todos se reuniram num único cômodo, passando apertados pelas duas portas. Ele se lembra de estar sentado na sala deles, ouvindo, com todos os outros convidados, Moushumi tocar alguma coisa no piano. Na parede acima dela havia uma reprodução emoldurada da menina do regador verde de Renoir. Após uma longa deliberação, justamente quando as pessoas estavam começando a ficar irrequietas, ela tocou uma peça curta de Mozart, adaptada para crianças, porém os convidados queriam que ela tocasse "Jingle Bells". Ela fez um gesto de recusa com a cabeça, mas sua mãe disse: "Ah, a Moushumi só está tímida, ela sabe muito bem tocar 'Jingle Bells'". Por um instante ela olhou feio para a mãe, mas depois tocou a música, várias vezes, sentada de costas para a sala, enquanto os números eram anunciados e as pessoas retiravam seus presentes.

Uma semana depois eles se encontram para almoçar. É no meio da semana e ela se oferece para encontrá-lo em algum lugar perto do seu escritório, por isso ele falou para ela vir até o prédio onde ele trabalha. Quando o recepcionista lhe diz que ela está esperando no saguão, ele sente a ansiedade crescer em seu peito; passou a manhã inteira sem conseguir se concentrar no desenho do projeto. Leva alguns minutos para mostrar-lhe o lugar: aponta fotos dos projetos em que trabalhou, apresenta-a para um dos projetistas-chefes, mostra-lhe a sala onde os sócios se reúnem. Seus colegas na sala de desenho erguem o olhar quando ela passa. É começo de novembro, um dia em que a temperatura caiu de repente, trazendo o primeiro frio verdadeiro do ano. Do lado de fora, pedestres despreparados passam apressados e infelizes, com os braços cruzados na frente do peito. Folhas caídas, pisoteadas e desbotadas arrastam-se em pequenos redemoinhos na calçada. Gógol não tem chapéu nem luvas e, enquanto eles andam, põe as mãos nos bolsos do paletó. Moushumi, por sua vez, está invejavelmente protegida, bem à vontade no frio. Veste um casaco de lã azul-marinho, um cachecol preto de lã, botas pretas compridas com zíperes laterais.

Gógol a leva a um restaurante italiano aonde vai de vez em quando com as pessoas do trabalho, para comemorar aniversários, promoções e projetos bem-feitos. A entrada fica poucos degraus abaixo do nível da rua e as janelas são protegidas por cortinas rendadas. O garçom o reconhece, sorri. Eles são conduzidos a uma pequena mesa nos fundos, em vez da mesa comprida no centro onde ele geralmente se senta. Gógol vê que ela está usando um tailleur cinza de tecido rústico por baixo do casaco, com botões grandes no paletó e uma saia em formato de sino que vai quase até os joelhos.

"Dei aula hoje", explica Moushumi, sabendo que ele está olhando para ela. Diz que prefere dar aula vestindo tailleur, já que os alunos são só uma década mais novos do que ela. Sem isso ela não tem a sensação de autoridade. Ele de repente inveja os alunos dela, que a veem sem falta, três vezes por semana, imagina-os reunidos em volta de uma mesa, olhando-a o tempo todo enquanto ela escreve na lousa.

"As massas geralmente são muito boas aqui", ele diz quando o garçom lhes entrega os cardápios.

"Toma uma taça de vinho comigo?", ela diz. "Estou livre por hoje."

"Sorte sua. Tenho uma reunião estressante logo depois."

Ela olha para ele, fechando o cardápio. "Mais um motivo para beber um pouco", comenta num tom alegre.

"Verdade", ele admite.

"Duas taças do *merlot*", ele diz quando o garçom volta. Ela pede a mesma coisa que ele, ravióli de *porcini* e uma salada de rúcula e peras. Ele fica nervoso, achando que ela vai se decepcionar com a escolha, mas quando a comida chega ela olha para o prato com aprovação, e come com entusiasmo, rapidamente, aproveitando os restos de molho com o pão. Enquanto eles bebem o vinho e almoçam, ele admira a luz no rosto dela, os pelos muito claros que brilham nos contornos de sua bochecha. Ela fala de seus alunos, do tema da tese que pretende escrever, de poetas francófonos argelinos do século XX. Ele lhe conta o que lembrou da festa de Natal, de quando ela fora obrigada a tocar "Jingle Bells".

"Você se lembra dessa noite?", ele pergunta, na esperança de que sim.

"Não. Minha mãe sempre me obrigava a fazer esse tipo de coisa."

"Você ainda toca?"

Ela faz que não com a cabeça. "Nunca quis aprender, nem no começo. Minha mãe tinha essa fantasia. Uma entre muitas. Acho que ela está fazendo aulas de piano agora."

O salão está silencioso outra vez, os clientes do almoço vieram e foram embora. Ele olha em volta procurando o garçom, faz sinal para pedir a conta, desconsolado com o fato de que os pratos deles estão vazios, de que a hora passou.

"Ela é sua irmã, *signore*?", o garçom pergunta ao colocar a conta entre eles, olhando para Moushumi e de novo para Gógol.

"Ah, não", diz Gógol, balançando a cabeça e dando risada, ao mesmo tempo insultado e estranhamente instigado. De certo modo, ele percebe, é verdade: eles têm a mesma cor de pele, as mesmas sobrancelhas retas, os corpos compridos, delgados, as maçãs do rosto altas e o cabelo escuro.

"Tem certeza?", o garçom insiste.

"Absoluta", diz Gógol.

"Mas poderia ser", diz o garçom. "*Sì*, *sì*, a semelhança é muito grande."

"Você acha?", diz Moushumi. Ela parece não se incomodar com a comparação, lançando um olhar cômico de viés para Gógol. E, no entanto, ele nota que as bochechas dela estão um pouco coradas, ele não sabe se por causa do vinho ou por constrangimento.

"Engraçado ele ter falado isso", ela diz depois que eles saem para o frio da rua.

"Como assim?"

"Bom, é engraçado pensar que, a vida toda, nossos pais nos criaram de acordo com a ilusão de que éramos primos, de que todos nós fazíamos parte de uma grande família bengali improvisada, e agora cá estamos nós, anos depois, e alguém realmente acha que somos parentes."

Ele não sabe o que dizer. O comentário do garçom o deixou um pouco desnorteado, fazendo sua atração por Moushumi parecer ligeiramente ilícita.

"Suas roupas não são quentes o bastante", ela observa, enrolando o cachecol de lã bem firme no pescoço.

"Meu apartamento é tão quente o tempo todo", ele diz. "Acabaram de ligar o aquecimento. Por algum motivo minha mente nunca assimila o fato de que não vai estar a mesma temperatura do lado de fora."

"Você não consulta o jornal?"

"Eu compro a caminho do trabalho."

"Sempre confiro a previsão por telefone quando saio de casa", diz Moushumi.

"Você está brincando." Ele olha fixo para ela, surpreso que ela seja realmente o tipo de pessoa que chega a esse ponto. "Por favor, me diga que você está brincando."

Ela ri. "Não admito isso para mais ninguém, sabe?" Termina de ajeitar o cachecol e então, sem tirar as mãos dele, diz: "Por que você não pega isto emprestado?", pergunta e começa a desenrolá-lo outra vez.

"Por favor, estou bem." Ele põe a mão na garganta, no nó de sua gravata.

"Certeza?"

Ele faz que sim com a cabeça, meio tentado a aceitar, a sentir o cachecol dela roçando em sua pele.

"Bem, você precisa, no mínimo, de um chapéu", ela diz. "Conheço um lugar aqui perto. Você precisa voltar ao trabalho imediatamente?"

Ela o leva até uma pequena butique na Madison. A vitrine está abarrotada de chapéus femininos expostos em cabeças cinza sem rosto, com pescoços oblíquos de quase trinta centímetros de comprimento.

"Eles têm coisas para homens no fundo", ela diz. A loja está lotada de mulheres. O fundo está relativamente tranquilo, pilhas de chapéus de feltro e boinas dispostas em prateleiras curvas de madeira. Ele pega um chapéu de pele, uma cartola, experimentando-os de brincadeira. A taça de vinho o deixou meio zonzo. Moushumi começa a fuçar numa cesta.

"Isto deve ser quente", ela diz, pondo os dedos dentro de um gorro azul-marinho com listras amarelas na aba. Estica o gorro com os dedos. "O que você acha?" Coloca-o na cabeça dele, tocando em seus cabelos, sua pele. Sorri, apontando para o espelho. Ela o observa enquanto ele se examina.

Ele nota que ela está olhando para ele, e não para o seu reflexo. Imagina como será o rosto dela sem os óculos, quando seus cabelos estão soltos. Imagina como seria beijá-la na boca. "Eu gosto", ele diz. "Vou levar."

Ela tira o gorro da cabeça dele depressa, desarrumando seus cabelos.

"O que você está fazendo?"

"Quero comprá-lo para você."

"Você não precisa fazer isso."

"Eu quero", ela diz, já andando em direção ao caixa. "A ideia foi minha, de qualquer modo. Você estava muito contente morrendo de frio."

No caixa, a balconista percebe que Moushumi está de olho num chapéu marrom de lã e veludo decorado com penas. "É uma peça magnífica", a balconista diz, retirando-o cuidadosamente do busto. "Feita à mão por uma mulher na Espanha. Não existem dois iguais. Você gostaria de experimentar?"

Moushumi coloca o chapéu na cabeça. Uma cliente a elogia. A balconista também. "Poucas mulheres têm cacife para usar um chapéu desses."

Moushumi fica corada, olha para a etiqueta de preço pendurada por um fio num dos lados do seu rosto. "Infelizmente está além do meu orçamento hoje", ela diz.

A balconista recoloca o chapéu na estante. "Bem, agora você já sabe o que comprar no aniversário dela", diz, olhando para Gógol.

Ele veste o gorro novo e os dois saem da loja. Gógol está atrasado para sua reunião. Se não fosse por isso, ficaria tentado a continuar com ela, a andar pelas ruas ao seu lado ou desaparecer com ela no escuro de um cinema. O dia esfriou ainda mais, o vento ficou mais forte, o sol é uma mancha branca no céu. Ela o acompanha a pé até o escritório. Pelo resto do dia, durante toda a reunião e depois disso, enquanto se esforça para voltar a trabalhar, ele pensa nela. Quando sai do escritório, em vez de andar até o metrô, refaz o trajeto que eles tinham percorrido juntos mais cedo, passando pelo restaurante onde agora há pessoas jantando, e acha o caminho da loja de chapéus, ficando mais animado ao vê-la. São quase oito horas, está escuro do lado de fora. Ele imagina que a loja estará fechada, fica surpreso ao ver as luzes ainda acesas lá dentro, a grade não totalmente baixada. Examina os chapéus na vitrine e seu reflexo no vidro, usando o gorro que ela comprou para ele. Por fim ele entra. É o único cliente; ouve o som de um aspirador de pó ligado no fundo da loja.

"Eu sabia que você ia voltar", diz a vendedora assim que ele cruza a porta. Ela tira o chapéu marrom de veludo da cabeça de isopor sem que ele precise pedir. "Ele esteve aqui hoje mais cedo com a namorada", ela explica a sua assistente. "Quer que eu embrulhe para você?"

"Seria ótimo." Gógol fica atiçado ao ouvir alguém referir-se a ele desse jeito. Assiste enquanto o chapéu é colocado numa caixa redonda cor de chocolate, amarrada com uma fita grossa creme. Ele se dá conta de que não perguntou o preço, mas sem pensar duas vezes assina o recibo de duzentos dólares. Volta com o chapéu ao seu apartamento, e esconde-o no fundo do armário, embora Moushumi jamais tenha estado ali. Quer dá-lo para ela de presente de aniversário, apesar de não fazer ideia da data.

E, no entanto, ele tem a impressão de que esteve presente em alguns dos aniversários dela, e ela nos dele. No fim de semana, na casa dos pais, Gógol confirma sua suspeita; à noite, depois que sua mãe e Sonia foram deitar, ele a procura nos álbuns de fotos que a mãe foi juntando ao longo dos anos. Moushumi está lá, esperando na fila, atrás de um bolo cheio de velas na sala de jantar dos pais dele. Está olhando em outra direção, com um chapéu pontudo de papel na cabeça. Gógol olha direto para a lente, com a faca na mão, a postos sobre o bolo fazendo pose para a câmera, seu rosto brilhando de adolescência iminente. Ele tenta descolar a imagem da página amarela grudenta, para mostrar a ela da próxima vez que a vir; porém, a foto adere com teimosia, recusando-se a destacar-se assim tão facilmente do passado.

No fim de semana seguinte ela o convida para jantar na sua casa. Precisa descer para deixá-lo entrar no prédio; o interfone está quebrado, como ela lhe advertiu quando eles combinaram de se encontrar.

"Que gorro bonito", ela diz. Ela usa um vestido preto sem manga amarrado nas costas. Suas pernas estão descobertas, seus pés são finos, as unhas dos dedos dos pés, expostas na ponta das sandálias, estão pintadas de grená. Alguns fios de cabelo se soltaram do seu coque. Ela segura meio cigarro entre os dedos, porém, pouco antes de se curvar para beijá-lo no rosto, ela o deixa cair e o esmaga com a ponta da sandália. Conduz Gógol pela escada até um apartamento no terceiro andar. Deixou a porta aberta. O apartamento tem um cheiro forte de comida; no fogão, alguns pedaços grandes de frango estão dourando numa frigideira cheia de óleo. Há música tocando, um homem cantando em francês. Gógol lhe dá um buquê de girassóis cujos caules enormes pesam mais em seus braços do que a garrafa de vinho que ele também trouxe. Ela não sabe onde colocar as flores; as bancadas da cozinha, que já não são muito grandes, estão abarrotadas com pistas da refeição que ela está preparando: cebolas e cogumelos, farinha, uma barra de manteiga amolecendo depressa no calor, uma taça de vinho que ela está bebendo aos poucos, sacolas plásticas de compras que ela não teve tempo de guardar.

"Eu deveria ter trazido algo mais simples", ele diz enquanto ela olha em volta na cozinha, com as flores apoiadas no ombro, como se estivesse esperando uma superfície ser liberada por um milagre.

"Faz semanas que estou querendo comprar uns girassóis", ela diz. Olha de relance para a frigideira no fogão e o leva da cozinha até a sala de estar. Desembrulha as flores. "Tem um vaso ali em cima", ela diz, apontando para o topo de uma estante de livros. "Você pode pegar para mim?"

Ela carrega o vaso até o banheiro, e ele ouve a água correndo na banheira. Gógol aproveita a oportunidade para tirar o casaco e o gorro e pendurá-los no encosto do sofá. Está vestido com esmero, uma camisa italiana com listras azuis e brancas que Sonia comprou para ele na Filene's Basement, um jeans preto. Ela volta e enche o vaso com as flores, colocando-o na mesa de centro. O apartamento é melhor do que ele estava esperando, dado o aspecto sujo do saguão. Os pisos foram renovados, as paredes recém-pintadas, o teto tem luminárias dispostas num trilho. A sala de estar tem uma mesa quadrada num dos cantos e um arquivo e uma escrivaninha, em outro. Há três estantes de madeira compensada encostadas em uma das paredes. Na mesa há um moedor de pimenta, um saleiro, tangerinas brilhantes, de casca clara, dispostas numa fruteira. Ele identifica versões de coisas que conhece de sua própria casa: um tapete de caxemira bordado no chão, almofadas de seda *rajasthani* no sofá, um *natraj* de ferro fundido numa das estantes de livros.

Quando volta à cozinha, ela serve azeitonas e queijo de cabra coberto com cinzas e pimenta. Entrega-lhe um saca-rolhas e pede que abra a garrafa que trouxe, que sirva uma taça para si. Passa mais pedaços de frango num prato de farinha. A frigideira cospe fazendo um barulho forte e respinga de óleo a parede atrás do fogão. Ele fica ali parado enquanto ela consulta um livro de receitas de Julia Child. Impressiona-se com essa produção toda acontecendo em seu proveito. Apesar das refeições que eles já fizeram juntos, fica nervoso com a ideia de comer com ela.

"Quando você quer comer?", ela pergunta. "Está com fome?"

"Quando você quiser. O que está preparando?"

Ela lança para ele um olhar de dúvida. "*Coq au vin*. Nunca fiz antes. Acabo de descobrir que supostamente deve ser preparado com vinte e quatro horas de antecedência. Infelizmente estou um pouquinho atrasada."

Ele dá de ombros. "O cheiro já está ótimo. Eu te ajudo." Ele arregaça as mangas. "O que posso fazer?"

"Vamos ver", ela diz, lendo. "Ah. Certo. Você pode pegar essas cebolas, fazer um X na parte de baixo com uma faca e jogá-las naquela frigideira."

"Junto com o frango?"

"Não. Droga." Ela se ajoelha e tira uma panela de um dos armarinhos de baixo. "Aqui dentro. Elas precisam cozinhar por um minuto e depois você tira."

Ele faz o que ela mandou, enche a panela de água e acende a chama. Acha uma faca e faz cortes rasos nas cebolas, como aprendeu a fazer uma vez com couves-de-bruxelas na cozinha dos Ratliff. Observa-a medir o vinho e a massa de tomate que irão para a frigideira que contém o frango. Ela procura no armarinho um porta-tempero de aço inox e joga uma folha de louro.

"É claro que minha mãe ficou chocada quando soube que eu não ia fazer comida indiana para você", ela diz, examinando o conteúdo da frigideira.

"Você contou para ela que eu vinha?"

"Ela por acaso telefonou hoje." Então lhe pergunta: "E você? Tem deixado sua mãe a par?".

"Não tenho feito muito esforço. Mas ela provavelmente desconfia de alguma coisa, já que hoje é sábado e não estou em casa com ela e com a Sonia."

Moushumi se debruça sobre a frigideira, observa a comida que começa a ferventar e cutuca os pedaços de frango com uma colher de pau. Olha outra vez a receita. "Acho que preciso acrescentar mais líquido", diz, despejando água de uma chaleira na frigideira, o que deixa seus óculos embaçados. "Não estou enxergando." Ela ri, dando um passo para o lado, e fica um pouco mais perto dele. O CD terminou e o apartamento está em silêncio, exceto pelos barulhos no fogão. Ela se vira para ele, ainda rindo, com os olhos ainda embaçados. Levanta as mãos, sujas de comida, cobertas de farinha e gordura de frango. "Você pode tirá-los para mim?"

Com as duas mãos ele retira os óculos do rosto dela, segurando a armação pelos pontos que encostam nas têmporas. Ele os coloca na bancada. E então inclina-se e dá um beijo nela. Toca com os dedos seus braços nus, meio frios apesar do calor da cozinha. Puxa--a mais para perto, com a mão em seu cóccix, sentindo o nó de seu vestido, provando o sabor quente, levemente ácido, de sua boca. Eles atravessam a sala de estar e entram no quarto. Ele vê uma cama box sem cabeceira e um colchão. Desamarra com dificuldade o nó nas costas do vestido, depois rapidamente abre o longo zíper, deixando uma pequena poça preta aos seus pés. Sob a luz que vem da sala de estar, ele entrevê uma calcinha preta de malha e um sutiã combinando. Seu corpo tem mais curvas do que parece quando vestido, seus seios são mais fartos, seus quadris se alargam generosamente. Eles fazem amor em cima das cobertas, rápidos, eficientes, como se conhecessem o corpo um do outro há anos. Mas quando terminam, ela acende o abajur ao lado da cama e eles se examinam, descobrindo em silêncio manchas, marcas e costelas.

"Quem diria", ela diz numa voz cansada, satisfeita. Está sorrindo, com os olhos semicerrados.

Ele olha para o rosto dela. "Você é bonita."

"Você também."

"Você consegue me enxergar sem os óculos?"

"Só se você ficar perto", ela diz.

"Então é melhor eu não me mexer."

"Não se mexa."

Eles retiram as cobertas e deitam-se juntos, grudentos e exaustos, nos braços um do outro. Ele começa a beijá-la de novo e ela o prende entre suas pernas. No entanto, o cheiro de queimado faz com que eles saltem da cama despidos, numa corrida cômica até a cozinha, dando risada. O molho evaporou e o frango está irreparavelmente carbonizado, a tal ponto que é preciso jogar fora a própria frigideira. A essa altura eles estão famintos e, por não terem energia nem para sair nem para preparar outra refeição, acabam pedindo por telefone; enquanto esperam a comida chinesa ser entregue, dão pequenos gomos azedos de tangerina na boca um do outro.

Em menos de três meses eles têm roupas e escovas de dente no apartamento um do outro. Ele a vê sem maquiagem durante fins de semana inteiros, a vê com sombras cinzentas embaixo dos olhos enquanto digita trabalhos da faculdade em sua escrivaninha, e quando beija sua cabeça, sente o gosto do óleo que se acumula em seu couro cabeludo entre as aplicações de xampu. Vê os pelos que crescem em suas pernas entre as sessões de depilação, as raízes pretas que surgem entre as idas ao salão de beleza, e nesses momentos, nesses vislumbres, ele acredita que jamais conheceu uma intimidade maior. Aprende que ela dorme sempre com a perna esquerda esticada e a direita dobrada, com o tornozelo em cima do joelho, formando um quatro. Aprende que ela tende a roncar, muito de leve, como o som de um cortador de grama que não quer dar partida, e a ranger os maxilares, que ele massageia para ela enquanto ela dorme. Nos restaurantes e bares, os dois às vezes inserem expressões em bengali na conversa, para comentar impunemente os cabelos ou sapatos infelizes de outro cliente.

Falam sem parar de como conhecem e não conhecem um ao outro. De certo modo, há pouca coisa para explicar. Eram as mesmas festas quando eles eram crianças, os mesmos episódios de *O barco do amor* e *Ilha da fantasia* enquanto os pais se banqueteavam em outra parte da casa, as mesmas refeições servidas em pratos de papel, os carpetes forrados de jornais quando os anfitriões eram especialmente higiênicos. Ele consegue facilmente imaginar a vida dela, mesmo depois que ela e sua família se mudaram para Nova Jersey. Consegue imaginar o casarão no subúrbio que a família possuía; o armário de louças na sala de jantar, precioso tesouro de sua mãe; a grande escola pública onde ela fez o colegial, com ótimas notas mas muita infelicidade. Foram as mesmas viagens frequentes a Calcutá, em que eles eram simplesmente arrancados de sua vida americana durante meses seguidos. Eles calculam os vários meses em que estiveram ao mesmo tempo nessa cidade distante, em viagens que tinham coincidido por semanas e uma vez por meses, sem saber da presença um do outro. Falam de como é corriqueiro as pessoas assumirem que eles são gregos, egípcios, mexicanos — mesmo nesses equívocos eles combinam.

Ela fala com nostalgia dos anos que sua família passou na Inglaterra, morando primeiro em Londres, época da qual ela mal se lembra, e depois numa casa geminada de tijolos em Croydon, com roseiras na frente. Descreve a casa estreita, as lareiras a gás, o cheiro de umidade nos banheiros, como era comer Weetabix com leite quente no café da manhã, ir à escola vestindo uniforme. Diz a ele que detestou se mudar para os Estados Unidos, que preservara seu sotaque britânico pelo tempo que conseguira. Por algum motivo, os pais dela tinham muito mais medo dos Estados Unidos que da Inglaterra, talvez por ser um país tão vasto, ou talvez porque na cabeça deles tinha menos relação com a Índia. Poucos meses antes de eles chegarem ao Massachusetts, uma criança tinha desaparecido enquanto brincava no quintal e nunca foi encontrada; muito tempo depois ainda havia cartazes com a foto dela no supermercado. Ela lembra que sempre precisava telefonar para a mãe toda vez que ela e as amigas iam a outra casa no bairro, mesmo que fosse visível da casa dela, para brincar com os brinquedos de outra menina, para comer cookies e tomar suco com outra família. Ela tinha que pedir licença para usar o telefone assim que entrava. As mães americanas ficavam ao mesmo tempo encantadas e perplexas diante do sentimento de dever da menina. "Estou na casa da Anna", ela comunicava a sua mãe em inglês. "Estou na Sue."

Ele não se sente insultado quando ela lhe diz que, durante a maior parte de sua vida, ele era exatamente o tipo de pessoa que ela tentara evitar. Isso até o deixa lisonjeado. Desde que era bem pequena, ela estava decidida a não permitir que seus pais interferissem no seu casamento. Sempre tinha sido advertida a não se casar com um americano, assim como acontecera com ele, mas ele imagina que, no caso dela, essas advertências tinham sido ininterruptas e, portanto, atormentaram-na muito mais do que a ele. Quando ela tinha apenas cinco anos de idade, parentes perguntaram se ela pretendia se casar de sári vermelho ou de vestido branco. Embora tivesse se recusado a dar esse gosto a eles, Moushumi sabia, já nessa época, qual era a resposta correta. Aos doze anos fez um pacto, com duas outras meninas bengalis, de nunca se casar com um homem bengali. Escreveram uma declaração em que juravam jamais fazer isso, cuspiram no papel ao mesmo tempo e depois o enterraram em algum lugar no quintal dos pais dela.

Desde o começo da adolescência foi submetida a uma série de armações sem êxito; de quando em quando, um pequeno grupo de homens bengalis solteiros se materializava na sua casa, jovens colegas de seu pai. Ela nunca falava com eles; subia para o quarto de cabeça erguida, com a desculpa de que tinha lição para fazer, e não descia para se despedir. Durante as visitas a Calcutá no verão, homens estranhos apareciam misteriosamente na sala de estar do apartamento de seus avós. Uma vez, num trem para Durgapur, quando iam visitar um tio, um casal teve o descaramento de perguntar aos pais dela se ela já era comprometida; tinham um filho que fazia residência como cirurgião em Michigan. "Vocês não vão arranjar um casamento para ela?", parentes perguntavam aos seus pais. Essas perguntas lhe davam calafrios de medo. Ela odiava o jeito como eles falavam dos detalhes do casamento dela, o cardápio e as cores diferentes de sári que ela usaria nas diversas cerimônias, como se fosse uma certeza absoluta em sua vida. Odiava quando a avó destrancava seu *almari*, mostrando-lhe quais joias passariam a lhe pertencer quando o dia chegasse.

A verdade embaraçosa era que ela não estava envolvida com ninguém, na verdade estava desesperadamente só. Rechaçara os homens indianos por quem não tinha interesse, e era proibida de namorar quando era adolescente. Na faculdade cultivara longas paixonites por alunos com quem nunca falava, por professores e assistentes. Tinha relacionamentos imaginários com esses homens, estruturando seus dias em torno de encontros fortuitos na biblioteca, ou de uma conversa no horário de aconselhamento, ou no único curso que ela e outro aluno faziam juntos, de modo que ainda hoje ela associava um ano específico da faculdade com o homem ou menino que havia fiel e absurdamente desejado em silêncio. De vez em quando uma de suas paixões culminava num encontro para um almoço ou um café, uma ocasião na qual ela investia todas as suas esperanças, mas que não dava em nada. Na verdade não houvera ninguém até agora, de modo que, já perto do fim da faculdade, conforme a formatura se aproximava, ela se convenceu, no fundo de sua alma, que não haveria ninguém, nunca. Às vezes se perguntava se tinha sido seu horror de casar-se com alguém que não amava que fizera com que ela, inconscientemente, tivesse se fechado para os outros. Ela balança a cabeça enquanto fala, irritada por ter revisitado esse aspecto de seu passado. Até hoje se arrepende de sua adolescência. Arrepende-se de sua obediência, de seus cabelos compridos sem corte, de suas aulas de piano e das camisas de colarinho rendado. Arrepende-se de sua deplorável falta de confiança, dos cinco quilos a mais que carregou no corpo durante a puberdade. "Não é surpresa que você nunca falasse comigo naquela época", diz. Ele sente ternura por Moushumi quando ela se deprecia desse jeito. E embora tenha testemunhado pessoalmente esse estágio dela, não consegue mais imaginá-lo; essas vagas lembranças dela que ele carregou consigo a vida inteira foram apagadas, substituídas pela mulher que ele conhece agora.

Na Brown sua revolta foi acadêmica. Por insistência dos pais, formou-se em química, pois eles tinham esperança de que ela fosse seguir os passos do pai. Sem contar a eles, fez uma dupla habilitação em francês. Estar imersa numa terceira língua, numa terceira cultura, tinha sido seu refúgio — ela lidava com o francês, diferente das coisas americanas ou indianas, sem culpa, sem receios, sem qualquer tipo de expectativa. Era mais fácil dar as costas aos dois países que podiam exigir algo dela em prol de um que não podia exigir nada. Seus quatro anos de estudo secreto a haviam preparado, ao fim da faculdade, para escapar para o mais longe possível. Disse aos pais que não tinha intenção alguma de ser química e, sem dar ouvidos aos protestos deles, juntou todo o dinheiro que tinha e mudou-se para Paris, sem nenhum plano específico.

De repente foi fácil, e depois de ter passado anos convencida de que jamais teria um amante, ela começou a ter casos sem precisar fazer esforço. Sem hesitação, permitiu que homens a seduzissem em cafés, em parques, enquanto olhava quadros em museus. Entregava-se abertamente, por completo, sem se importar com as consequências. Ela era exatamente a mesma pessoa, tinha a mesma aparência e o mesmo comportamento, porém de repente, nessa nova cidade, transformou-se no tipo de garota que antes invejava, que acreditava nunca poder ser. Permitia que os homens lhe pagassem bebidas, jantares, que depois a levassem de táxi para seus apartamentos, em bairros que ela ainda não descobrira por conta própria. Em retrospectiva, via que sua repentina desinibição a deixara mais inebriada do que qualquer um daqueles homens. Alguns eram casados, muito mais velhos, pais de crianças no ensino secundário. Eram franceses em sua maioria, mas também alemães, persas, italianos, libaneses. Havia dias em que ela dormia com um homem depois do almoço, outro depois do jantar. Eles eram meio excessivos, ela diz a Gógol revirando os olhos, do tipo que a cobria de perfumes e joias.

Ela arranjou um emprego trabalhando para uma agência que ajudava executivos americanos a aprender conversação em francês e executivos franceses a aprender conversação em inglês. Encontrava-se com eles em cafés ou falava com eles por telefone, fazendo-lhes perguntas sobre sua família, suas origens, seus livros e pratos favoritos. Começou a socializar com outros expatriados americanos. Seu noivo fazia parte dessa turma. Era investidor de um banco em Nova York e morou em Paris por um ano. Seu nome era Graham. Moushumi se apaixonou e muito rapidamente se mudou para a casa dele. Foi por causa de Graham que ela se candidatou à NYU. Eles alugaram um apartamento juntos na avenida York. Viviam ali em segredo, com duas linhas telefônicas para que os pais dela nunca descobrissem. Quando os pais dela vinham à cidade, ele desaparecia e se hospedava num hotel, retirando do apartamento todos os vestígios de sua existência. No começo, foi emocionante manter uma mentira tão elaborada. Mas depois ficou cansativo, impossível. Ela o levou para Nova Jersey, preparada para enfrentar uma batalha, mas na verdade, para sua enorme surpresa, seus pais ficaram aliviados. Àquela altura, ela era velha o suficiente para que eles não se importassem com o fato de ele ser americano. Muitos filhos e filhas de amigos se casaram com americanos, geraram netos pálidos de cabelos escuros, metade americanos, e nada disso era tão terrível quanto eles tinham temido. E, portanto, os pais dela fizeram o melhor que puderam para aceitá-lo. Contaram a seus amigos bengalis que Graham era bem-comportado, que estudara na Ivy League, que ganhava um salário impressionante. Aprenderam a relevar o fato de que os pais dele eram divorciados, de o pai ter se casado de novo não uma, mas duas vezes, e de a sua segunda esposa ser só dez anos mais velha que Moushumi.

Certa noite, num táxi preso no trânsito em *midtown*, ela impulsivamente o pediu em casamento. Ao olhar em retrospecto, supõe que todos aqueles anos de pessoas tentando reivindicá-la, escolhê-la, como se houvesse uma rede invisível lançada à sua volta, é que a levaram a fazer essa proposta. Graham aceitou e lhe deu o diamante de sua avó. Concordou em ir com ela e seus pais a Calcutá, para conhecer sua família expandida e pedir a bênção dos seus avós. Deixou todos eles encantados, aprendeu a sentar no chão e comer com os dedos, a tirar o pó dos pés dos avós dela. Visitou as casas de dezenas de parentes, comeu os pratos cheios de *mishti* melado, posou pacientemente para inúmeras fotos em telhados, cercado de primos dela. Concordou em celebrar um casamento à maneira hindu, e por isso ela foi fazer compras com a mãe em Gariahat e New Market, escolheu uma dúzia de sáris, joias de ouro em estojos vermelhos com forro de veludo púrpura, um *dhoti* e um *topor* para Graham, que sua mãe carregou na mão no voo de volta. O casamento foi marcado para o verão em Nova Jersey, fizeram uma festa de noivado, alguns presentes já tinham sido recebidos. A mãe dela digitou no computador uma explicação dos rituais de casamento bengalis e enviou para todos os americanos da lista de convidados. Uma foto dos dois foi tirada para o jornal local na cidade dos pais dela.

Poucas semanas antes do casamento, eles estavam jantando fora com amigos, embebedando-se alegremente, quando ela ouviu Graham falar da estadia deles em Calcutá. Para sua surpresa, ele estava reclamando, dizendo que achou exaustivo, que a cultura era reprimida. Disse que só o que eles fizeram foi visitar parentes dela. Embora ele achasse a cidade fascinante, a sociedade, na opinião dele, era um tanto provinciana. As pessoas tendiam a ficar em casa a maior parte do tempo. Não havia nada para beber. "Imagine lidar com cinquenta parentes sem álcool. Eu não podia nem segurar a mão dela na rua sem atrair olhares", ele dissera. Ela ficou escutando, em parte compreensiva, em parte horrorizada. Pois uma coisa era ela rejeitar sua criação, ser crítica ao legado de sua família, outra era ouvir isso dele. Ela se deu conta de que ele tinha enganado todo mundo, inclusive ela. Na caminhada do restaurante para casa, ela trouxe o assunto à tona, disse que os comentários dele a tinham chateado, por que ele não lhe havia dito essas coisas? Ele só estava fingindo se divertir esse tempo todo? Eles começaram a discutir, um abismo se abriu entre os dois, engolindo-os, e de repente, num acesso de raiva, ela tirou do dedo a aliança da avó dele e jogou-a na rua, no meio do trânsito; então Graham lhe deu um tapa no rosto, sob o olhar dos pedestres. No fim da semana, ele se mudou do apartamento onde moravam juntos. Ela parou de ir à faculdade, trancou todos os seus cursos. Engoliu meio frasco de pílulas, foi obrigada a beber carvão num pronto-socorro. Foi encaminhada a um terapeuta. Ligou para seu orientador na NYU, disse que tivera uma crise nervosa, tirou o resto do semestre de folga. O casamento foi cancelado, centenas de telefonemas foram dados. Eles perderam a caução que tinham pagado ao serviço de bufê Shah Jahan, e também a do Palace on Wheels, onde iam passar a lua de mel. O ouro foi levado a um cofre de banco, os sáris, blusas e anáguas foram guardados numa caixa à prova de traças.

Seu primeiro impulso foi mudar-se de volta para Paris. Mas ela estava na faculdade, tinha investido demais para abandoná-la e, além do mais, não tinha dinheiro para isso. Fugiu do apartamento na avenida York, sem condições de pagar o aluguel sozinha. Recusou-se a voltar para a casa dos pais. Alguns amigos no Brooklyn a acolheram. Foi doloroso, ela contou a ele, morar com um casal naquele momento específico, ouvi-los tomar banho juntos de manhã, vê-los se beijar e fechar a porta do quarto ao fim de cada noite; mas, no começo, ela não tinha coragem de ficar sozinha. Começou a trabalhar em empregos temporários. Quando conseguiu juntar dinheiro suficiente para alugar um apartamento em East Village, estava contente de estar só. Foi ao cinema sozinha o verão inteiro, às vezes assistia a três filmes por dia. Comprava o guia da TV toda semana e o lia de uma ponta à outra, planejando suas noites de acordo com seus programas preferidos. Começou a viver à base de uma dieta de *raita* e Triscuits. Ficou mais magra do que já tinha sido na vida, de modo que, nas poucas fotos tiradas nesse período, seu rosto está quase irreconhecível. Foi a liquidações de fim de verão e comprou tudo em tamanho PP; seis meses depois seria forçada a doar tudo a um bazar de caridade. Quando chegou o outono ela mergulhou nos estudos, retomando todo o trabalho que abandonara na primavera, e voltou a ter encontros de vez em quando. E então um dia sua mãe telefonou, perguntando se ela se lembrava de um menino chamado Gógol.

9.

Eles se casam em menos de um ano, em uma das unidades do hotel DoubleTree em Nova Jersey, perto do subúrbio onde os pais dela moram. Não é o tipo de casamento que os dois realmente querem. Eles teriam preferido os lugares que seus amigos americanos escolhem, o Jardim Botânico do Brooklyn, o Metropolitan Club ou a Boat House no Central Park. Teriam preferido um jantar para os convidados sentados, músicos tocando jazz durante a recepção, fotos em preto e branco, manter as coisas em pequena escala. Mas os pais deles insistem em convidar quase trezentas pessoas, servir comida indiana e fornecer estacionamento fácil para todos os convidados. Gógol e Moushumi concordam que é melhor ceder a essas expectativas do que arranjar uma briga. Dizem brincando que é isso que merecem por terem dado ouvidos a suas mães e por terem saído naquele primeiro encontro, e o fato de eles estarem unidos em sua resignação torna as consequências relativamente suportáveis. Semanas depois de anunciar o noivado, a data é marcada, o hotel é reservado, o cardápio é decidido; e apesar dos telefonemas noturnos da mãe de Moushumi perguntando se eles preferem um bolo de uma única camada ou de várias, guardanapos verde-sálvia ou cor-de-rosa, Chardonnay ou Chablis, há pouca coisa que os dois podem fazer além de escutar e dizer "sim", "o que você achar melhor", "tudo parece bom". "Considerem-se sortudos", os colegas de Gógol lhe dizem. Planejar um casamento é um estresse absurdo, o primeiro desafio real na vida a dois, afirmam eles. Mesmo assim, é estranha a sensação de estar tão pouco envolvido em seu próprio casamento, e ele se lembra das muitas outras comemorações de sua vida, todos os aniversários e festas de formatura que seus pais tinham dado quando ele era criança e adolescente, frequentados pelos amigos dos pais dele, ocasiões às quais ele sempre se sentira alheio.

No sábado do casamento eles fazem as malas, alugam um carro e vão a Nova Jersey, separando-se apenas quando chegam ao hotel, onde são requisitados uma última vez por suas respectivas famílias. Ele percebe com um susto que, a partir do dia seguinte, ele e Moushumi serão considerados uma família à parte. Eles não vieram ver o hotel antes. Seu maior destaque é um elevador de vidro que sobe e desce sem parar no centro do edifício, para a grande diversão de crianças e adultos. Os quartos são dispostos em volta de sucessivas varandas elípticas que podem ser vistas do saguão, lembrando a Gógol um estacionamento. Ele tem um quarto só seu, num andar junto com sua mãe, Sonia e alguns dos amigos mais próximos da família Ganguli. Moushumi fica resguardada no andar de cima, num quarto ao lado do de seus pais, embora a essa altura ela e Gógol estejam praticamente morando juntos na casa dela. A mãe dele traz as coisas que ele vai vestir: uma camisa *punjabi* cor de pergaminho que havia pertencido ao seu pai, um *dhoti* amarrado por um barbante na cintura, um par de sapatilhas *nagrai* com as pontas enroladas. O pai nunca vestiu o *punjabi*, e Gógol precisa pendurá-lo no banheiro, com o chuveiro quente ligado, para desamassá-lo. "As bênçãos dele estão sempre com você", sua mãe diz, levantando as duas mãos e pousando-as por um instante na cabeça dele. Pela primeira vez desde a morte de Ashoke, ela vestiu-se com esmero — um belo sári verde-claro, um colar de pérolas no pescoço — e concordou em deixar Sonia passar batom. "Será que exagerei?", sua mãe se preocupa, olhando-se no espelho. Mesmo assim, faz anos que ele não vê a mãe com uma aparência tão simpática, tão feliz, tão animada. Sonia também está de sári — fúcsia com bordados prateados — e tem uma rosa vermelha presa no cabelo. Dá ao irmão uma caixa embrulhada num tecido.

"O que é isto?", ele diz.

"Você não achou que eu fosse esquecer seu trigésimo aniversário, achou?"

Tinha sido alguns dias antes, durante a semana, um dia em que ele e Moushumi estavam ambos ocupados demais para fazer uma comemoração decente. Até a mãe dele, preocupada com detalhes de última hora do casamento, tinha esquecido de ligar para ele de manhãzinha, como normalmente fazia.

"Acho que estou oficialmente na idade em que quero que as pessoas esqueçam meu aniversário", ele diz, aceitando o presente.

"Coitado do Goggles."

Dentro da caixa ele encontra uma pequena garrafa de *bourbon* e um cantil de couro vermelho. "Mandei gravar", ela diz, e quando ele vira o frasco, vê as letras NG. Ele se lembra de quando enfiou a cabeça no quarto de Sonia há alguns anos, para anunciar a decisão de mudar seu nome para Nikhil. Ela tinha uns treze anos, estava na cama fazendo lição de casa. "Você não pode fazer isso", ela havia dito, e quando ele perguntou por que não, ela respondeu simplesmente: "Porque não pode. Porque você é o Gógol". Ele a observa agora, passando maquiagem no quarto dele, puxando a pele perto do olho e traçando na pálpebra uma linha fina preta, e se lembra de fotos da mãe no dia em que ela se casou.

"Sabe que você é a próxima", ele diz.

"Nem me lembre disso." Ela faz uma careta, depois ri. A empolgação deles, a animação dos preparativos, tudo isso o entristece por lembrá-lo de que o pai está morto. Ele imagina o pai vestindo roupas parecidas com as dele, um xale cobrindo um dos ombros, como costumava usar durante o *pujo*. O traje que Gógol receia que pareça ridículo nele teria ficado digno, elegante, teria caído bem em seu pai de um jeito que ele sabe que não cai nele. Os *nagrais* são um tamanho acima do seu e precisam ser preenchidos com lenços de papel. Diferente de Moushumi, que tem profissionais fazendo seu penteado e sua maquiagem, Gógol fica pronto em questão de minutos. Arrepende-se de não ter trazido seus tênis de corrida; poderia ter feito alguns quilômetros na esteira antes de se preparar para o evento.

Realiza-se uma cerimônia hindu simplificada, de uma hora de duração, sobre uma plataforma coberta de tecidos. Gógol e Moushumi sentam-se de pernas cruzadas, primeiro um diante do outro, depois lado a lado. Os convidados estão virados para eles, sentados em cadeiras de metal dobráveis; a divisória sanfonada entre dois salões de jantar sem janelas, com teto rebaixado, foi aberta para expandir o espaço. Câmera de vídeo e luzes brancas portáteis pairam sobre seus rostos. Um aparelho de som toca música *shenai*. Nada foi ensaiado nem explicado a eles de antemão. Há um punhado de *mashis* e *meshos* ao redor deles, que lhes dizem o tempo todo o que fazer, quando falar ou ficar de pé ou jogar flores numa pequena urna de latão. O sacerdote é amigo dos pais de Moushumi, um anestesiologista que por acaso é brâmane. Fazem-se oferendas para fotos dos avós e do pai dele, derrama-se arroz numa pira que a gerência do hotel proíbe que eles acendam. Ele pensa em seus pais, desconhecidos até aquele momento, duas pessoas que nunca tinham conversado até o dia em que se casaram. De repente, sentado ao lado de Moushumi, ele se dá conta do que isso representa e fica atônito com a coragem dos pais, a obediência que deve ter sido necessária para fazer uma coisa dessas.

É a primeira vez que ele vê Moushumi de sári, com exceção de todos aqueles *pujos* de anos atrás, que ela havia suportado em silêncio. Ela está usando quase dez quilos de ouro — em certo momento, quando eles estão sentados de frente um para o outro, suas mãos embrulhadas juntas num tecido xadrez, ele conta onze colares. Dois *paisleys* enormes foram pintados com tinta vermelha e branca em suas bochechas. Até agora, ele continuou chamando o pai de Moushumi de Shubir *Mesho* e a mãe dela, de Rina *Mashi*, como sempre fez, como se eles ainda fossem seus tios, como se Moushumi ainda fosse uma espécie de prima. Porém, ao fim dessa noite, ele se tornará genro deles, e por isso se espera que se dirija a eles como segundos pais, um Baba e uma Ma alternativos.

Na hora da recepção ele coloca um terno, ela, um vestido *banarasi* vermelho de alças finas, algo que ela própria desenhou e mandou uma amiga costureira fazer. Usa o vestido apesar dos protestos da mãe — qual era o problema de vestir um *salwar kameeze*, a mãe queria saber — e quando Moushumi por acaso esquece o xale numa cadeira e exibe seus ombros magros e bronzeados, que brilham com um pó especial aplicado por ela, sua mãe consegue, no meio daquela multidão, lançar-lhe olhares de censura, que Moushumi ignora. Inúmeras pessoas vêm dar os parabéns a Gógol, dizem que o tinham visto quando ele era tão pequenininho, pedem que ele pose para fotos, que abrace famílias e sorria. Ele se submete a tudo isso entorpecido pelo álcool, graças ao open bar bancado pelos pais dela. Moushumi fica horrorizada, no salão de jantar, ao ver as mesas com guirlandas de tule, a hera e o cravo-de-amor trançados em volta das colunas. Eles se esbarram quando ela sai do banheiro feminino e trocam um beijo rápido, o gosto do cigarro no hálito dela levemente mascarado pela folha de menta que está mastigando. Ele a imagina fumando dentro da cabine, sentada na tampa da privada. Eles mal trocaram uma palavra um com o outro a noite inteira; durante toda a cerimônia ela conservou o olhar voltado para baixo, e na recepção, toda vez que ele olhava para ela, ela estava envolvida em conversas com pessoas que ele não conhecia. Ele de repente quer ficar sozinho com ela, deseja que os dois possam fugir para o quarto dela ou para o dele, ignorar o resto da festa como ele fazia quando era menino. "Vamos", ele insiste, fazendo um gesto na direção do elevador de vidro, "quinze minutos." Ninguém vai perceber. Mas o jantar já começou e os números das mesas estão sendo anunciados um por um no alto-falante. "Eu precisaria de alguém para refazer meu penteado", ela diz. Os *réchauds* de prata aquecidos são identificados com etiquetas para os convidados americanos. São pratos típicos do norte da Índia, pilhas de *tandoori* quente cor-de-rosa, *aloo gobi* num molho espesso de laranja. Ele ouve alguém na fila dizer que o grão-de-bico está estragado. Eles se sentam na mesa principal no centro do salão, com a mãe dele e Sonia, os pais dela e alguns outros parentes que vieram de Calcutá, além do irmão dela, Samrat, que faltou a sua sessão de orientação na Universidade de Chicago para comparecer ao casamento. Há brindes constrangidos com champanhe e discursos de parentes deles, de amigos dos pais. O pai dela se levanta, com um sorriso nervoso, se esquece de erguer a taça e diz: "Muito obrigado por virem". Depois se vira para Gógol e Moushumi: "O.k, sejam felizes". *Mashis* de sári dão risadinhas e batem garfos em taças, instruindo os dois sobre quando devem se beijar. Toda vez ele atende aos pedidos e dá um beijo discreto na bochecha de sua noiva.

Um bolo é trazido em cima de um carrinho, com os dizeres "Nikhil se casa com Moushumi" escritos na superfície. Moushumi sorri como sempre sorri para uma câmera, com a boca fechada, a cabeça levemente inclinada para baixo e para a esquerda. Ele está ciente de que, juntos, ele e Moushumi estão satisfazendo um desejo coletivo, profundamente arraigado — uma vez que ambos são bengalis, todos podem respirar um pouco mais aliviados. Às vezes, ao olhar para os convidados, ele não pode deixar de pensar que dois anos antes talvez estivesse sentado no mar de mesas redondas que agora o cercam, assistindo ao casamento dela com outro homem. Essa ideia o atinge feito uma onda inesperada, mas rapidamente ele se lembra de que é ele quem está sentado ao lado dela. O sári de casamento *banarasi* vermelho e os adereços de ouro tinham sido comprados dois anos antes, para o casamento dela com Graham. Dessa vez, a única coisa que os pais dela tiveram que fazer foi tirar as caixas de uma prateleira no armário, buscar as joias no cofre do banco, achar a lista detalhada para o serviço de bufê. O novo convite, criado por Ashima, com letras de Gógol na tradução inglesa, é a única coisa que não é reaproveitada.

Já que Moushumi precisa dar uma aula três dias após o casamento, eles adiam a lua de mel. O mais perto que chegam disso é passar uma noite sozinhos no DoubleTree, lugar de onde morrem de vontade de ir embora. No entanto, os pais deles tiveram muito trabalho e uma grande despesa para reservar a suíte matrimonial. "Preciso tomar um banho", ela diz assim que os dois finalmente estão a sós, e desaparece dentro do banheiro. Ele sabe que ela está exausta, assim como ele — a noite terminou com uma longa sessão de dança com músicas do Abba. Ele examina o quarto, abre gavetas e tira o material de papelaria, abre o frigobar, lê o cardápio do serviço de quarto, embora não tenha fome alguma. Na verdade ele está passando um pouco mal por causa da combinação do *bourbon* com dois pedaços grandes de bolo que comeu porque não jantou nada. Ele se esparrama na cama *king size*. A colcha foi coberta de pétalas de flores, o gesto final de suas famílias antes de se retirarem. Enquanto ele espera por Moushumi, troca os canais na televisão. Ao lado dele há uma garrafa de champanhe num balde e chocolates em formato de coração num prato coberto com rendas. Ele dá uma mordida em um dos chocolates. O recheio é um *toffee* resistente, que exige que ele mastigue mais do que esperava.

Ele mexe na aliança de ouro que ela colocou no seu dedo após eles cortarem o bolo, idêntica à que ele colocou no dela. Ele pediu Moushumi em casamento no aniversário dela, dando-lhe um anel de diamante além do chapéu comprado depois do segundo encontro. Fez toda uma produção, usando o aniversário dela como desculpa para levá-la para passar o fim de semana numa pousada no campo, numa cidadezinha às margens do Hudson, a primeira viagem juntos que não foi nem à casa dos pais dela, em Nova Jersey, nem a rua Pemberton. Era primavera, e o chapéu de veludo agora estava fora de estação. Ela ficou impressionada por ele ter se lembrado disso esse tempo todo. "Não acredito que a loja ainda tinha", ela disse. Ele não falou a verdade sobre quando comprara o chapéu. Deu-lhe de presente lá embaixo, no salão de jantar, depois de um bife à Chateaubriand que foi cortado para eles na mesa. Desconhecidos viraram-se para admirar Moushumi quando ela pôs o chapéu. Depois de experimentá-lo, ela guardou a caixa embaixo da cadeira, sem notar a caixa menor perdida no meio do tecido. "Tem mais uma coisa aí dentro", ele foi obrigado a dizer. Pensando em retrospecto, ele conclui que ela ficou mais espantada com o chapéu do que com a proposta de casamento. Pois embora o primeiro fosse uma surpresa de verdade, a última era algo esperado — desde o começo suas famílias assumiram, com alguma segurança, e logo eles próprios também, que se os dois se gostassem, o namoro não se arrastaria muito e com certeza se casariam. "Sim", ela disse, sorrindo, erguendo o olhar da caixa do chapéu antes que ele sequer precisasse perguntar.

Ela agora surge vestindo o roupão branco felpudo do hotel. Tirou a maquiagem e as joias; a pintura vermelha que ele fez na cabeça dela no fim da cerimônia foi lavada de seus cabelos. Seus pés estão livres dos saltos de sete centímetros que ela calçou assim que a cerimônia religiosa do casamento terminou, e que a fazem ficar mais alta que quase todo mundo. É assim que ele a acha ainda mais deslumbrante, sem enfeites, consciente de que ela não está disposta a aparecer desse jeito para ninguém além dele. Ela senta na beira do colchão, passa um creme azul de um tubo nas panturrilhas e nas solas dos pés. Moushumi massageou com creme os pés dele uma vez, no dia em que eles cruzaram caminhando a ponte do Brooklyn, fazendo com que sentisse cócegas e frio nos pés. E então ela se deita nos travesseiros, olha para ele e estende a mão. Embaixo do roupão ele espera encontrar alguma lingerie provocante — em Nova York tinha visto de relance, num canto do quarto dela, a pilha de coisas que ela tinha ganho em seu chá de casamento. Mas ela está nua, e sua pele tem um cheiro um pouco intenso demais, de algum tipo de fruta silvestre. Ele beija os pelos escuros em seus antebraços, o osso saliente do pescoço, que ela uma vez lhe confessou ser a parte preferida de seu corpo. Eles fazem amor apesar de estarem exaustos, os cabelos úmidos dela escorridos e frios no rosto dele, as pétalas de rosas grudando em seus cotovelos, ombros e panturrilhas. Ele aspira a fragrância da pele dela, ainda sem conseguir assimilar que são marido e mulher. Quando a ficha ia cair? Mesmo nesse momento ele não se sente totalmente a sós com ela, espera que alguém bata na porta e lhes diga como fazer as coisas. E embora ele a deseje tanto quanto sempre desejou, sente-se aliviado quando terminam, deitados nus lado a lado, sabendo que nada mais é esperado deles e que eles podem finalmente relaxar.

Depois disso, eles abrem o champanhe e sentam-se juntos na cama, olhando um por um os cartões com cheques que estão dentro de uma grande sacola de compras. Os cheques foram dados pelas centenas de amigos de seus pais. Ela não quis fazer uma lista de presentes. Disse a Gógol que era porque não tinha tempo, mas ele sentiu que era algo que ela não tinha ânimo de encarar uma segunda vez. Por ele não havia problema algum, não ficar com o apartamento abarrotado de dezenas de vasos de cristal, travessas, panelas e frigideiras combinando. Não há calculadora, por isso eles somam as quantias em várias folhas de papel timbrado do hotel. A maioria dos cheques foi endereçada a sr. e sra. Nikhil e Moushumi Ganguli. Vários são endereçados a Gógol e Moushumi Ganguli. As quantias são de cento e um dólares, duzentos e um dólares, ocasionalmente trezentos e um dólares, pois os bengalis consideram pouco auspicioso dar números redondos. Gógol soma os subtotais de cada página.

"Sete mil e trinta e cinco", ele anuncia.

"Nada mau, sr. Ganguli."

"Eu diria que enchemos a burra, sra. Ganguli."

Só que ela não é a sra. Ganguli. Moushumi manteve seu sobrenome. Não adota Ganguli, nem com hífen. Seu próprio sobrenome, Mazoomdar, já não é exatamente simples. Com dois sobrenomes ligados por um hífen, ela não mais caberia no visor de um envelope comercial. Além disso, começou a publicar sob o nome Moushumi Mazoomdar, impresso no topo de artigos sobre teoria feminista francesa com muitas notas de rodapé, numa série de revistas acadêmicas de prestígio que sempre acabam fazendo Gógol se cortar com o papel quando tenta lê-las. Embora não tenha admitido isso a ela, ele tinha a esperança, no dia em que os dois preencheram a solicitação de sua licença de casamento, de que ela cogitaria mudar de ideia, no mínimo como tributo ao pai dele. Mas a ideia de mudar seu sobrenome para Ganguli nunca passou pela cabeça de Moushumi. Quando parentes da Índia continuarem a endereçar cartas e cartões para "sra. Moushumi Ganguli", ela vai balançar a cabeça e suspirar.

Eles usam o dinheiro como caução para um apartamento de um dormitório no Twenties, perto da Terceira Avenida. É um pouco mais caro do que eles podem pagar tranquilamente, mas eles são conquistados pelo toldo grená, pelo porteiro de meio período, pelo saguão com lajotas cor abóbora. O apartamento em si é pequeno mas luxuoso, com estantes embutidas de mogno que vão até o teto, e um piso escuro, brilhante, de tábuas largas. Há uma sala de estar com uma claraboia, uma cozinha com aparelhos caros de aço inox, um banheiro com chão e paredes de mármore. O quarto tem uma sacada em estilo Julieta, e num dos cantos do cômodo ela monta sua escrivaninha, com seu computador e impressora, e seus arquivos. Eles estão no último andar, e é possível ver o Empire State se se debruçarem bastante para a esquerda na janela do banheiro. Eles passam alguns fins de semana indo de ônibus à Ikea e mobiliando os cômodos: abajures que imitam os modelos *noguchi*, um sofá seccionado preto, tapetes de *kilim* e *flokati*, uma cama de madeira clara em estilo plataforma. Tanto os pais dela quanto Ashima ficam ao mesmo tempo impressionados e perplexos quando vêm visitá-los pela primeira vez. Não é um pouco pequeno, agora que eles são casados? Mas Gógol e Moushumi não estão pensando em ter filhos por enquanto, certamente não até que Moushumi termine sua tese. Aos sábados eles vão juntos comprar comida na feira livre do Union Square, com sacolas de lona penduradas nos ombros. Compram coisas que não sabem direito como preparar — alho-poró, favas frescas e brotos de samambaia — e pesquisam receitas nos livros de culinária que ganharam no casamento. De vez em quando, ao cozinhar, disparam o alarme de incêndio, que é sensível demais, e precisam silenciá-lo batendo nele com um cabo de vassoura.

Eles recebem amigos de vez em quando, dando o tipo de festa que seus pais nunca deram, e preparam martínis numa coqueteleira de aço inox para alguns dos arquitetos do trabalho de Gógol ou para os pós-graduandos amigos de Moushumi na NYU. Tocam bossa nova e servem pão com salame e queijo. Ele transfere o dinheiro da sua conta para a dela, e eles têm cheques verde-claros com os nomes dos dois impressos no canto. A senha que escolhem para o cartão do caixa eletrônico, "Lulu", é o nome do restaurante francês onde eles fizeram sua primeira refeição juntos. Na maioria das noites, comem lado a lado nos bancos no balcão da cozinha ou na mesinha de centro, vendo TV. Não fazem comida indiana com muita frequência — geralmente fazem massas ou peixe grelhado, ou pedem comida pronta do restaurante tailandês que fica no mesmo quarteirão. Mas às vezes, num domingo, quando ambos anseiam pela comida que cresceram comendo, eles pegam o trem para o Queens e tomam *brunch* no Jackson Diner, enchendo os pratos de *tandoori* de frango, *pakoras* e *kabobs*, e depois vão comprar arroz *bismati* e os temperos que precisam ser reabastecidos. Ou vão a uma dessas casas de chá que são apenas buracos na parede e bebem chá com creme de leite em copos de papel, pedindo às garçonetes em bengali que lhes tragam tigelas de iogurte doce e *haleem*. Ele liga toda noite antes de sair do escritório para dizer que está indo para casa, pergunta se precisa comprar alface ou pão. Depois do jantar eles assistem televisão, enquanto Moushumi escreve cartões de agradecimento para todos os amigos dos pais deles, pelos cheques que precisaram de vinte guias diferentes para depositar. Essas são as coisas que fazem com que eles se sintam casados. Tirando isso, é a mesma coisa, só que agora eles estão sempre juntos. À noite ela dorme ao lado dele, sempre virando de bruços, e acorda toda manhã com um travesseiro sobre sua cabeça.

De vez em quando, ele acha no apartamento um ou outro resquício da vida dela antes de ele aparecer, de sua vida com Graham — a dedicatória para eles dois num livro de poemas, um cartão-

-postal de Provença enfiado na última página de um dicionário e endereçado ao apartamento onde eles tinham morado juntos em segredo. Uma vez, sem conseguir se impedir, ele andou até esse endereço no seu horário de almoço, imaginando como tinha sido a vida dela naquela época. Pensou nela andando sozinha pela calçada, carregando sacos de compras do supermercado que ficava na próxima esquina, apaixonada por outro homem. Ele não sente ciúmes do passado dela. É só que às vezes Gógol se pergunta se ele representa algum tipo de capitulação ou derrota. Não sente isso sempre, só o suficiente para importuná-lo, caindo feito uma rede sobre seus pensamentos. Mas então ele olha o apartamento à sua volta para se certificar, lembrando a si mesmo da vida que eles construíram juntos e compartilham. Ele olha para a foto tirada no casamento deles, na qual os dois têm guirlandas iguais penduradas no pescoço. A foto está num elegante porta-retratos de couro em cima da televisão. Ele anda até o quarto, onde ela está trabalhando, dá um beijo em seu ombro, puxando-a para a cama. No entanto, no armário que eles agora compartilham, há um porta-vestido contendo um vestido branco que ele sabe que ela pretendia usar um mês após a cerimônia indiana que fora planejada para ela e Graham, uma segunda cerimônia diante de um juiz de paz, no gramado da casa do pai dela na Pensilvânia. Ela lhe falou disso. Há uma parte do vestido que é visível no visor de plástico do porta-vestido. Ele abriu o zíper uma vez, avistou de relance algo sem mangas, na altura dos joelhos, de gola redonda simples, lembrando um vestido de tênis. Um dia ele lhe pergunta por que ela ainda guarda o vestido. "Ah, isso", ela diz, encolhendo os ombros. "Fico querendo mandá-lo tingir."

Em março eles vão a Paris. Moushumi é convidada a apresentar um artigo numa conferência na Sorbonne, e eles decidem aproveitar para tirar férias. Gógol consegue tirar uma semana de folga do trabalho. Em vez de se hospedar num hotel, os dois ficam num apartamento na Bastille que pertence a um amigo de Moushumi, um jornalista chamado Emanuel, que está de férias na Grécia. O apartamento é minúsculo, quase sem aquecimento, ao qual se chega depois de seis lances íngremes de escadas, e tem um banheiro do tamanho de uma cabine telefônica. Há uma cama elevada a poucos centímetros do teto, de modo que fazer sexo é uma atividade altamente arriscada. Uma cafeteira preenche quase todo o fogão estreito de duas bocas. Além de duas cadeiras à mesa de jantar, não há lugar para sentar. Faz um tempo feio, infeliz, um céu branco, o sol eternamente escondido. Paris é famosa por esse tempo, Moushumi lhe diz. Ele próprio se sente escondido; homens na rua olham constantemente para Moushumi, com olhares demorados e diretos, apesar de Gógol estar bem ao lado dela.

É a primeira vez dele na Europa. A primeira vez que vê o tipo de arquitetura sobre a qual leu durante tantos anos, admirada apenas nas páginas de livros e em slides. Por algum motivo, na companhia de Moushumi ele sente menos empolgação e mais a sensação de estar sendo um estorvo. Embora eles façam juntos um passeio a Chartres, e outro a Versalhes, ele sente que ela preferiria encontrar amigos para tomar um café, ver as apresentações na conferência, comer em seus bistrôs favoritos, fazer compras em suas lojas preferidas. Gógol sente-se inútil desde o começo. Moushumi toma todas as decisões, é só ela que fala. Ele fica mudo nas *brasseries* onde eles almoçam, mudo nas lojas onde admira belos cintos, gravatas, papéis, canetas; mudo na tarde chuvosa que eles passam juntos no Museu d'Orsay. Fica especialmente mudo quando ele e Moushumi encontram grupos de amigos franceses dela para jantar, bebendo *pernod* e fartando-se de cuscuz ou chucrute, fumando e discutindo em mesas cobertas com toalhas de papel. Ele se esforça para entender o assunto da conversa — o euro, Monica Lewinsky, o ano 2000 —, mas todo o resto é apenas um ruído que não se distingue do barulho dos pratos, do bulício de vozes, ecos e risadas. Ele os observa nos espelhos gigantes com moldura dourada nas paredes, suas cabeças escuras amontoadas.

Parte dele sabe que isso é um privilégio, estar ali com uma pessoa que conhece tão bem a cidade, mas a outra parte quer simplesmente ser um turista, consultar um guia de expressões em francês, olhar todos os prédios de sua lista, perder-se nas ruas. Quando ele confessa sua vontade a Moushumi certa noite, enquanto eles voltam a pé ao apartamento, ela diz: "Por que você não me falou isso logo no começo?", e na manhã seguinte ela o instrui a andar até a estação de metrô, a tirar uma foto numa cabine automática, a comprar uma *Carte Orange*. E assim Gógol sai para ver pontos turísticos, sozinho, enquanto Moushumi fica na conferência, ou sentada à mesa do apartamento fazendo os últimos ajustes em seu artigo. O único companheiro dele é o *Plan de Paris* de Moushumi, um pequeno guia vermelho dos *arrondissements*, com um mapa dobrado colado na contracapa. Na última página, Moushumi escreve umas poucas frases para ele usar: *Je voudrais un café, s'il vous plaît, Où sont les toilettes*? E ela o adverte quando ele está saindo: "Evite pedir um *café crème* se não for de manhã. Os franceses nunca fazem isso".

Embora excepcionalmente seja um dia ensolarado, está especialmente frio, um ar mordaz que arde em suas orelhas. Ele se lembra do primeiro almoço com Moushumi, da tarde em que ela o arrastou até a loja de chapéus. Lembra-se dos dois gritando em uníssono quando o vento castigava seus rostos, num tempo em que era cedo demais para eles se abraçarem para se aquecer. Ele agora anda até a esquina, decide comprar outro croissant na *boulangerie* onde ele e Moushumi vão tomar café da manhã todo dia. Vê um jovem casal parado num trecho de luz do sol na calçada, dando na boca um do outro salgados que tiram de um saco. De repente ele quer voltar para o apartamento, subir na cama e esquecer as atrações turísticas, segurar Moushumi em seus braços. Quer ficar deitado com ela durante horas, como eles faziam no começo, pulando refeições, depois perambular pelas ruas no meio da noite, desesperados atrás de alguma coisa para comer. Mas ela precisa apresentar seu artigo no final da semana, e ele sabe que ela não vai se deixar furtar à tarefa de lê-lo em voz alta, cronometrar a duração, fazer pequenas anotações nas margens. Ele consulta seu mapa e, durante os dias seguintes, segue as rotas que ela traçou para ele com um lápis. Perambula por quilômetros ao longo dos famosos bulevares, pelo Marais, e chega ao Museu Picasso depois de virar em várias esquinas erradas. Senta-se num banco e desenha os prédios baixos da Place des Vosges, anda pelos ermos caminhos de cascalho dos Jardins de Luxemburgo. Em frente à Academia de Belas Artes, ele perambula por horas entre as lojas que vendem gravuras e, no fim, acaba comprando um desenho do Hôtel de Lauzun. Fotografa as calçadas estreitas, as ruas escuras de pedrinhas, os tetos das mansardas, os antigos prédios de pedra bege clara com suas janelas de madeira. Tudo isso ele acha indescritivelmente belo e, no entanto, ao mesmo tempo fica deprimido com o fato de nada disso ser novo para Moushumi, de ela já ter visto tudo centenas de vezes. Ele entende por que ela morou ali por tanto tempo, longe da família, longe de todo mundo que conhecia. Seus amigos franceses a adoram. Os garçons e vendedores a adoram. Ela se insere perfeitamente, mas continua tendo um quê de novidade. Ali Moushumi tinha se reinventado, sem receios, sem culpa. Ele a admira, sente até um pouco de raiva por ela ter se mudado para outro país e construído uma vida separada. Gógol se dá conta de que é isso que os pais deles tinham feito nos Estados Unidos. O que ele, muito provavelmente, jamais vai fazer.

No último dia deles, de manhã, ele sai para comprar presentes para seus sogros, sua mãe, Sonia. É o dia em que Moushumi vai apresentar seu artigo. Ele tinha se oferecido para ir com ela, ficar na plateia e ouvi-la falar. Mas ela lhe disse que era bobagem, por que ficar sentado no meio de uma sala cheia de gente falando uma língua que ele não entende, quando ainda havia mais coisas na cidade que ele podia ver? E então, depois das compras, ele parte sozinho para o Louvre, um programa que tinha adiado até aquele momento. No fim do dia ele a encontra num café no Quartier Latin. Ela está ali esperando por ele, atrás de uma divisória de vidro na calçada, usando um batom vermelho-escuro e tomando uma taça de vinho.

Ele senta, pede um café. "E aí? Como foi?"

Ela acende um cigarro. "Foi bom. Pelo menos terminou."

Ela parece mais arrependida do que aliviada, com os olhos demorando-se na pequena mesa redonda entre eles, nos veios azulados do mármore que lembram os de um queijo.

Normalmente ela quer um relato completo das aventuras dele, mas hoje os dois ficam em silêncio, observando os transeuntes. Ele mostra para ela as coisas que comprou, uma gravata para o sogro, sabonetes para as mães dos dois, uma camisa para Samrat, uma echarpe de seda para Sonia, cadernos de desenho para si, frascos de tinta, uma caneta. Ela admira os desenhos que ele fez. É um café onde eles já estiveram antes, e ele sente a leve nostalgia que é possível sentir, às vezes, ao fim de uma estadia prolongada num lugar desconhecido, assimilando os detalhes que logo vão se esvair de sua mente: o garçom mal-humorado que os serviu ambas as vezes, a vista das lojas do outro lado da rua, as cadeiras de palha verdes e amarelas.

"Você está triste de ir embora?", ele pergunta, misturando açúcar no café e bebendo tudo de um gole só.

"Um pouco. Acho que uma pequena parte de mim queria nunca ter ido embora de Paris, sabe?"

Ele se inclina, segura as duas mãos dela. "Mas então nós nunca teríamos nos conhecido", ele diz, com mais confiança do que sente.

"Verdade", ela reconhece. E então: "Quem sabe um dia a gente não se muda para cá".

Ele concorda com a cabeça. "Quem sabe."

Ela está bonita aos olhos dele, cansada, com a luz concentrada do fim do dia em seu rosto, infundindo nele um brilho âmbar e rosa. Ele observa a fumaça afastar-se dela. Quer se lembrar desse momento, dos dois ali juntos. É assim que ele quer se lembrar de Paris. Pega a câmera e faz foco no rosto dela.

"Nikhil, por favor, não faça isso", ela diz, rindo, balançando a cabeça. "Estou com uma cara péssima." Ela protege o rosto com as costas da mão.

Ele continua segurando a câmera. "Ah, vamos, Mo. Você é bonita. Está ótima."

Mas ela se recusa a satisfazer a vontade dele, arrastando a cadeira na calçada para sair do enquadramento; diz que não quer ser confundida com uma turista nessa cidade.

Um sábado à noite em maio. Um jantar no Brooklyn. Há uma dezena de pessoas reunidas em volta de uma longa mesa de jantar arranhada, fumando cigarros, bebendo Chianti em copos de suco, sentadas numa série de bancos de madeira sem encosto. O recinto está escuro, exceto por uma luminária com cúpula de metal pendurada num fio comprido, que lança uma poça de luz concentrada no centro da mesa. Uma ópera toca num velho aparelho no chão. Um baseado está sendo passado de mão em mão. Gógol dá uma tragada, mas ali na hora, prendendo o fôlego, ele se arrepende — já está faminto. Embora já sejam quase dez horas, o jantar ainda não foi servido. Com exceção do Chianti, os anfitriões até agora só ofereceram um pão e uma pequena tigela de azeitonas. O tampo da mesa está coberto por uma profusão de migalhas e caroços roxos pontudos de azeitona. O pão, como uma almofada dura e empoeirada, é cheio de buracos do tamanho de ameixas e tem uma casca que machuca o céu da boca de Gógol quando ele mastiga.

Eles estão na casa de Astrid e Donald, amigos de Moushumi. É um imóvel de tijolos marrons em reforma; Astrid e Donald, que esperam seu primeiro filho, estão no processo de expandir seu domínio de um único andar do prédio para os três de cima. Folhas grossas de plástico penduradas nas vigas criam corredores temporários transparentes. Atrás deles falta uma parede. Mesmo a essa hora, os convidados continuam chegando. Entram reclamando do frio que continua até essa altura da primavera, do vento mordaz e incômodo que balança as copas das árvores lá fora. Tiram seus casacos, apresentam-se, pegam taças de Chianti. Se por acaso é sua primeira vez na casa, eles saem da mesa e sobem as escadas em grupos para admirar as portas corrediças, o teto original de estanho, o vasto espaço que um dia será o quarto do bebê, a paisagem longínqua e brilhante de Manhattan visível do último andar.

Gógol já esteve na casa antes, com uma frequência um pouco grande demais, na opinião dele. Astrid é uma amiga que estudou com Moushumi na Brown. A primeira vez que ele encontrou Donald e Astrid tinha sido no casamento dele. Pelo menos é isso que Moushumi diz; Gógol não se lembra deles. Eles estavam morando em Roma no primeiro ano que Gógol e Moushumi passaram juntos, com uma bolsa da Guggenheim que Astrid ganhara. Mas desde então se mudaram de volta para Nova York, onde Astrid começou a lecionar teoria do cinema na New School. Donald é um pintor moderadamente talentoso de pequenas naturezas mortas com um único objeto do dia a dia: um ovo, uma xícara, um pente, suspensos contra fundos de cores vivas. A imagem de um carretel de linha pintado por Donald, presente de casamento para Gógol e Moushumi, está pendurada no quarto deles. Donald e Astrid são um casal languidamente confiante, um modelo, Gógol imagina, de como Moushumi queria que fosse a vida deles. Donald e Astrid procuram as pessoas, dão jantares, legam pedacinhos de si mesmos para os amigos. São defensores apaixonados de seu estilo de vida, e dão a Gógol e Moushumi um fluxo constante, inquestionável, de conselhos sobre coisas cotidianas. São devotos de certa padaria na rua Sullivan, de certo açougue na Mott, de certo estilo de cafeteira, de certa marca florentina de lençóis. Os decretos dos dois tiram Gógol do sério. Porém Moushumi é fiel. Regularmente se dá ao trabalho de comprar pão nessa padaria, carne nesse açougue, estourando, assim, o orçamento deles.

Nessa noite ele reconhece alguns rostos familiares: Edith e Colin, que dão aula de sociologia em Princeton e Yale, respectivamente, e Louise e Blake, ambos doutorandos, assim como Moushumi, na NYU. Oliver é editor de uma revista de arte; sua mulher, Sally, trabalha como *chef* numa confeitaria. Os demais são amigos pintores de Donald, poetas, documentaristas. Todos são casados. Mesmo agora, um fato tão corriqueiro, tão óbvio quanto esse, o deixa perplexo. Todos casados! Mas assim é a vida agora, o fim de semana às vezes é mais cansativo que os dias úteis, um fluxo interminável de jantares, coquetéis, de vez em quando uma festa após as onze com dança e drogas para fazê-los lembrar que ainda são jovens, seguida de *brunches* de domingo com *bloody mary* abundante e ovos superfaturados.

É uma turma inteligente, atraente, bem vestida. Também um pouco incestuosa. A vasta maioria se conhece da Brown, e Gógol não consegue jamais se livrar da sensação de que metade das pessoas na sala já dormiram umas com as outras. Há a costumeira conversa acadêmica em volta da mesa, versões dessa conversa das quais ele não consegue participar: conferências, editais de vagas, graduandos ingratos, prazos para propostas. Numa ponta da mesa, uma mulher de cabelos curtos ruivos e óculos de gatinho fala de uma peça de Brecht em que atuou uma vez em San Francisco, com os atores totalmente nus. Na outra ponta, Sally dá os toques finais na sobremesa que trouxe, montando camadas e cobrindo-as com merengue branco brilhante que brota feito um denso emaranhado de labaredas. Astrid exibe para algumas pessoas amostras de cores, alinhadas diante de si como cartas de tarô, versões de um verde--maçã que ela e Donald estão cogitando para o corredor da frente. Ela usa óculos que poderiam ter pertencido a Malcolm X. Olha as amostras com precisão; embora peça conselhos aos convidados, já decidiu qual variação do tom vai escolher. À esquerda de Gógol, Edith discute seus motivos para não comer pão. "É só que tenho muito mais energia quando corto o trigo", ela afirma.

Gógol não tem nada a dizer a essas pessoas. Não se importa com seus temas de tese, nem com suas restrições alimentícias, nem com a cor de suas paredes. No começo essas ocasiões não haviam sido tão excruciantes. Nas primeiras vezes que Moushumi o apresentou à sua turma, os dois ficavam sentados abraçados, e os outros convidados eram só uma nota de rodapé na conversa ininterrupta deles. Uma vez, numa festa na casa de Sally e Oliver, eles desapareceram para fazer um amor apressado e eufórico no closet de Sally, com pilhas de suéteres dela assomando sobre eles. Ele sabe que é impossível manter esse tipo de paixão isolada. Mesmo assim, a devoção de Moushumi a estas pessoas o deixa desnorteado. Ele olha para ela agora. Está acendendo um Dunhill. O fato de ela fumar não o incomodou no início. Ele gostava quando ela, depois do sexo, se curvava sobre a mesa de cabeceira e acendia um fósforo, e ele ficava deitado ao seu lado, ouvindo-a expirar em silêncio, observando a fumaça que subia acima de suas cabeças. Mas hoje em dia esse cheiro rançoso no cabelo e nas pontas dos dedos dela, no quarto onde ela fica digitando, provoca-lhe um ligeiro desgosto, e de quando em quando ele não consegue deixar de ter uma visão fugaz de si mesmo, tragicamente abandonado por causa desse vício leve porém persistente. Quando ele admitiu seu medo para ela certo dia, ela deu risada. "Ah, Nikhil", disse, "você não pode estar falando sério."

Ela está rindo agora, absorta, assentindo com a cabeça para algo que Blake está dizendo. Parece animada de um jeito que ele não se lembra de tê-la visto faz algum tempo. Ele admira seus cabelos retos, lisos, que ela cortou recentemente com as pontas viradas para cima. Os óculos que apenas enfatizam sua beleza. Sua boca clara, graciosa. Ele entende que a aprovação dessas pessoas significa algo para ela, embora não saiba ao certo exatamente o quê. E, no entanto, por mais que Moushumi goste de ver Astrid e Donald, Gógol recentemente começou a notar que ela fica melancólica depois dos encontros, como se vê-los servisse apenas para lembrar a ela que a vida deles nunca vai chegar a esse nível. Da última vez que eles voltaram para casa após um dos jantares de Astrid e Donald, ela comprou uma briga com ele assim que entraram no apartamento, reclamando do barulho da Terceira Avenida, das portas corrediças dos armários que sempre saem dos trilhos, de que é impossível usar o banheiro sem ficar surdo com o barulho da ventilação. Ele diz a si mesmo que é o estresse — ela está estudando para seus exames orais, enfurnada em seu cubículo na biblioteca até às nove horas quase toda noite. Ele lembra como foi estudar para seu exame de licenciamento, no qual ele só passou da terceira vez. Lembra do longo isolamento que esse exame exigiu, sem falar com ninguém por dias seguidos, e por isso ele não diz nada. Hoje teve esperança de que ela usaria os exames orais como motivo para recusar o convite de Astrid e Donald. Mas a essa altura, ele já aprendeu que está fora de questão recusar qualquer coisa que venha deles.

Foi por meio de Astrid e Donald que Moushumi conheceu seu ex-noivo, Graham; Donald estudou com ele na escola preparatória e deu o número de Moushumi a Graham quando ele se mudou para Paris. Gógol não gosta de pensar no fato de que a ligação com Graham continua existindo através de Astrid e Donald, que através deles Moushumi ficou sabendo que Graham mora em Toronto agora, está casado e é pai de gêmeos. Quando Moushumi e Graham estavam juntos, formavam um quarteto com Donald e Astrid, e costumavam alugar chalés juntos em Vermont, casas de temporada nos Hamptons. Eles tentam incorporar Gógol em planos parecidos; nesse verão, por exemplo, estão pensando em alugar uma casa no litoral de Brittany. Embora Astrid e Donald tenham recebido Gógol em sua vida de braços abertos, às vezes ele tem a sensação de que eles ainda acham que ela está com Graham. Uma vez Astrid até o chamou de Graham por engano. Ninguém percebeu, além de Gógol. Todos eles estavam meio bêbados, mas ele sabia que tinha ouvido certo, já mais para o fim de uma noite muito parecida com essa. "Mo, por que você e o Graham não levam um pouco desse lombo de porco para casa?", Astrid disse enquanto eles estavam tirando os pratos. "É ótimo para fazer sanduíche."

No momento, os convidados estão unidos numa única conversa, falando de nomes para o bebê. "O que nós queremos é algo totalmente único", Astrid diz. Ultimamente, Gógol começou a notar uma tendência: agora que eles habitam esse mundo de casais, os papos nos jantares gravitam em torno de nomes de crianças. Se uma mulher na mesa por acaso está grávida, como Astrid agora, esse assunto é inevitável.

"Sempre gostei dos nomes dos papas", diz Blake.

"Como John e Paul?", pergunta Louise.

"Mais para Innocent e Clement."

Há nomes sem sentido, como Jet e Tipper. Estes provocam resmungos. Alguém afirma que uma vez conheceu uma menina chamada Anna Graham. "Entenderam? Anagram, anagrama!" e todo mundo dá risada.

Moushumi concorda que um nome como o seu é uma praga, reclama que ninguém consegue pronunciá-lo direito, que as crianças na escola diziam Moosoomi e abreviavam para Moose. "Eu odiava ser a única Moushumi que eu conhecia", ela diz.

"Veja só, eu teria adorado isso", diz Oliver.

Gógol pega mais Chianti em seu copo de suco. Odeia contribuir com essas conversas, odeia ouvi-las. Uma série de livros de nomes passa entre as pessoas na mesa: *Encontrando o nome perfeito*, *Nomes alternativos para bebês*, *O guia do idiota para nomear bebês*. Um deles se chama *Que nomes não dar ao seu bebê*. Páginas são dobradas, algumas com estrelas e marcas nas margens. Alguém sugere Zachary. Outro diz que já teve um cachorro chamado Zachary. Todos querem procurar seu próprio nome para ver o que significa, alternam-se entre o contentamento e a decepção. Tanto Gógol quando Moushumi estão ausentes desses livros, e pela primeira vez em toda a noite ele sente um vestígio daquele estranho laço que os uniu no começo. Ele vai até onde ela está sentada, pega uma de suas mãos, que estavam repousadas na superfície da mesa, com os braços estendidos. Ela vira o rosto para ele.

"Olá", ela diz. Sorri para ele, recostando a cabeça por um instante no seu ombro, e Gógol percebe que ela está bêbada.

"O que significa Moushumi, afinal?", Oliver pergunta do outro lado dela.

"Uma brisa úmida do sudoeste", ela diz, balançando a cabeça e revirando os olhos.

"Parecida com essa lá fora?"

"Sempre soube que você era uma força da natureza", diz Astrid, rindo.

Gógol vira-se para Moushumi. "É mesmo?", diz. Percebe que isso é algo que ele nunca pensou em perguntar a ela, algo que ele não sabia antes.

"Você nunca me contou isso", ele diz.

Ela balança a cabeça, confusa. "Não contei?"

Isso o incomoda, embora ele não saiba direito por quê. Mas não é hora de ficar pensando nesse assunto. Não no meio disso tudo. Ele se levanta para ir ao banheiro. Quando termina, em vez de voltar para a sala de jantar, sobe um lance de escadas, para dar uma olhada nas reformas. Para nas portas de uma série de cômodos caiados que não contêm nada além de escadas dobráveis. Outros estão cheios de caixas, em pilhas de seis ou sete. Ele se detém para examinar algumas plantas do apartamento espalhadas no chão. Lembra-se de quando ele e Moushumi começaram a namorar, de quando passaram uma tarde inteira, num bar, desenhando uma planta da casa ideal. Ele argumentava em favor de uma coisa modernista, cheia de vidro e luz, mas ela queria uma casa de pedra marrom como aquela. No fim eles tinham projetado algo implausível, uma casa de concreto com uma fachada de vidro. Isso foi antes de eles dormirem juntos, e ele se lembra de terem ficado constrangidos na hora de decidir onde seria o quarto.

Ele acaba indo parar na cozinha, onde Donald só agora está começando a preparar espaguete ao vôngole. É uma velha cozinha de um dos antigos apartamentos alugados, que eles estão usando enquanto a nova não fica pronta. O linóleo opaco e os utensílios enfileirados numa única parede fazem Gógol se lembrar de seu antigo apartamento na avenida Amsterdam. No fogão há uma caçarola vazia de aço inox, tão grande que cobre duas bocas. Há uma salada de folhas numa tigela coberta com toalhas de papel umedecidas. Uma grande quantidade de pequenos mariscos verdes, não maiores que moedas, estão de molho na pia funda de porcelana.

Donald é alto, usa jeans, chinelos de dedo e uma camisa vermelho-pimentão com as mangas arregaçadas acima dos cotovelos. É bonito, com traços aristocratas e cabelos castanho-claros penteados para trás, levemente oleosos. Veste um avental por cima das roupas e está ocupado arrancando folhas de um maço de salsinha grande demais.

"E aí", diz Gógol. "Precisa de ajuda?"

"Nikhil. Seja bem-vindo." Donald lhe entrega a salsinha. "Fique à vontade."

Gógol fica contente por ter alguma coisa para fazer, por estar ocupado e ser produtivo, mesmo que seja como assistente de Donald.

"Então, como estão indo as reformas?"

"Nem pergunte", Donald diz. "Acabamos de demitir nosso empreiteiro. Nesse ritmo, nosso filho já vai ter saído de casa quando o quarto do bebê ficar pronto."

Gógol observa quando Donald começa a retirar os mariscos da água, esfregando suas conchas com algo que parece uma pequena escova de limpar privadas, depois jogando-os, um por um, na caçarola. Gógol espia dentro da panela e vê os vôngoles, suas conchas uniformemente partidas num caldo espumante.

"Então, quando é que vocês vão se mudar para este bairro?", Donald pergunta.

Gógol dá de ombros. Não tem interesse algum em mudar-se para o Brooklyn, pelo menos não para tão perto de Donald e Astrid. "Na verdade nunca pensei nisso. Prefiro Manhattan. Moushumi também."

Donald faz que não com a cabeça. "Você está enganado. Moushumi adora o Brooklyn. Nós praticamente tivemos que expulsá-la depois de toda essa história com o Graham."

A menção a esse nome age como uma alfinetada, o faz murchar como sempre.

"Ela ficou aqui com vocês?"

"Ali na outra ponta do corredor. Ficou aqui por uns meses. Estava um bagaço. Nunca vi uma pessoa tão arrasada."

Ele assente com a cabeça. Essa era mais uma coisa que ela nunca tinha lhe contado. Ele se pergunta por quê. Odeia a casa de repente, ao saber que foi aqui, junto com Donald e Astrid, que ela passou seu momento mais sombrio. Que foi aqui que ela ficou de luto por outro homem.

"Mas você é muito melhor para ela", Donald conclui.

Gógol ergue o olhar, surpreso.

"Não me entenda mal, Graham é um cara ótimo. Mas eles eram parecidos demais, de alguma maneira. Intensos demais quando estavam juntos."

Gógol não acha essa observação especialmente reconfortante. Termina de arrancar as últimas folhas de salsinha, observa Donald pegar uma faca e picá-las, em gestos ágeis e experientes, com uma mão aberta apoiada na parte superior da lâmina.

Gógol de repente se sente um incompetente. "Nunca entendi direito como fazer isso."

"Você só precisa de uma faca boa de verdade", Donald lhe diz. "Eu não abro mão destas."

Gógol é enviado para a sala com uma pilha de pratos, um monte de garfos e facas. No caminho enfia a cabeça no quarto do fim do corredor, onde Moushumi tinha ficado. Está vazio agora, com um tecido que protege o chão, e um emaranhado de fios que saem do centro do teto. Ele a imagina numa cama no canto, taciturna, emaciada, uma nuvem de fumaça pairando sobre sua cabeça. Lá embaixo, ele senta-se em seu lugar, ao lado de Moushumi. Ela o beija no lóbulo da orelha. "Onde é que você se meteu?"

"Só estava fazendo companhia para o Donald."

A conversa sobre nomes ainda está rolando solta. Colin diz que gosta de nomes que significam uma virtude: Patience, Faith, Chastity. Diz que sua bisavó se chamava Silence, algo que ninguém acredita.

"E que tal Prudence? Prudência não é uma virtude?", diz Donald, descendo a escada com uma travessa de espaguete. A travessa é colocada na mesa e recebe aplausos esparsos. O macarrão é servido, os pratos são passados de mão em mão.

"Parece uma responsabilidade tão imensa dar nome a um bebê. E se ele detestar?", diz Astrid, aflita.

"Se isso acontecer, ele muda", diz Louise. "Por falar nisso, vocês se lembram do Joe Chapman, da faculdade? Ouvi dizer que ele agora é Joanne."

"Meu Deus, eu nunca mudaria o meu nome", diz Edith. "É da minha avó."

"O Nikhil mudou o dele", Moushumi solta de repente, e pela primeira vez naquela noite inteira, com a exceção dos cantores de ópera, a sala cai num silêncio completo.

Ele crava os olhos nela, atônito. Nunca lhe pediu para não contar a ninguém. Simplesmente assumiu que não contaria. Ela não se dá conta da expressão no rosto dele; sorri de volta, sem perceber o que fez. Os convidados do jantar olham para ele, suas bocas escancaradas em sorrisos confusos.

"Como assim, ele mudou de nome?", Blake pergunta devagar.

"Nikhil. Não foi com esse nome que ele nasceu." Ela confirma com a cabeça, de boca cheia, jogando na mesa uma concha de marisco. "Ele não tinha esse nome quando a gente era criança."

"Com que nome você nasceu?", diz Astrid, olhando para ele com desconfiança e franzindo as sobrancelhas para dar ênfase.

Por alguns segundos ele não fala nada. "Gógol", diz por fim. Faz muito tempo que ele não é Gógol para ninguém além de sua família, para os amigos deles. O nome soa como sempre, simples, impossível, absurdo. Ele diz isso olhando fixo para Moushumi, mas ela está bêbada demais para assimilar sua reprimenda.

"O Gógol de 'O capote'?", pergunta Sally.

"Entendi", diz Oliver. "Nick-olai Gógol."

"Não acredito que você escondeu isso da gente, Nick", Astrid o recrimina.

"Que raio fez seus pais escolherem esse nome?", Donald quer saber.

Ele pensa na história que não consegue ter coragem de contar a essas pessoas, ao mesmo tempo tão vívida e tão elusiva quanto sempre foi: o trem descarrilado no meio da noite, o braço do pai dele saindo pela janela, a página de um livro amarrotada em seu punho. É uma história que contou a Moushumi meses após se conhecerem. Ele lhe contou do acidente e da noite em que seu pai contou a história a ele, na entrada da casa na rua Pemberton. Confessou-lhe que às vezes ainda se sentia culpado por ter mudado de nome, ainda mais agora que o pai estava morto. E ela lhe garantiu que aquilo era compreensível, que qualquer pessoa no seu lugar teria feito o mesmo. Mas agora isso virou uma piada para ela. De repente ele se arrepende de um dia ter contado isso a Moushumi; pergunta-se se ela vai alardear a história do acidente do pai dele para a mesa também. Na manhã seguinte, metade das pessoas na sala já terão esquecido. Será um pequeno fato insólito sobre ele, uma anedota, talvez, para um jantar futuro. É isso que o deixa mais chateado.

"Meu pai era fã", ele diz por fim.

"Então talvez a gente devesse batizar o bebê de Verdi", cogita Donald, bem quando a ópera chega a seus acordes finais e a fita termina com um estalo.

"Você não está ajudando", diz Astrid, petulante, beijando Donald no nariz. Gógol os observa, sabendo que é tudo brincadeira

— eles não são do tipo que faria uma coisa tão impulsiva, tão ingênua, que faria uma bobagem como os pais dele tinham feito.

"Relaxem", diz Edith. "Alguma hora vocês pensam no nome perfeito."

E é então que Gógol anuncia: "Isso não existe".

"Não existe o quê?", diz Astrid.

"Não existe um nome perfeito. Acho que deveria ser permitido aos seres humanos escolherem o próprio nome quando completam dezoito anos", ele acrescenta. "Antes disso, pronomes."

As pessoas balançam a cabeça, desprezando a sugestão. Moushumi lança-lhe um olhar que ele ignora. A salada é servida. A conversa toma um novo rumo, continua sem ele. E, no entanto, ele não consegue deixar de recordar um romance que uma vez pegou da pilha da cabeceira de Moushumi, uma tradução em inglês de alguma coisa francesa, em que o narrador se referia aos personagens principais, por centenas de páginas, como Ele e Ela. Gógol tinha lido em questão de horas, com um estranho alívio pelo fato de os nomes dos personagens nunca serem revelados. Era uma história de amor infeliz. Se ao menos a vida dele fosse tão simples assim.

10.

1999

Na manhã do primeiro aniversário de casamento deles, os pais de Moushumi telefonam, acordando os dois, e lhes desejam um feliz aniversário de casamento antes que eles mesmos tenham a oportunidade de dizer isso um ao outro. Além do aniversário de casamento, há outro motivo para comemorar: Moushumi passou em seus exames orais na semana anterior, e agora só falta a tese para que ela seja doutora. Também há uma terceira coisa a ser comemorada, mas que ela não mencionou — ela foi agraciada com uma bolsa de pesquisa para trabalhar em sua tese na França por um ano. Tinha se candidatado secretamente à bolsa, logo antes do casamento, apenas pela curiosidade de ver se ganharia. Era sempre uma boa, ela havia pensado, lutar por esse tipo de coisa. Dois anos atrás ela teria dito sim na hora. Mas não é mais possível partir para a França por um ano, agora que ela tem um marido, um casamento para levar em conta. Então, quando a boa notícia chegou, ela decidiu que era mais fácil recusar a bolsa em silêncio, arquivar a carta, não trazer o assunto à tona.

Ela tomou a iniciativa para essa noite, fez reservas num restaurante em *midtown* recomendado por Donald e Astrid. Sente-se um pouco culpada por todos esses meses de estudo, consciente de que, usando seus exames como desculpa, ignorou Nikhil talvez mais do que o necessário. Houve noites em que disse a ele que estava em seu cubículo na biblioteca quando, na verdade, tinha ido encontrar Astrid e sua filha bebê, Esme, no SoHo, ou saído para caminhar sozinha. Às vezes sentava sozinha num restaurante, no balcão, e pedia sushi ou um sanduíche e uma taça de vinho, simplesmente para lembrar a si mesma que ainda era capaz de ficar só. Ter certeza disso é importante para ela; junto com os votos em sânscrito que repetiu em seu casamento, ela jurou a si mesma que nunca ficaria totalmente dependente do marido, como acontecera com sua mãe. Pois mesmo após vinte e dois anos no exterior, na Inglaterra e agora nos Estados Unidos, sua mãe não sabe dirigir, não tem um emprego, não sabe a diferença entre uma conta-corrente e uma poupança. E, no entanto, é uma mulher muito inteligente, foi uma estudante de destaque em filologia no Presidency College antes de se casar aos vinte e dois anos.

Ambos se vestiram bem para a ocasião e quando Moushumi sai do banheiro, vê que ele está usando a camisa que ela lhe deu, cor de musgo, com um colarinho de padre de veludo de um tom ligeiramente mais escuro de verde. Só depois que o vendedor tinha embrulhado a camisa foi que ela lembrou que, segundo a regra, se deve dar um presente de papel no primeiro aniversário de casamento. Ela pensou em guardar a camisa para o Natal, ir à Rizzoli e comprar um livro de arquitetura em vez disso. Porém não deu tempo. Ela está usando o vestido preto que usou da primeira vez que ele veio jantar, da primeira vez que dormiram juntos, e, por cima dele, um xale lilás de *pashmina*, presente de aniversário de casamento de Nikhil para ela. Ela ainda se lembra do primeiro encontro deles, lembra de ter gostado do aspecto levemente bravio dos seus cabelos quando ele se aproximou dela no bar, da barba malfeita escura em seu rosto, da camisa de listras verdes mais grossas e listras cor de lavanda mais finas que ele vestia, o colarinho já meio puído. Ainda se lembra de como ficou desnorteada ao erguer o olhar do livro e vê-lo, seu coração acelerado no peito, sentindo a atração instantânea, poderosamente. Pois estava esperando uma versão mais velha do menino de quem se lembrava, distante, quieto, de jeans cotelê e agasalho de moletom, algumas espinhas pontuando o queixo. No dia anterior ao encontro, tinha almoçado com Astrid. "Eu só não consigo ver você com um cara indiano", disse Astrid fazendo pouco caso, enquanto elas comiam salada na City Bakery. Naquela ocasião Moushumi não havia protestado, mas sim garantido, como se pedisse desculpas, que era apenas um encontro. Ela mesma estava profundamente cética — com exceção do jovem Shashi Kapoor e de um primo na Índia, nunca se vira atraída por um homem indiano até então. No entanto, gostou genuinamente de Nikhil. Gostou de ele não ser nem médico nem engenheiro. Gostou de ele ter mudado seu nome de Gógol para Nikhil; embora o conhecesse havia tantos anos, era uma coisa que o tornava novo de algum modo, não a pessoa que a mãe dela mencionara.

Eles decidem ir a pé até o restaurante, trinta quarteirões ao norte do apartamento deles, quatro quarteirões a oeste. Embora já esteja escuro, é uma noite quente e agradável, tanto que ela hesita embaixo do toldo do prédio, perguntando-se se a *pashmina* é necessária. Ela não tem onde guardá-la, sua bolsa de noite é pequena demais. Deixa o xale cair de seus ombros, recolhe-o nas mãos.

"Talvez eu devesse deixar isso lá em cima."

"E se nós quisermos voltar a pé?", ele diz. "Você provavelmente vai precisar dele."

"Acho que sim."

"Isso fica bem em você, aliás."

"Você se lembra deste vestido?"

Ele faz que não com a cabeça. Ela fica decepcionada, mas não surpresa. A essa altura, já aprendeu que sua mente detalhista de arquiteto falha quando o assunto são coisas do cotidiano. Por exemplo, ele não se deu ao trabalho de esconder a nota fiscal do xale, deixando-a, junto com o troco que tirara do bolso, em cima da escrivaninha que eles compartilham. Ela não pode culpá-lo por não lembrar. Ela própria não consegue mais lembrar a data exata daquela noite. Tinha sido um sábado em novembro. Mas agora esses marcos em seu namoro esmaeceram, deram lugar à ocasião que eles estão comemorando agora.

Eles andam pela Quinta Avenida, passam pelas lojas que vendem tapetes orientais, desenrolados em vitrines iluminadas. Passam pela biblioteca pública. Em vez de continuar até o restaurante, decidem perambular pela calçada por um momento; ainda há vinte minutos antes da reserva deles. A Quinta Avenida está estranhamente despovoada, apenas um punhado de pessoas e táxis numa área geralmente entupida de turistas e gente fazendo compras. Ela raramente vem aqui, só para comprar maquiagem na Bendel's ou para ver um ou outro filme no Paris, e uma vez, com Graham, o pai e a madrasta, para beber no Plaza. Eles passam pelas vitrines de lojas fechadas que expõem relógios de pulso, malas, sobretudos. Um par de sandálias turquesa faz Moushumi parar. Os sapatos estão dispostos num pedestal de acrílico, brilhando sob um facho de luz, as tiras em estilo gladiador decoradas com strass.

"Feios ou bonitos?", ela lhe pergunta. É uma pergunta que ela lhe faz com frequência, enquanto eles veem juntos os apartamentos que aparecem na *Architectural Digest* ou na seção de design da revista *Times*. Muitas vezes as respostas dele a surpreendem, convencendo-a a apreciar um objeto que a princípio teria desprezado.

"Tenho quase certeza de que são feios. Mas teria que ver alguém calçando."

"Concordo. Adivinhe quanto custam", ela diz.

"Duzentos dólares."

"Quinhentos. Você acredita? Vi uma foto delas na *Vogue*."

Ela volta a andar. Após alguns passos, vira-se e vê que ele ainda está parado ali, agachado para ver se tem uma etiqueta de preço na sola do sapato. Há algo ao mesmo tempo inocente e irreverente nesse gesto, que a faz lembrar, à força, do motivo pelo qual ainda o ama. Isso a faz lembrar da gratidão que sentiu quando ele reapareceu em sua vida. Na época em que o encontrou, tinha começado a temer que estivesse retrocedendo à pessoa que era antigamente, antes de Paris — intocada, livresca, solitária. Lembrava do pânico que sentira, todos os seus amigos já casados. Tinha até cogitado colocar um anúncio pessoal. Mas ele a havia aceitado, havia obliterado sua desonra anterior. Ela acreditava que ele seria incapaz de magoá-la como Graham tinha feito. Após anos de relacionamentos clandestinos, era um alívio namorar abertamente, ter o apoio dos pais dela desde o começo, com a inevitabilidade de um futuro inquestionável, de um casamento, levando-os em frente. E, no entanto, a familiaridade que antes a atraía nele começou a mantê-la afastada. Embora saiba que a culpa não é de Gógol, Moushumi não consegue evitar associá-lo, às vezes, a um sentimento de resignação, justamente à vida a que ela resistiu e que lutou com tanta força para deixar para trás. Não era com ele que ela se imaginava no final, ele nunca tinha sido essa pessoa. Talvez justamente por esses motivos, nesses primeiros meses, estar com ele, apaixonar-se por ele, fazer exatamente o que os outros tinham esperado dela sua vida inteira, lhe parecera proibido, loucamente transgressor, uma violação de sua própria vontade instintiva.

No começo eles não conseguem achar o restaurante. Embora tenham o endereço exato, escrito num papel dobrado dentro da bolsa de Moushumi, o número indica apenas um conjunto de escritórios num prédio baixo. Eles apertam o interfone, espiam pela porta de vidro o saguão vazio, acarpetado, com um grande vaso de flores na base da escada.

"Não pode ser aqui", ela diz, colocando as mãos no vidro, protegendo os dois lados do rosto para bloquear o reflexo.

"Tem certeza de que anotou o endereço certo?", Gógol pergunta.

Eles andam para cima e para baixo no quarteirão, olham do outro lado. Voltam ao prédio baixo, procurando sinais de vida nas janelas escuras.

"É ali", ele diz, ao notar um casal que surge de um porão abaixo da escada. Lá, numa entrada iluminada por uma única arandela, eles acham uma placa pregada discretamente à fachada do prédio, com o nome do restaurante, Antonia. Uma pequena comitiva vem cumprimentá-los, marcar seus nomes numa lista disposta num atril, conduzi-los até sua mesa. Toda essa cerimônia parece injustificada quando eles entram numa sala de jantar rebaixada, bastante simples. A atmosfera é sombria, vagamente abandonada, assim como estavam as ruas. Há uma família comendo ali depois de uma ida ao teatro, ela imagina, as duas filhas pequenas com vestidos absurdamente rebuscados, com anáguas e grandes colarinhos rendados. Há uns poucos casais de meia-idade vestindo ternos, parecendo ricos. Um senhor idoso e bem vestido está jantando sozinho. Ela acha suspeito haver tantas mesas vazias, nenhuma música tocando. Esperava algo mais animado, mais caloroso. A vastidão e o teto alto parecem surpreendentes para um lugar subterrâneo. O ar-condicionado é forte demais e gela os braços e as pernas descobertos de Moushumi. Ela estreita a *pashmina* em volta dos ombros.

"Estou congelando. Você acha que eles diminuiriam o ar-condicionado se eu pedisse?"

"Duvido. Quer o meu paletó?", oferece Nikhil.

"Não, tudo bem." Ela sorri para ele. No entanto, sente-se desconfortável, deprimida. Fica deprimida quando dois ajudantes adolescentes, que vestem coletes estampados e calças pretas, servem-lhes pão quente com pinças de prata. Fica incomodada com o fato de que o garçom, embora totalmente atencioso, não olha nos olhos deles enquanto descreve o cardápio, falando, em vez disso, para a garrafa de água mineral posicionada entre os dois. Ela sabe que é tarde demais para mudar de planos agora. Mas mesmo depois que eles fazem o pedido, parte dela sente uma aflição, uma vontade de levantar e ir embora. Fez algo parecido algumas semanas antes, sentada na cadeira de um salão caro de cabeleireiro; saiu depois que o avental já tinha sido amarrado em seu pescoço, enquanto a cabeleireira tinha ido conferir outra cliente, simplesmente porque alguma coisa no jeito dela, a expressão de tédio em seu rosto enquanto levantava uma mecha de cabelos de Moushumi e a examinava no espelho, lhe pareceu insultuosa. Ela se pergunta por que Donald e Astrid gostam desse lugar, supõe que seja por causa da comida. Mas quando a comida chega, ela também se decepciona. A refeição, servida em pratos brancos quadrados, é disposta num arranjo rebuscado, porções microscopicamente pequenas. Como de costume, eles trocam os pratos na metade da refeição, mas dessa vez ela não gosta da comida dele, por isso fica com o seu prato. Termina sua entrada de escalopes depressa demais e fica sentada, por um tempo que parece muito longo, observando Nikhil destrinchar sua codorna.

"A gente não devia ter vindo aqui", ela diz de repente, franzindo a testa.

"Por que não?", ele lança um olhar de aprovação ao seu redor. "Até que é bom."

"Não sei. Não é como eu imaginava."

"Vamos só aproveitar."

Mas ela não consegue aproveitar. À medida que a refeição se aproxima do fim, ocorre-lhe que ela não está nem muito bêbada nem saciada. Apesar de dois drinques e da garrafa de vinho que eles tomaram juntos, ela se sente perturbadoramente sóbria. Olha para os ossos de codorna, finos como fios de cabelo, que Nikhil descartou no prato, e sente uma leve repulsa, desejando que ele termine logo para ela poder acender seu cigarro.

"Senhora, seu xale", diz um dos ajudantes de garçom, recolhendo-o do chão e entregando-o a ela.

"Desculpa", ela diz, sentindo-se atrapalhada, desleixada. Então ela nota que seu vestido preto está coberto de fios lilases. Esfrega o material, porém os fios continuam grudados, feito pelos de gato.

"Que foi?", pergunta Nikhil, erguendo o olhar do prato.

"Nada", ela diz, não querendo magoá-lo ao achar defeito em seu presente caro.

Eles são os últimos clientes a ir embora. A conta é absurdamente alta, muito mais do que eles estavam esperando. Eles põem um cartão de crédito na mesa. Ao observar Nikhil assinar o recibo, ela de repente sente-se mesquinha, irritada por eles terem de deixar uma gorjeta tão generosa, embora não haja nenhum motivo real para questionar o desempenho do garçom. Ela nota que várias mesas já foram limpas, com cadeiras colocadas de ponta-cabeça em seus tampos.

"Não acredito que eles já estão tirando as mesas."

Ele dá de ombros. "É tarde. Eles provavelmente fecham cedo aos domingos."

"Não custava esperar a gente ir embora", ela diz. Sente um nó formando-se em sua garganta, lágrimas nos olhos.

"Moushumi, qual é o problema? Tem alguma coisa que você quer falar?"

Ela faz que não com a cabeça. Não está com vontade de explicar. Quer chegar em casa, deitar na cama, deixar essa noite para trás. Lá fora, fica aliviada ao ver que está garoando e por isso, em vez de voltar a pé para o apartamento como eles tinham planejado, eles podem pegar um táxi.

"Tem certeza de que não tem nenhum problema?", ele diz no caminho de volta.

Moushumi percebe que ele está começando a perder a paciência com ela. "Ainda estou com fome", ela diz, olhando pela janela, para os restaurantes ainda abertos a essa hora: lanchonetes com luzes chapadas e promoções escritas em pratos de papel, vendendo calzones baratos, o chão coberto de serragem, o tipo de restaurante em que ela nunca pensaria em entrar normalmente, mas que, de repente, parecem sedutores. "Eu bem poderia comer uma pizza."

Dois dias depois começa um novo semestre. É o oitavo semestre de Moushumi na NYU. Ela já terminou os cursos, nunca mais vai assistir a uma aula na vida. Nunca mais vai fazer uma prova. Ela se compraz com esse fato — finalmente, uma emancipação formal da vida de estudante. Embora ainda tenha uma tese para escrever, ainda tenha um orientador para monitorar seu progresso, já se sente desatrelada, de algum modo, do mundo que a definiu, estruturou e limitou por tanto tempo. Essa é a terceira vez que ela dá o curso. Francês para iniciantes, segundas, quartas e sextas, um total de três horas por semana. A única coisa que ela teve de fazer foi olhar o calendário e mudar a data das aulas. Seu maior esforço será aprender os nomes dos alunos. Ela sempre fica lisonjeada quando eles assumem que ela é francesa, ou metade francesa. Gosta dos seus olhares de descrença quando diz a eles que é de Nova Jersey, nascida de pais bengalis.

Moushumi ganhou uma turma às oito da manhã, algo que a incomodou no começo. Mas agora que está de pé, de banho tomado, vestida, andando na rua com um café com leite do mercadinho do quarteirão, ela se sente revigorada. Estar fora de casa a essa hora já lhe parece uma conquista. Quando ela saiu do apartamento, Nikhil ainda estava dormindo, indiferente ao apito insistente do despertador. Na noite anterior, ela tinha separado suas roupas, seus papéis, algo que não fazia desde que era uma menina preparando-se para a escola. Gosta de andar pelas ruas tão cedo e gostou de acordar sozinha na semiescuridão, da sensação promissora que isso dava ao dia. É uma mudança agradável em sua rotina de sempre — Nikhil de banho tomado, já de terno, saindo pela porta enquanto ela está pegando sua primeira xícara de café. Está contente por não ter que enfrentar logo de cara sua escrivaninha no canto, cercada de sacos cheios de roupa suja que eles sempre pretendem deixar na lavanderia, o que acabam fazendo só uma vez por mês, quando é necessário comprar roupa de baixo e meias novas. Moushumi se pergunta por quanto tempo sua vida ainda terá esse aspecto estudantil, apesar do fato de ela ser uma mulher casada, de já estar tão avançada em seus estudos, de Nikhil ter um trabalho respeitável, embora não muito lucrativo. Teria sido diferente com Graham — ele teria ganho dinheiro mais do que suficiente para eles dois. E, no entanto, isso também teria sido frustrante, fazendo-a temer que sua carreira fosse, de algum modo, só um capricho desnecessário. Ela lembra a si mesma que, quando tiver um emprego, um emprego em período integral com um cargo de titular em vista, as coisas vão ser diferentes. Imagina para onde esse primeiro emprego irá levá-la, assume que será alguma cidadezinha distante no meio do nada. Às vezes brinca com Nikhil que eles terão de pegar suas coisas e se mudar, dali a alguns anos, para Iowa, para Kalamazoo. Mas ambos sabem que sair de Nova York está fora de questão para ele, que será ela que terá de ir e voltar de avião nos fins de semana. Há algo que a atrai nessa ideia, de começar do zero num lugar onde ninguém a conhece, como tinha feito em Paris. É a única coisa que ela realmente admira na vida dos pais — sua capacidade, para o bem ou para o mal, de deixar para trás o lugar onde nasceram.

Quando se aproxima do departamento, ela vê que há algo errado. Há uma ambulância estacionada na calçada, com as portas de trás escancaradas. Um ruído de estática vem do walkie-talkie de um paramédico. Ela espia dentro da ambulância enquanto atravessa a rua, vê o equipamento de ressuscitação, mas não há ninguém ali. Mesmo assim, a cena lhe dá um calafrio. Lá em cima, o corredor está lotado. Ela se pergunta quem se machucou, se foi um aluno ou um professor. Não reconhece ninguém, apenas um grupo de calouros desnorteados com formulários de retificação de matrícula nas mãos. "Acho que alguém desmaiou", as pessoas estão dizendo. "Não faço ideia." Uma porta se abre e alguém diz para eles abrirem caminho. Ela espera ver alguém numa cadeira de rodas e fica assustada ao ver um corpo coberto por um lençol, sendo carregado numa maca. Alguns dos espectadores gritam assustados. Moushumi tapa a boca com a mão. Metade das pessoas está olhando para baixo, desviando o rosto, balançando a cabeça. Pelos pés estendidos numa ponta da maca, calçando um par de sapatos beges de salto baixo, ela percebe que é uma mulher. Por uma professora ela fica sabendo o que aconteceu: Alice, a assistente administrativa, tinha caído de repente, perto das caixas de correio. Num minuto estava separando a correspondência do campus, no minuto seguinte estava desmaiada. Quando os paramédicos chegaram ela estava morta, devido a um aneurisma. Tinha trinta e poucos anos, era solteira, estava o tempo todo tomando chá de ervas. Moushumi nunca gostou muito dela. Tinha algo de inseguro, de inflexível, uma jovem que carregava consigo uma premonição de velhice.

Moushumi sente um embrulho no estômago ao pensar nisso, uma morte tão repentina, de uma mulher tão irrelevante e, no entanto, tão central em seu mundo. Entra na sala que compartilha com os outros professores assistentes, agora vazia. Telefona para Nikhil em casa, no trabalho. Ninguém atende. Ela olha para o relógio e se dá conta de que ele deve estar no metrô, a caminho do escritório. De repente ela acha melhor que ele esteja incomunicável — lembra de como o pai de Nikhil morreu, instantaneamente, sem aviso. Com certeza isso o faria lembrar do episódio. Ela sente um impulso de ir embora do campus, voltar para o apartamento. Mas tem uma aula para dar em meia hora. Volta até a sala de xerox para copiar o programa do curso e um trecho curto de Flaubert para traduzir na aula. Aperta o botão para ordenar as páginas do programa, mas esquece de apertar o botão de grampear. Procura um grampeador no armário e, não encontrando um, vai instintivamente até a mesa de Alice. O telefone está tocando. Há um cardigã estendido no encosto da cadeira. Ela abre a gaveta de Alice, com medo de encostar em qualquer coisa. Encontra um grampeador atrás de clipes de papel e sachês de Sweet'N Low dentro da gaveta. O nome ALICE está escrito num pedaço de fita crepe grudado em cima. Metade das caixas de correio do corpo docente ainda está vazia, as cartas empilhadas dentro de um cesto.

Moushumi vai até a sua caixa de correio procurar a lista de chamada. Sua caixa está vazia, por isso ela procura sua correspondência no cesto. Conforme vai pegando cada envelope, endereçado a esse ou aquele professor ou assistente, começa a colocá-los nas respectivas caixas, comparando os nomes. Mesmo depois de ter encontrado sua lista de chamada, ela continua, concluindo a tarefa que Alice deixou por fazer. Essa tarefa simples acalma seus nervos. Quando criança, sempre teve um dom para a organização; fazia questão de arrumar pessoalmente os armários e gavetas, não só os seus mas também os dos pais. Organizava a gaveta de talheres, a geladeira. Essas tarefas voluntárias a mantinham ocupada durante os dias quentes e silenciosos das férias de verão, e sua mãe assistia descrente, tomando *sherbet* de melancia na frente do ventilador. Restam poucos papéis no cesto. Ela se debruça para pegá-los. E então outro nome, o nome de um remetente datilografado no canto superior esquerdo de um envelope tamanho ofício, chama sua atenção.

Ela leva o grampeador, a carta e o resto de suas coisas para sua sala. Fecha a porta, senta-se à mesa. O envelope é endereçado a um professor de literatura comparada que dá aulas de alemão e francês. Ela abre o envelope. Dentro encontra uma carta de apresentação e um currículo. Por um instante fica apenas olhando o nome centrado no topo do currículo, impresso a laser numa fonte elegante. Ela se lembra do nome, é claro. Apenas esse nome, quando ela o ouviu pela primeira vez, já foi suficiente para seduzi-la. Dimitri Desjardins. Ele pronunciava Desjardins à maneira inglesa, com o S intacto, e, apesar de saber francês, ainda é assim que ela pensa no nome. Embaixo do nome há um endereço: rua 164 Oeste. Ele está se candidatando a um cargo de adjunto, para dar aulas de alemão em meio período. Ela lê o currículo inteiro, descobre exatamente onde ele esteve e o que fez na última década. Viagens pela Europa. Um emprego na BBC. Artigos e resenhas publicados na revista *Der Spiegel*, na *Critical Inquiry*. Um doutorado em literatura alemã na Universidade de Heidelberg.

Ela o conhecera havia anos, nos últimos meses do colegial. Era um período em que ela e duas amigas, em sua ânsia de serem estudantes universitárias, desesperadas porque ninguém da sua idade estava interessado em namorá-las, iam de carro até Princeton, ficavam à toa no campus, sapeando na livraria da faculdade ou fazendo a lição de casa em prédios onde podiam entrar sem apresentar uma carteirinha. Os pais dela incentivavam essas expedições, achando que ela ia para a biblioteca, ou para palestras — esperavam que ela fosse estudar em Princeton, que continuasse morando em casa com eles. Um dia, quando ela e suas amigas estavam sentadas na grama, foram convidadas a participar de um encontro de estudantes da universidade para protestar contra o apartheid na África do Sul. O grupo estava planejando uma passeata em Washington para pedir sanções.

Elas tomaram um ônibus noturno fretado até Washington, para estar na passeata de manhã cedo. Todas tinham mentido aos pais, dizendo que iam dormir na casa umas das outras. Todo mundo no ônibus fumava maconha e ouvia repetidamente o mesmo álbum de Crosby, Stills e Nash num toca-fitas a pilha. Moushumi estava virada para trás, apoiada no encosto e falando com as amigas dos assentos de trás, e quando ela virou de volta, ele estava no assento ao seu lado. Parecia distante do resto do grupo, não um membro real da turma, alheio a tudo aquilo de algum modo. Era esguio, enxuto, com olhos pequenos inclinados para baixo e um rosto intelectual e com um ar sofrido, que ela achou sexy, embora não fosse bonito. Seus cabelos, cacheados e claros, já estavam criando entradas. Sua barba era malfeita; as unhas precisavam ser aparadas. Ele vestia uma camisa branca de botões, jeans Levi's desbotados com os joelhos puídos, óculos dobráveis de aro dourado que davam a volta nas orelhas. Sem se apresentar, começou a conversar com ela, como se os dois já se conhecessem. Tinha vinte e sete anos, frequentara o Williams College, era estudante de história da Europa. Estava fazendo um curso de alemão na Princeton, morava com os pais, ambos professores na universidade, e estava ficando maluco. Tinha passado os anos após a faculdade viajando pela Ásia e América Latina. Disse a ela que provavelmente queria fazer um doutorado, algum dia. A aleatoriedade disso tudo a atraíra. Ele perguntou qual era o seu nome, e quando ela disse, ele se inclinou na direção dela, com a mão em concha na orelha, embora ela soubesse que ele tinha ouvido perfeitamente bem. "Como se soletra uma coisa dessas?", perguntou, e quando ela respondeu, ele pronunciou errado, como a maioria das pessoas. Ela o corrigiu, dizendo que "Mou" rimava com "vou", mas ele balançou a cabeça e disse: "Vou te chamar de Mouse".

O apelido a irritou e agradou ao mesmo tempo. Fez com que se sentisse boba, mas estava ciente de que, ao renomeá-la, Dimitri a reivindicara de algum modo, já a tomara para si. Conforme o ônibus foi ficando em silêncio, enquanto todos caíam no sono, ela o deixou recostar a cabeça em seu ombro. Dimitri estava dormindo, ou pelo menos foi isso que ela pensou. Por isso fingiu adormecer também. Depois de um tempo sentiu a mão dele na sua perna, em cima da saia branca de brim que estava usando. E então, lentamente, ele começou a desabotoar a saia. Vários minutos se passaram entre um botão e o seguinte, os olhos dele fechados o tempo todo, sua cabeça ainda no ombro dela, enquanto o ônibus seguia pela estrada vazia e escura. Era a primeira vez na vida que um homem a tocava. Ela ficou totalmente imóvel. Estava desesperada para tocá-lo também, porém morria de medo. Por fim, Dimitri abriu os olhos. Ela sentiu a boca dele perto de sua orelha e virou-se para ele, pronta para ser beijada, aos dezessete anos, pela primeiríssima vez. Mas ele não a beijou. Apenas olhou para ela e disse: "Você vai partir corações, sabia?". E então se recostou de volta, dessa vez no seu próprio assento, tirou a mão do colo dela e fechou os olhos outra vez. Ela ficou olhando para ele com descrença, brava por ele assumir que ela ainda não tinha partido nenhum coração e, ao mesmo tempo, lisonjeada. Durante o resto da viagem, deixou a saia desabotoada, na esperança de que ele retomasse a tarefa. Mas ele não encostou nela depois disso, e de manhã não houve nenhuma menção ao que acontecera entre os dois. Na passeata ele andou para longe, não prestou atenção nela. Na viagem de volta, sentaram separados.

Depois disso, ela voltou todo dia à universidade para tentar se encontrar com ele por acaso. Após algumas semanas, viu-o andando pelo campus, sozinho, segurando uma cópia de *O homem sem qualidades*. Eles tomaram café juntos e sentaram-se num banco do lado de fora. Ele a convidou para ver um filme, *Alphaville* de Goddard, e comer comida chinesa. Ela foi vestida de um jeito que ainda a faz torcer o nariz até hoje: um velho blazer de seu pai, comprido demais para ela, por cima de uma calça jeans, as mangas do blazer arregaçadas como se fosse uma camisa, revelando o forro listrado. Era o primeiro encontro de sua vida, estrategicamente planejado numa noite em que os pais estavam numa festa. Ela não se lembrava de nada do filme, não comeu nada no restaurante, que fazia parte de um pequeno shopping perto da Route 1. E então, após ver Dimitri comer os biscoitos da sorte sem ler nenhuma das previsões, ela cometeu seu erro: convidou-o para ser seu acompanhante no baile de formatura do colegial. Ele recusou, levou Moushumi para casa de carro, deu um beijo leve em sua bochecha e depois nunca mais telefonou. Aquela noite a deixou humilhada; ele a tratou como uma criança. Em algum momento do verão, deu de cara com ele no cinema. Estava acompanhado, uma menina alta e sardenta com cabelos até a cintura. Moushumi quis fugir, mas ele fez questão de apresentá-la à menina. "Esta é a Moushumi", Dimitri disse deliberadamente, como se estivesse esperando há semanas a oportunidade de dizer o nome dela. Disse que estava indo passar um tempo na Europa, e, pela expressão no rosto de sua acompanhante, ela percebeu que a garota ia junto. Moushumi contou que tinha sido aceita na Brown. "Você está ótima", ele disse quando a menina não estava ouvindo.

Enquanto ela estava na Brown, de vez em quando chegavam cartões-postais, envelopes cobertos de grandes selos coloridos. A letra dele era minúscula, mas desleixada, e sempre a fazia forçar a vista. Nunca havia o endereço do remetente. Por um tempo ela carregou essas cartas em sua bolsa de livros, levando-as para as aulas, engordando sua agenda. Periodicamente ele lhe enviava livros que tinha lido e de que achava que ela talvez fosse gostar. Algumas vezes ele telefonava no meio da noite, acordando-a, e ela conversava com ele durante horas no escuro, deitada na cama de seu quarto na moradia estudantil, depois dormia e perdia as aulas da manhã. Um único telefonema bastava para deixá-la estimulada por semanas. "Vou aí te visitar. Vou te levar para jantar", ele dizia. Nunca fez isso. Por fim as cartas foram rareando. Sua última comunicação tinha sido uma caixa de livros, junto com vários cartões-postais que ele tinha escrito para ela na Grécia e na Turquia, mas que não tinha conseguido mandar na hora. E então ela se mudou para Paris.

Ela lê outra vez o currículo de Dimitri, depois a carta de apresentação. A carta não revela nada além de um intuito pedagógico sério, menciona uma palestra à qual Dimitri e o professor a quem ele se dirige assistiram há alguns anos. Praticamente a mesma carta existe num arquivo no computador dela. Na terceira frase está faltando um ponto, que ela agora insere cuidadosamente com sua caneta-tinteiro de ponta mais fina. Não tem coragem de anotar o endereço dele, embora não queira esquecê-lo. Na sala de xerox, tira uma cópia do currículo. Enfia-a no fundo de sua bolsa. Então datilografa um novo envelope e coloca o original na caixa de correio do professor. Quando volta para sua sala, ela se dá conta de que não há selo nem carimbo do correio no envelope novo, receia que o professor vá suspeitar de alguma coisa. Porém se tranquiliza ao pensar que Dimitri poderia muito bem ter entregado a carta pessoalmente; a ideia dele ali no departamento, ocupando o mesmo espaço que ela ocupa agora, enche-a da mesma combinação de desespero e desejo que ele sempre provocou.

A parte mais difícil é decidir onde anotar o telefone, em que parte de sua agenda. Ela gostaria de ter algum tipo de código. Em Paris, tivera um breve caso com um professor iraniano de filosofia que escrevia os nomes dos alunos em persa no verso de cartões, junto com algum pequeno detalhe cruel que o ajudasse a distingui-los. Uma vez ele leu os cartões para Moushumi. Pele ruim, dizia um. Tornozelos grossos, dizia outro. Moushumi não pode recorrer a um truque desses, não pode escrever em bengali. Mal lembra como se escreve seu próprio nome, algo que sua avó uma vez lhe ensinou. Finalmente escreve na página da letra D, mas não inclui o nome dele. Só os números, assim, sem corpo, não parece traição. Poderiam ser de qualquer pessoa. Ela olha para fora. Ali sentada à mesa, seu olhar se dirige para cima; a janela da sala chega até o topo da parede, de modo que o telhado do prédio do outro lado da rua se alinha com o parapeito. A vista provoca o contrário de uma vertigem, uma sensação de tontura inspirada não pela atração da gravidade para a terra, mas pela vastidão infinita do céu.

Nessa noite, em casa, depois do jantar, Moushumi vasculha as prateleiras da sala de estar que divide com Nikhil. Seus livros se misturaram desde que eles se casaram, foi Nikhil quem desencaixotou todos, e nada está onde ela espera que esteja. Seus olhos passam por pilhas das revistas de design de Nikhil, livros grossos sobre Gropius e Le Corbusier. Nikhil, debruçado sobre uma planta de arquitetura na mesa de jantar, pergunta o que ela está procurando.

"Stendhal", ela diz. Não é mentira. Uma velha edição da Biblioteca Modern de *O vermelho e o negro* em inglês, dedicada a Mouse. "Com amor, Dimitri", ele escrevera. Era o único livro em que ele fizera uma dedicatória. Naquela época, era a coisa mais próxima de uma carta de amor que ela já recebera; durante meses, dormira com o livro embaixo do travesseiro, e depois o enfiara entre o colchão e o estrado. De algum modo conseguiu conservá-lo durante anos; o livro mudou-se com ela de Providence para Paris, depois para Nova York, um talismã secreto em suas estantes, que ela olhava de vez em quando, ainda ligeiramente lisonjeada pelo interesse peculiar que ele cultivava por ela, e sempre ligeiramente curiosa para saber que fim ele levara. Mas agora que está desesperada para localizar o livro, está convencida de que não está no apartamento, de que talvez Graham o tenha levado por engano quando se mudou do apartamento deles na avenida York, ou que está no porão da casa dos pais dela, numa das caixas que ela enviou para lá havia alguns anos, quando suas estantes estavam ficando cheias demais. Não se lembra de ter encaixotado o livro em seu apartamento antigo, não se lembra de tê-lo desencaixotado quando ela e Nikhil vieram morar juntos. Gostaria de poder perguntar a Nikhil se ele o tinha visto — um livrinho verde com capa revestida de tecido, sem sobrecapa, o título gravado em relevo num retângulo preto na lombada. E então de repente ela o vê, bem ali na sua frente, numa prateleira onde já tinha procurado um minuto antes. Ela abre o livro, vê o emblema da Biblioteca Modern, a figura vivaz e nua segurando uma tocha. Vê a dedicatória, a força da esferográfica que ele usou e que sulcou de leve o outro lado da página. Ela abandonou o romance depois do segundo capítulo. O lugar onde parou ainda está marcado por uma nota fiscal de xampu amarelada. Agora ela já leu o livro em francês três vezes. Termina a tradução de Scott-Moncrieff para o inglês em poucos dias, lê em sua mesa no departamento e em seu cubículo na biblioteca. À noite, em casa, lê na cama até Nikhil vir deitar-se com ela — então guarda o livro e abre outra coisa.

Ela liga para ele na semana seguinte. A essa altura já recuperou os cartões-postais, conservados num envelope pardo aberto e não identificado dentro da caixa onde guarda suas declarações de imposto, e já os leu, espantada com o fato de as palavras dele, a visão de sua letra, ainda conseguirem deixá-la desconcertada. Diz a si mesma que está telefonando para um velho amigo. Diz a si mesma que a coincidência de encontrar seu currículo, de tropeçar nele desse jeito, é grande demais, que qualquer pessoa no seu lugar pegaria o telefone e ligaria. Diz a si mesma que ele pode muito bem estar casado, assim como ela. Quem sabe eles quatro não saem para jantar, não se tornam grandes amigos. Mesmo assim, ela não conta a Nikhil sobre o currículo. Uma noite em sua sala, após as sete horas, quando há só um faxineiro perambulando pelos corredores, depois de tomar alguns goles da pequena garrafa de Maker's Mark que escondeu no fundo de seu armário, ela telefona. Uma noite em que Nikhil pensa que ela está trabalhando na revisão de um artigo para o PMLA, *Publications of the Modern Language Association of America*.

Ela disca o número, ouve tocar quatro vezes. Imagina se ele ao menos vai se lembrar dela. Seu coração está acelerado. Seu dedo vai até o gancho do telefone, pronto para desligar.

"Alô?"

É a voz dele. "Oi. Dimitri?"

"Sou eu. Quem é?"

Ela faz uma pausa. Ainda pode desligar se quiser. "É a Mouse."

Eles começam a se ver às segundas e quartas, depois da aula que ela dá. Moushumi pega o trem na direção *uptown* e eles se encontram no apartamento dele, onde o almoço está esperando. As refeições são ambiciosas: peixes cozidos; cremosas batatas gratinadas; frango assado com limões inteiros em suas cavidades. Há sempre uma garrafa de vinho. Eles sentam-se à mesa com os livros, papéis e laptop dele empurrados de lado. Ouvem a WQXR, bebem café e conhaque e fumam um cigarro depois. Só então ele encosta nela. A luz do sol entra por grandes janelas sujas no precário apartamento do pré-guerra. Há dois cômodos espaçosos, paredes de gesso descascadas, chão de parquete arranhado, pilhas enormes de caixas que ele ainda não se deu ao trabalho de abrir. A cama box sobre rodas, com um colchão novo em folha, nunca está arrumada. Depois do sexo eles sempre ficam espantados ao notar que a cama se deslocou vários centímetros da parede, encostando na escrivaninha do outro lado do quarto. Ela gosta do jeito como ele a olha quando os membros dos dois ainda estão entrelaçados, sem fôlego como se estivesse correndo atrás dela, sua expressão aflita antes de relaxar num sorriso. Alguns cabelos grisalhos surgiram na cabeça e no peito de Dimitri, algumas linhas em volta da boca e dos olhos. Ele está mais pesado do que antes, sua barriga, inegavelmente larga, faz suas pernas finas parecerem um pouco cômicas. Acabou de fazer trinta e nove. Nunca se casou. Não parece estar muito desesperado para arranjar um emprego. Passa os dias cozinhando, lendo, ouvindo música clássica. Ela entende que ele herdou algum dinheiro da avó.

Da primeira vez que eles se encontraram, no dia seguinte após ela ter telefonado, no balcão de um restaurante italiano lotado perto da NYU, eles não conseguiram tirar os olhos um do outro e parar de falar do currículo e do jeito insólito como tinha ido parar nas mãos de Moushumi. Ele se mudara para Nova York fazia apenas um mês, tentara procurá-la, mas o telefone está no nome de Nikhil. Não importava, eles concordaram. Era melhor assim. Beberam taças de *prosecco*. Ela concordou em jantar cedo com Dimitri naquela noite, sentados no balcão do restaurante, pois a bebida rapidamente lhes subira à cabeça. Ele pediu uma salada com língua de carneiro quente, um ovo pochê e queijo pecorino, algo que ela jurou não tocar, mas de que acabou comendo mais da metade. Depois disso ela fora à Balducci's comprar o macarrão e o molho pronto de vodca que comeria em casa com Nikhil.

Às segundas e quartas-feiras, ninguém sabe onde ela está. Não há vendedores bengalis de bancas de frutas que a cumprimentem no caminho da estação de metrô de Dimitri, não há vizinhos que a reconheçam quando ela vira no quarteirão dele. Isso a lembra de quando morava em Paris — por algumas horas, na casa de Dimitri, ela fica inacessível, anônima. Dimitri não tem muita curiosidade sobre Nikhil, não pergunta seu nome. Não demonstra qualquer ciúme. Quando ela lhe disse no restaurante italiano que era casada, sua expressão não mudou. Ele considera o tempo que eles passam juntos como algo perfeitamente normal, algo predestinado, e ela começa a ver como é fácil. Nas conversas, Moushumi refere-se a Nikhil como "meu marido": "Meu marido e eu temos um jantar na quinta que vem". "Meu marido me passou o resfriado."

Em casa, Nikhil não suspeita de nada. Como de costume eles jantam, falam de como foi o dia. Limpam a cozinha juntos, depois sentam-se no sofá e assistem televisão enquanto ela corrige os testes e exercícios dos alunos. Durante o noticiário das onze horas, eles tomam tigelas de sorvete Ben and Jerry, depois escovam os dentes. Como de costume, deitam-se na cama, beijam-se, depois lentamente viram para lados opostos para poder esticar-se confortavelmente e dormir. Só Moushumi fica acordada. Toda noite de segunda e de quarta ela teme que ele perceba alguma coisa, que ao abraçá-la ele descubra imediatamente. Fica acordada durante horas depois que eles apagam as luzes, preparada para responder a ele, preparada para mentir na sua cara. Diria que tinha ido às compras caso ele perguntasse, pois de fato o fizera a caminho de casa naquela primeira segunda-feira, interrompendo na metade o trajeto de volta da casa de Dimitri, saindo do metrô na rua 72 antes de continuar na direção do centro e parar numa loja onde nunca estivera para comprar um par de sapatos pretos totalmente comuns.

Uma noite é pior que de costume. São três horas da manhã, depois quatro. Estão fazendo obras na rua deles nas últimas noites, caçambas gigantes de entulho e concreto são deslocadas e derrubadas, e Moushumi sente raiva de Nikhil por ele conseguir dormir enquanto isso acontece. Fica tentada a levantar, pegar uma bebida, tomar um banho, qualquer coisa. Mas o cansaço a faz ficar na cama. Ela observa as sombras lançadas no teto pelos carros que passam, ouve um caminhão gemer à distância feito uma besta noturna, solitária. Está convencida de que estará acordada para ver o sol nascer. Mas, de algum modo, adormece outra vez. É despertada logo após o amanhecer pelo som da chuva batendo na janela do quarto, açoitando o vidro com tal fúria que ela quase acredita que ele vá se estilhaçar. Sente uma dor de cabeça lancinante. Sai da cama e abre as cortinas, depois volta e sacode Nikhil até ele acordar. "Olha", ela diz, apontando para a chuva, como se fosse algo realmente extraordinário. Nikhil obedece, ainda dormindo, senta-se na cama, depois fecha os olhos de novo.

Às sete e meia ela levanta da cama. O céu matinal está claro. Sai do quarto e vê que a chuva vazou pelo telhado, deixou uma mancha amarela feia no teto e poças no apartamento: uma no banheiro, outra no corredor da frente. O parapeito de uma janela deixada aberta na sala está encharcado, sujo de lama, assim como as contas, livros e papéis empilhados em cima dele. A cena faz Moushumi chorar. Ao mesmo tempo, ela fica contente de ter uma coisa tangível com a qual se aborrecer.

"Por que você está chorando?", Nikhil pergunta, olhando para ela com os olhos semicerrados, ainda de pijama.

"Tem rachaduras no teto", ela diz.

Nikhil olha para cima.

"Não é tão grave. Vou chamar o zelador."

"A água da chuva entrou direto pelo telhado."

"Que chuva?"

"Você não se lembra? Caiu um temporal de manhã. Foi incrível. Eu te acordei."

Mas Nikhil não se lembra de absolutamente nada.

Passa-se um mês de segundas e quartas. Ela começa a vê-lo às sextas também. Numa dessas sextas ela se vê sozinha no apartamento de Dimitri; ele sai assim que ela chega, para comprar uma barra de manteiga para um molho branco que está preparando para acompanhar a truta. O aparelho de som toca Bartók, caixas e amplificadores caros espalhados no chão. Ela o observa da janela, andando na rua, um homem pequeno de meia-idade, meio calvo, desempregado, que está possibilitando que ela destrua seu casamento. Ela se pergunta se é a única mulher de sua família que já traiu o marido, que já foi infiel. Isso é o que ela acha mais incômodo admitir: que o caso faz com que ela se sinta estranhamente em paz, que a complicação daquilo a acalma, estrutura o seu dia. Depois da primeira vez, ao lavar o rosto no banheiro, ficou horrorizada com o que tinha acabado de fazer, ao ver suas roupas espalhadas pelos dois cômodos. Antes de ir embora, tinha se penteado no espelho do banheiro, o único do apartamento. Mantivera a cabeça abaixada, olhando apenas de relance no final. Ao fazer isso, viu que era um daqueles espelhos que, por algum motivo, mostram uma imagem especialmente lisonjeira, devido a algum truque da luz ou à qualidade do vidro, fazendo sua pele brilhar.

Não há nada nas paredes de Dimitri. Ele ainda está vivendo à base de uma série de sacolas gigantescas de roupas. Ela fica contente por não conseguir imaginar a vida dele com todos os detalhes, todo o caos. As únicas coisas que ele arrumou foram a cozinha, os componentes do aparelho de som e alguns de seus livros. Toda vez que ela vai visitá-lo, há sinais modestos de avanço. Ela anda pela sala, olha os livros que ele está começando a organizar nas estantes de madeira compensada. Exceto pelos livros em alemão, as bibliotecas pessoais deles são parecidas. Há a mesma lombada verde-lima da *Enciclopédia Princeton de Poesia e Poética*. A mesma edição de *Mimesis*. A mesma coleção de Proust numa caixa. Ela tira da estante um grande volume de fotos de Paris, de Atget. Senta-se numa poltrona, o único móvel na sala de estar de Dimitri. Foi ali que ela se sentou da primeira vez que veio visitá-lo, e ele sentou-se atrás dela, massageando um ponto em seu ombro, excitando-a até ela se levantar e eles irem juntos para a cama.

Ela abre o livro para olhar as ruas e os marcos da cidade que conhece. Pensa na bolsa de estudos que recusou. Um grande quadrado de luz do sol aparece no chão. O sol está diretamente atrás dela, e a sombra de sua cabeça inunda as páginas grossas, sedosas, uns poucos fios de cabelo estranhamente ampliados, tremendo, como se vistos por um microscópio. Ela inclina a cabeça para trás, fecha os olhos. Quando os abre um instante depois, o sol desapareceu, há uma única faixa que agora míngua nas tábuas do piso, feito uma cortina que se fecha aos poucos, tornando acinzentadas as páginas brancas do livro. Ela ouve os passos de Dimitri na escada, depois o som limpo de sua chave na fechadura, cortando o silêncio do apartamento. Levanta-se para guardar o livro, procura o lugar na estante onde estava.

11.

Gógol acorda tarde numa manhã de domingo, sozinho, de um sonho ruim de que não consegue se lembrar. Olha para o lado de Moushumi na cama, para a pilha desarrumada de livros e revistas dela na mesa de cabeceira, o frasco de spray de lavanda que ela gosta de espirrar às vezes nos travesseiros, a presilha de casco de tartaruga com fios de cabelo entre os dentes. Ela está em outra conferência nesse fim de semana, em Palm Beach. Hoje à noite estará em casa. Garantiu que lhe falara da conferência meses antes, mas ele não se lembra. "Não se preocupe", ela disse enquanto fazia a mala. "Não vou ficar tempo suficiente para me bronzear." Mas quando ele viu o maiô em cima das roupas na cama, um estranho pânico brotou dentro dele ao pensar nela deitada sem ele, à beira de uma piscina de hotel, de olhos fechados, com um livro ao seu lado. Pelo menos um de nós não está passando frio, ele pensa consigo mesmo, cruzando os braços apertados em frente ao peito. Desde o dia anterior à tarde o aquecedor do prédio está quebrado, transformando o apartamento num refrigerador. Ontem à noite ele teve que ligar o forno para aguentar ficar na sala e vestiu sua velha calça de moletom de Yale, um suéter grosso por cima de uma camiseta, e um par de meias velhas de lã para dormir. Ele tira a colcha e o cobertor extra que estendera em cima dela no meio da noite. No começo não conseguiu achar o cobertor, quase ligou para Moushumi no hotel para perguntar onde ela havia guardado. Mas a essa altura já eram quase três da manhã, e por isso ele acabou procurando o cobertor sozinho, até encontrá-lo enfiado na prateleira de cima do armário do corredor, um presente de casamento jamais usado, ainda em sua embalagem plástica com zíper.

Ele levanta da cama, escova os dentes com água gelada da torneira, decide não fazer a barba. Veste jeans e um suéter a mais, e o roupão de banho de Moushumi por cima, sem se importar se está ridículo. Prepara um bule de café, faz torradas para comer com manteiga e geleia. Abre a porta da frente, pega o *Times*, retira o invólucro azul, e o deixa na mesa de centro para ler depois. Há um desenho que ele precisa terminar para o trabalho até o dia seguinte, um corte transversal para um auditório escolar em Chicago. Tira a planta do tubo, desenrola-a e estende-a na mesa de jantar, prendendo os cantos com livros tirados da estante. Coloca Abbey Road para tocar no CD player, pulando para as músicas que estariam no lado 2 do álbum, e tenta trabalhar no desenho, conferindo se suas medidas correspondem às notas do projetista-chefe. Mas seus dedos estão duros e por isso ele enrola a planta, deixa um recado para Moushumi no balcão da cozinha, e vai para o escritório.

Ele está feliz por ter uma desculpa para sair do apartamento, em vez de ficar esperando ela voltar em algum momento da noite. Lá fora a temperatura parece mais amena, o ar agradavelmente úmido, e, em vez de pegar o trem, ele percorre os trinta quarteirões a pé, subindo a avenida Park e seguindo até a Madison. Ele é a única pessoa no escritório. Senta-se na sala de desenho escura, cercado pelas mesas dos colegas, algumas com pilhas de desenhos e modelos, outras totalmente limpas. Debruça-se sobre sua mesa, com a luz de uma única luminária de metal pendente incidindo sobre a grande folha de papel. Fixado à parede acima de sua mesa,um pequeno calendário mostra o ano inteiro, que mais uma vez está terminando. No fim dessa semana será o quarto aniversário da morte de seu pai. Datas assinaladas por círculos indicam todos os seus prazos, passados e futuros. Reuniões, visitas a obras, conferências com clientes. Um almoço com um arquiteto possivelmente interessado, em contratá-lo. Ele está ansioso para mudar para uma firma menor, assumir alguns projetos residenciais, trabalhar com menos pessoas. Junto ao calendário há um cartão-postal de uma pintura de Duchamp que ele sempre adorou, mostrando um moedor de chocolate que lembra a ele uma bateria de percussão, suspenso contra um fundo cinza. Vários *post-it*. A foto de sua mãe, Sonia e ele em Fatehpur Sikri, resgatada da porta da geladeira de seu pai em Cleveland. E ao lado dela uma foto de Moushumi, uma velha foto de passaporte que ele achou e pediu para guardar. Ela tem vinte e poucos anos, está com os cabelos soltos, seus olhos de pálpebras pesadas ligeiramente voltados para baixo, olhando para um lado. A foto foi tirada antes de eles começarem a namorar, quando ela morava em Paris. Uma época na vida de Moushumi em que ele ainda era Gógol para ela, um resquício de seu passado com poucas chances de aparecer no futuro. E, no entanto, eles tinham se encontrado; após todas as aventuras dela, foi com ele que ela se casou. É com ele que ela compartilha sua vida.

No último fim de semana foi dia de Ação de Graças. Sua mãe, Sonia e o namorado novo dela, Ben, vieram com os pais e o irmão de Moushumi, e todos eles comemoraram o feriado juntos em Nova York, amontoados no apartamento de Gógol e Moushumi. Era a primeira vez que ele não passava um feriado na casa dos pais ou dos sogros. Era uma sensação estranha a de ser o anfitrião, de assumir o centro da responsabilidade. Eles encomendaram um peru com antecedência no mercado, planejaram o cardápio com ideias da revista *Food & Wine*, compraram cadeiras dobráveis para que todos tivessem lugar para sentar. Moushumi saiu para comprar um rolo de abrir massa, assou uma torta de maçã pela primeira vez na vida. Por causa de Ben, todos falaram inglês. Ben é metade judeu, metade chinês, criado em Newton, perto de onde Gógol e Sonia cresceram. É editor do *Globe*. Ele e Sonia se conheceram por acaso, num café na rua Newbury. Ao vê-los fugindo juntos para o corredor para poderem se beijar à vontade, discretamente de mãos dadas ao sentar à mesa, Gógol sentiu uma inveja estranha, e quando todos estavam comendo peru com batatas-doces assadas, farofa de pão de milho e o chutney de *cranberry* feito por sua mãe, ele olhou para Moushumi e se perguntou o que havia de errado. Eles não discutiam, ainda faziam sexo, e, no entanto, ele se perguntava. Ainda a fazia feliz? Ela não o acusava de nada, mas cada vez mais ele a sentia distante, insatisfeita, distraída. Porém, ele não teve tempo de ficar remoendo sua preocupação. O fim de semana fora exaustivo, tiveram de instalar seus diversos parentes nos apartamentos de amigos próximos que estavam viajando e tinham deixado as chaves. No dia seguinte ao de Ação de Graças, foram todos a Jackson Heights, ao açougueiro *halal* para que as mães deles pudessem fazer um estoque de carne de carneiro, e depois fizeram um *brunch*. E no sábado havia um concerto de música indiana clássica em Columbia. Parte dele quer abordar o assunto com ela. "Você está feliz de ter se casado comigo?", perguntaria. Mas o simples fato de ele estar pensando nessa questão lhe dá medo.

Ele termina o desenho e deixa-o preso à mesa para ser revisado de manhã. Trabalhou sem almoçar, e quando sai do prédio está mais frio, a luz desaparecendo rapidamente do céu. Compra um café e um sanduíche de falafel no restaurante egípcio da esquina e anda rumo ao sul enquanto come, na direção do Flatiron e da Quinta Avenida, com as torres gêmeas do World Trade Center assomando ao longe, brilhando na ponta da ilha. O falafel, embrulhado em papel-

-alumínio, está quente e suja suas mãos. As lojas estão cheias, as vitrines enfeitadas, as calçadas apinhadas de gente fazendo compras. Ele fica angustiado ao pensar no Natal. No ano passado eles foram à casa dos pais de Moushumi. Esse ano, vão para a rua Pemberton. Ele não anseia mais pelo feriado; só quer que as festas acabem logo. Sua impaciência o faz sentir que é, incontestavelmente, finalmente, um adulto. Entra distraído numa loja de perfumes, numa loja de roupas, numa loja que só vende bolsas. Não faz ideia do que dar a Moushumi de Natal. Normalmente ela dá pistas, mostra-lhe catálogos, mas ele não tem a mínima noção do que ela quer dessa vez, se gostaria de um novo par de luvas, uma carteira, ou um pijama novo. No labirinto de banquinhas que vendem velas, xales e joias artesanais na Union Square, nada o inspira.

Ele decide tentar na Barnes and Noble do lado norte da praça. Mas enquanto olha a imensa parede de novos títulos em exposição, ele se dá conta de que não leu nenhum desses livros, e qual era o sentido de dar a ela uma coisa que ele não leu? Na saída da loja, ele para numa mesa dedicada a guias de viagem. Pega um da Itália, cheio de ilustrações da arquitetura que ele estudou com tanta atenção quando estava na faculdade, que admirou só em fotografias, que sempre teve vontade de ver. Isso o deixa irritado, mas ele não pode culpar ninguém além de si mesmo. O que o estava impedindo? Uma viagem juntos, para um lugar aonde nenhum deles já foi — talvez seja disso que ele e Moushumi precisem. Ele poderia planejar tudo sozinho, escolher as cidades que eles visitariam, os hotéis. Poderia ser seu presente de Natal para ela, duas passagens de avião enfiadas entre as páginas do guia. Ele tinha direito a tirar férias de novo; poderia planejar para o recesso de primavera dela. Inspirado pela ideia, vai até o caixa, espera numa longa fila e paga o livro.

Ele cruza o parque a pé na direção de casa, folheando o livro, ansioso para vê-la agora. Decide parar na nova mercearia gourmet que abriu na Irving Place para comprar algumas das coisas de que ela gosta: laranjas-da-china, um pedaço de queijo dos Pirineus, fatias de *soppresata*, um pão italiano. Pois ela estará com fome — eles não servem nada nos aviões hoje em dia. Ele ergue o olhar do livro, vê o céu, a escuridão tomando forma, as nuvens de um belo e intenso tom de dourado, e por um instante é detido por um bando de pombos em voo, perigosamente próximos. De repente, apavorado, ele baixa a cabeça, sentindo-se estúpido em seguida. Nenhum dos outros pedestres reagiu. Ele para e observa os pássaros ganharem altura, depois pousarem simultaneamente em duas árvores vizinhas de galhos nus. Fica perturbado com a cena. Já viu esses pássaros deselegantes em calçadas e parapeitos de janelas, mas nunca em árvores. Parece quase antinatural. E, no entanto, o que poderia ser mais comum? Ele pensa na Itália, em Veneza, na viagem que vai começar a planejar. Talvez seja um sinal de que eles devam ir para lá. A Piazza San Marco não é famosa por seus pombos?

O saguão do prédio está quente quando ele entra, o aquecimento foi religado. "Ela acabou de chegar", o porteiro diz a Gógol com uma piscadela quando ele passa, e seu coração pula, aliviado do mal-estar, grato pelo simples ato de Moushimi voltar para ele. Ele a imagina zanzando pelo apartamento, enchendo a banheira, pegando uma taça de vinho, suas malas no corredor. Enfia no bolso do casaco o livro que vai lhe dar de Natal, conferindo se está bem escondido, e chama o elevador para subir.

12.

2000

É véspera de Natal. Ashima Ganguli está sentada à mesa da cozinha, fazendo croquetes de carne moída para uma festa que vai dar hoje à noite. É uma de suas especialidades, algo que seus convidados já estão esperando e que ela lhes serve em pratos pequenos, logo que chegam. Sozinha, ela prepara os croquetes numa linha de montagem. Primeiro passa as batatas cozidas ainda quentes num espremedor. Cuidadosamente molda um pedaço da batata espremida em volta de uma colherada de carne de carneiro moída e cozida, com a mesma uniformidade com que a clara do ovo cozido envolve a gema. Mergulha cada um dos croquetes, mais ou menos do tamanho e formato de uma bola de bilhar, numa vasilha de ovos batidos, depois os empana num prato de farinha de rosca, sacudindo o excesso nas mãos em concha. Por fim, empilha os croquetes numa grande bandeja redonda, uma folha de papel-manteiga entre as camadas. Interrompe o processo para contar quantos já fez até o momento. Calcula três para cada adulto, um ou dois para cada uma das crianças. Contando as linhas no verso dos dedos, ela confere, mais uma vez, o número exato de convidados. Mais uma dúzia para garantir, decide. Derrama no prato uma nova porção de farinha de rosca, cor e textura a fazem lembrar de areia de praia. Ela se recorda de quando fez as primeiras levas em sua cozinha em Cambridge, para sua primeiríssima festa; o marido no fogão, vestindo camiseta e calça branca de pijama amarrada com barbante, fritando os croquetes dois por vez numa panelinha enegrecida. Lembra de Gógol e Sonia ajudando quando eram pequenos, a mão de Gógol segurando a lata de farinha de rosca e Sonia sempre querendo comer os croquetes antes de serem empanados e fritos.

Essa será a última festa que Ashima dará na rua Pemberton. A primeira desde o funeral do marido. A casa onde ela morou nos últimos vinte e sete anos, que ela ocupou por mais tempo do que qualquer outra na vida, foi vendida recentemente, está com uma placa da Realtor fincada no gramado. Os compradores são uma família americana, os Walker, um jovem professor, novo na universidade onde o marido de Ashima trabalhava, a esposa e uma filha. Os Walker estão planejando reformas. Vão derrubar a parede entre a sala de estar e a de jantar, colocar uma bancada independente no centro da cozinha, lâmpadas num trilho no teto. Querem arrancar o carpete, converter o terraço numa sala de leitura. Ao ouvir os planos deles, Ashima sentiu pânico por um momento, um instinto protetor; quis retirar a oferta, quis que a casa continuasse como sempre fora, como o marido a tinha visto pela última vez. Mas isso tinha sido só sentimentalismo. É bobagem ela esperar que as letras douradas dizendo GANGULI na caixa de correio não sejam arrancadas, substituídas. Que o nome de Sonia, escrito em canetinha hidrográfica do lado de dentro da porta do seu quarto, não seja lixado, repintado. Que as marcas de lápis na parede ao lado do armário de roupa de cama, com que Ashoke costumava registrar a altura dos filhos nos aniversários deles, não sejam cobertas de tinta.

Ashima decidiu passar seis meses vivendo na Índia, seis meses nos Estados Unidos. É uma versão solitária, um tanto prematura, do futuro que ela e o marido haviam planejado quando ele era vivo. Em Calcutá, Ashima vai morar com o irmão mais novo, Rana, e a esposa dele e suas duas filhas crescidas, por enquanto solteiras, num apartamento espaçoso em Salt Lake. Lá ela vai ter um quarto, o primeiro de sua vida destinado exclusivamente ao seu uso. Na primavera e no verão voltará para o Nordeste americano, dividindo o tempo entre o filho, a filha e os amigos bengalis mais próximos. Fazendo jus ao seu nome, será alguém sem fronteiras, sem uma casa própria, habitante de todo lugar e de lugar nenhum. Porém, não é mais possível ela morar aqui, agora que Sonia vai se casar. O casamento será em Calcutá, daqui a pouco mais de um ano, num dia auspicioso de janeiro, assim como ela e o marido se casaram quase trinta e quatro anos antes. Algo lhe diz que Sonia vai ser feliz com esse menino — ela rapidamente se corrige —, esse rapaz. Ele proporcionou à sua filha uma felicidade que Moushumi nunca proporcionou ao seu filho. Ashima sempre vai se sentir culpada por ter sido ela quem incentivou Gógol a encontrar Moushumi. Como ela poderia saber? Mas felizmente eles não consideram um dever continuar casados, como fazem os bengalis da geração de Ashoke e Ashima. Não estão dispostos a aceitar, a se ajustar ou contentar com nada menos que seu ideal de felicidade. Essa pressão cedeu, no caso da geração seguinte, ao bom senso americano.

Por poucas horas ela fica sozinha na casa. Sonia foi com Ben buscar Gógol na estação de trem. Ocorre a Ashima que, da próxima vez em que estiver sozinha, ela estará viajando, sentada no avião. Pela primeira vez desde o voo para encontrar o marido em Cambridge, no inverno de 1967, ela vai fazer a jornada completamente só. A ideia não a apavora mais. Ela aprendeu a fazer as coisas sozinha, e embora ainda vista sáris, ainda prenda os cabelos compridos num coque, ela não é a mesma Ashima que viveu em Calcutá. Vai voltar para a Índia com um passaporte americano. Sua licença de motorista do Massachusetts e seu cartão do seguro social continuarão em sua carteira. Ela vai voltar para um mundo onde não dará festas sozinha para dezenas de pessoas. Não precisará se dar ao trabalho de fazer iogurte a partir de leite com creme e *sandesh* de ricota. Não terá que fazer seus próprios croquetes. Eles estarão disponíveis para ela em restaurantes, trazidos ao apartamento por criados, com um sabor que, após todos esses anos, ela ainda não conseguiu reproduzir de forma inteiramente satisfatória.

Ela termina de empanar o último croquete, depois olha para o relógio em seu pulso. Está um pouco adiantada. Coloca a travessa no balcão, ao lado do fogão. Tira uma frigideira do armário e despeja várias xícaras de óleo, que será aquecido minutos antes do horário que espera receber os convidados. Num pote de barro ela escolhe a escumadeira que vai usar. Por enquanto, não sobrou nada para fazer. O resto da comida já foi preparado, está em assadeiras compridas da CorningWare na mesa da sala de jantar: *dal* coberto com uma pele grossa que vai se romper assim que a primeira porção for servida, um prato de couve-flor assada, berinjela, um *korma* de carneiro. No aparador há iogurte doce e *pantuas* para a sobremesa. Ela olha para tudo com expectativa. Normalmente cozinhar para festas a deixa sem apetite, mas hoje ela está ansiosa para se servir, para se sentar entre os convidados. Com a ajuda de Sonia, a casa recebeu uma última faxina. Ashima sempre adorou essas horas que antecedem uma festa, os carpetes aspirados, a mesa de centro esfregada com Pledge, seu reflexo turvo e embaçado visível na madeira, como prometia o antigo comercial de televisão.

Ela vasculha a gaveta da cozinha à procura de um pacote de incenso. Acende um bastão com a chama do fogão e caminha de cômodo em cômodo. Foi gratificante fazer todo esse esforço — preparar uma última refeição comemorativa para os filhos, os amigos. Montar um cardápio, fazer uma lista, ir às compras no supermercado e encher de comida as prateleiras da geladeira. É uma agradável mudança de ritmo, uma coisa finita, em contraste com sua tarefa atual, contínua e assoberbante: preparar-se para a partida, limpar cada canto da casa. Ela passou esse último mês desmontando seu lar, peça por peça. Cada noite enfrentou uma gaveta, um armário, uma estante. Embora Sonia se ofereça para ajudar, Ashima prefere fazer isso sozinha. Fez pilhas de coisas para dar a Gógol e Sonia, coisas para dar aos amigos, coisas para levar consigo, coisas para doar para a caridade, coisas para colocar em sacos e levar ao depósito de lixo. A tarefa a entristece e a satisfaz ao mesmo tempo. Há certo prazer em reduzir suas posses a pouco mais do que ela trouxera consigo para aqueles três cômodos em Cambridge, no meio de uma noite de inverno. Hoje à noite vai convidar os amigos a levarem tudo o que lhes possa ser útil, abajures, plantas, travessas, panelas e frigideiras. Sonia e Ben vão alugar um caminhão e levar todos os móveis para os quais tiverem espaço.

Ela sobe para tomar banho e se trocar. As paredes agora a fazem lembrar da casa quando eles se mudaram para lá, nuas exceto pela foto do marido, que é a última coisa que ela vai tirar. Ela para por um instante, agitando o resto do incenso diante da imagem de Ashoke, antes de jogar o bastão fora. Deixa a água correr no chuveiro, aumenta o termostato para compensar o momento terrível em que terá de pisar nua no tapetinho do banheiro. Entra em sua banheira bege, atrás das portas corrediças de vidro craquelê. Está exausta após passar dois dias cozinhando, uma manhã limpando, tantas semanas arrumando malas e cuidando da venda da casa. Seus pés parecem pesados no chão de fibra de vidro da banheira. Por um tempo ela apenas fica ali, parada antes de passar xampu nos cabelos, ensaboar seu corpo de cinquenta e três anos, flácido, ligeiramente encolhido, que ela precisa fortificar toda manhã com pílulas de cálcio. Quando termina, enxuga o vapor do espelho do banheiro e examina o rosto. O rosto de uma viúva. Mas, ela lembra a si mesma, uma esposa durante a maior parte de sua vida. E talvez, um dia, uma avó chegando aos Estados Unidos carregada de agasalhos de tricô e presentes e partindo um ou dois meses depois, inconsolável, aos prantos.

Ashima sente uma solidão repentina, uma solidão terrível, permanente, e por um breve instante, desviando o olhar do espelho, chora pelo marido. Sente-se sobrecarregada ao pensar na mudança que está prestes a fazer, para a cidade que uma vez foi seu lar e que agora é, a seu próprio modo, um lugar estranho. Sente tanta impaciência quanta indiferença pelos dias que ainda tem que viver, pois algo lhe diz que ela não vai partir tão depressa quanto o marido. Por trinta e três anos sentiu falta de sua vida na Índia. Agora vai sentir falta de seu emprego na biblioteca, das mulheres com quem trabalhava. Vai sentir falta de dar festas. Vai sentir falta de morar com a filha, da companhia surpreendente que elas faziam uma à outra, de ir a Cambridge com ela para ver filmes antigos no Brattle, de ensiná-la a cozinhar as comidas que Sonia reclamava de ter que comer quando criança. Vai sentir falta da oportunidade de ir de carro, como às vezes faz no caminho da biblioteca para casa, até a universidade e passar em frente ao prédio de engenharia onde o marido trabalhava. Vai sentir falta do país onde viera a conhecer e amar o marido. Embora as cinzas tenham sido espalhadas no Ganges, é ali, nesta casa e nesta cidade, que ele vai continuar morando em sua mente.

Ela respira fundo. Num instante vai ouvir os apitos do sistema de segurança, a porta da garagem se abrindo, portas de carros se fechando, as vozes dos filhos na casa. Aplica loção nos braços e nas pernas, pega um roupão felpudo cor de pêssego que está pendurado num gancho na porta. O marido lhe deu o roupão anos antes, num Natal agora há muito esquecido. Isso ela também vai ter que doar, não terá utilidade no lugar para onde ela está indo. Num clima tão úmido, um material tão grosso levaria dias para secar. Ela faz um anotação mental de lavá-lo bem e doá-lo ao bazar de caridade local. Não se lembra do ano em que ganhou o roupão, não se lembra de quando o abriu, de sua reação. Sabe apenas que foi Gógol ou Sonia quem o escolheu numa das lojas de departamentos do shopping, e até fez o embrulho. Que tudo o que o marido dela fizera tinha sido escrever seu nome e o dela no cartão "De:/Para:". Ela não o censura por isso. Sabe agora que essas omissões de dedicação, de afeto, não importam no final. Ela não se pergunta mais como teria sido fazer o que os filhos fizeram, apaixonar-se primeiro e não depois de anos, deliberar por um período de meses ou anos e não uma única tarde, que foi o tempo que levou para que ela e Ashoke concordassem em se casar. É na imagem dos nomes deles dois no cartão que ela pensa agora, um cartão que ela não se deu ao trabalho de guardar. Isso a faz lembrar da vida deles juntos, da vida inesperada que ele, ao escolher casar-se com ela, lhe deu aqui, que ela se recusou a aceitar por tantos anos. E embora ela ainda não se sinta totalmente em casa entre essas paredes na rua Pemberton, sabe que esse, no entanto, é o seu lar — o mundo pelo qual ela é responsável, que ela criou, que está em toda parte à sua volta, precisando ser guardado em malas, doado, jogado fora pedaço por pedaço. Ela enfia os braços úmidos nas mangas do roupão, amarra a faixa em volta da cintura. Sempre foi um pouco curto para ela, um tamanho menor. Seu calor é um conforto assim mesmo.

Não há ninguém para receber Gógol na plataforma quando ele desce do trem. Ele se pergunta se está adiantado, olha para o relógio em seu pulso. Em vez de entrar no prédio da estação, fica esperando num banco do lado de fora. Os últimos passageiros embarcam, as portas do trem se fecham. Os condutores sinalizam acenando uns para os outros, as rodas começam a girar lentamente, os vagões avançam um por um. Ele observa os outros passageiros serem recebidos por familiares, amantes reunidos de braços dados, sem dizer uma palavra. Estudantes universitários com mochilas pesadas, que voltam para as férias de Natal. Após alguns minutos a plataforma está vazia, assim como o espaço que o trem antes ocupava. Agora Gógol olha para um campo, algumas árvores fusiformes contra o céu azul-cobalto do crepúsculo. Ele pensa em telefonar para casa, mas decide se contentar em ficar sentado e esperar mais um pouco. O ar fresco é agradável em seu rosto após as horas que ele passou dentro do trem. Ele dormiu durante a maior parte do trajeto até Boston, o condutor o cutucou para acordá-lo quando eles chegaram a estação Sul, e ele era a única pessoa que restava no vagão, a última a descer. Dormira a sono solto, aninhado em dois assentos, sem ler o livro que trouxera, usando o sobretudo, puxado até o queixo, como cobertor.

Ele ainda se sente grogue, um pouco zonzo por não ter almoçado. A seus pés há uma bolsa esportiva cheia de roupas e uma sacola da Macy's com presentes que ele comprou de manhã, antes de pegar o trem na estação Penn. Suas escolhas não são muito inspiradoras — um par de brincos de ouro catorze quilates para a mãe, suéteres para Sonia e Ben. Eles concordaram em manter as coisas simples esse ano. Ele tem uma semana de férias. Há trabalho para fazer na casa, a mãe avisou. O quarto dele precisa ser esvaziado, cada resquício tem que ser levado de volta com ele para Nova York ou jogado fora. Ele precisa ajudar a mãe a fazer as malas, a pôr as contas em ordem. Eles vão levá-la de carro ao Logan e acompanhá-la até o ponto que a segurança do aeroporto permitir. E então a casa será ocupada por estranhos, e não haverá vestígios de que eles uma vez estiveram ali, nenhuma casa para entrar, nenhum nome na lista telefônica. Nada que indique os anos que a família morou ali, nenhuma evidência do esforço, da conquista que isso foi. É difícil acreditar que a mãe está indo de verdade, que ela vai ficar tão longe por meses. Ele se pergunta como os pais fizeram isso, deixando para trás suas respectivas famílias, vendo-os com tão pouca frequência, morando desconectados, num perpétuo estado de expectativa, de anseio. Todas aquelas viagens a Calcutá que o aborreciam — como poderiam ter sido suficientes? Não eram suficientes. Gógol sabe agora que os pais passaram a vida nos Estados Unidos, apesar do que estava faltando, com uma capacidade de resistência que ele próprio teme não possuir. Ele passou anos mantendo distância de suas origens; os pais, suprindo essa distância o melhor que podiam. E, no entanto, apesar de toda a sua reserva em relação à família no passado, de seus anos na faculdade e depois em Nova York, ele sempre gravitou em torno dessa cidadezinha pacata e ordinária que continuara sendo, para sua mãe e seu pai, persistentemente exótica. Não viajou para a França como Moushumi fez, nem mesmo para a Califórnia, como Sonia. Só por três meses ficou separado do pai por mais que uns poucos estados, uma distância que não afligira Gógol de modo algum, até que fosse tarde demais. Exceto por esses meses, durante a maior parte de sua vida adulta ele nunca esteve distante mais do que quatro horas de viagem de trem. E não havia nada, além da família, que o atraísse de volta, que o levasse a continuar repetindo tantas vezes esse trajeto.

Foi no trem, há exatamente um ano, que ele ficou sabendo que Moushumi tinha um caso. Eles estavam indo passar o Natal com sua mãe e Sonia. Saíram tarde da cidade, e fora das janelas estava escuro, o breu perturbador dos começos de noite de inverno. Eles estavam no meio de uma conversa sobre como passariam o verão seguinte, se alugariam uma casa em Siena com Donald e Astrid, uma ideia à qual Gógol estava resistindo, quando ela disse: "O Dimitri diz que Siena parece saída de um conto de fadas". Imediatamente ela pôs a mão na boca, acompanhada por um golpe curto de respiração. E então, silêncio. "Quem é Dimitri?", ele perguntara. Depois: "Você está tendo um caso?". A pergunta brotou dele, algo que ele não formulara conscientemente em sua cabeça até aquele momento. Parecia-lhe quase cômica, ardendo em sua garganta. Porém, assim que perguntou, ele soube. Sentiu o frio do segredo dela entorpecendo-o feito um veneno, rapidamente espalhando-se por suas veias. Ele sentira-se desse jeito só numa outra ocasião, na noite em que estava sentado no carro com o pai e descobrira o motivo de seu nome. Naquela noite, experimentou a mesma perplexidade, o mesmo tipo de náusea. Mas não sentiu nada da ternura que sentira pelo pai, apenas a raiva, a humilhação de ter sido enganado. E, no entanto, ao mesmo tempo, ficou estranhamente calmo — no momento que seu casamento foi efetivamente rompido, ele sabia onde estava pisando com ela pela primeira vez em meses. Lembrou-se de que uma noite, semanas antes, quando procurava a carteira dela dentro da bolsa para pagar o entregador de comida chinesa, achou o estojo de seu diafragma. Ela disse que tinha ido ao médico naquela tarde para reajustá-lo, e por isso ele não pensou mais no assunto.

Seu primeiro impulso foi descer na estação seguinte, para ficar fisicamente longe dela o quanto fosse possível. Mas eles estavam atados um ao outro, pelo trem, pelo fato de que sua mãe e Sonia estavam esperando os dois, e por isso deram um jeito de suportar o resto do trajeto, e depois o fim de semana inteiro, sem contar a ninguém, fingindo que não havia nada de errado. Deitada na casa dos pais dele, no meio da noite, ela lhe contou a história inteira, que conhecera Dimitri num ônibus, que encontrara seu currículo no cesto. Confessou que Dimitri tinha ido com ela a Palm Beach. Uma por uma, ele guardou essas informações indesejáveis, imperdoáveis, em sua mente. E pela primeira vez na vida, o nome de outro homem perturbou Gógol mais que o seu próprio.

No dia seguinte ao Natal ela foi embora da rua Pemberton, com a desculpa, para a mãe dele e para Sonia, de que tinha arranjado uma entrevista de última hora na Modern Language Association. Mas na verdade o emprego era um subterfúgio; ela e Gógol tinham decidido que era melhor ela voltar para Nova York sozinha. Quando ele chegou ao apartamento, as roupas dela tinham sumido, assim como a maquiagem e os produtos de higiene pessoal. Era como se ela tivesse partido em outra viagem. Mas dessa vez ela não voltou. Não queria nada da breve vida que tiveram juntos; quando apareceu uma última vez no escritório dele, para que ele assinasse os papéis do divórcio, disse que estava se mudando de volta para Paris. E então, sistematicamente, assim como fizera para o pai morto, ele retirou do apartamento os pertences dela, colocou seus livros em caixas na calçada no meio da noite para as pessoas pegarem, e jogou fora o resto. Na primavera foi a Veneza sozinho, por uma semana, a viagem que planejara para eles dois, e impregnou-se de sua beleza antiga, melancólica. Perdeu-se entre as ruas estreitas e escuras, cruzando um sem-número de pequenas pontes, descobrindo praças desertas, onde se sentava com um Campari ou um café e desenhava as fachadas de palácios e igrejas verdes e cor-de-rosa, sem nunca conseguir refazer seu percurso.

E então ele voltou a Nova York, ao apartamento que eles tinham habitado juntos e que agora era só seu. Um ano depois, o choque tinha passado, porém uma sensação de fracasso e vergonha persistia, profunda e duradoura. Há noites em que ele ainda adormece no sofá sem querer, acordando às três da manhã com a televisão ligada. É como se um prédio por cujo projeto ele fosse o responsável tivesse desabado na frente de todo mundo. E, no entanto, ele não pode culpá-la de fato. Ambos tinham agido pelo mesmo impulso, esse foi o erro dos dois. Ambos tinham buscado conforto um no outro e em seu mundo compartilhado, talvez porque fosse uma novidade, ou por medo de que esse mundo estivesse morrendo lentamente. Mesmo assim, ele se pergunta como chegou a tudo isso: tem trinta e dois anos de idade e já é casado e divorciado. O tempo que passou com ela parece uma parte permanente dele que não tem mais nenhuma relevância ou validade. Como se esse tempo fosse um nome que ele deixou de usar.

Ele ouve a familiar buzina do carro da mãe, avista-o entrando no estacionamento. Sonia está sentada no banco do motorista, acenando. Ben está ao seu lado. É a primeira vez que ele vê Sonia desde que ela e Ben anunciaram o noivado. Ele decide que vai pedir que ela pare numa adega para ele comprar champanhe. Ela sai do carro e anda na direção dele. Sonia agora é advogada, trabalha num escritório no prédio da Hancock. Seus cabelos estão na altura do queixo. Está vestindo uma velha jaqueta azul forrada que Gógol usava no colegial. E, no entanto, há uma maturidade nova em seu rosto; ele consegue facilmente imaginá-la, daqui a alguns anos, com dois filhos no banco de trás. Ela lhe dá um abraço. Por um instante eles ficam ali parados, abraçados no frio. "Bem-vindo ao lar, Goggles", ela diz.

Pela última vez, eles montam a árvore artificial de dois metros, os ramos identificados na base por um código de cores. Gógol traz a caixa do porão. Faz décadas que as instruções sumiram; todo ano eles precisam descobrir a ordem em que os ramos têm que ser inseridos, os mais compridos embaixo, os menores no topo. Sonia segura o tronco, e Gógol e Ben inserem os ramos. Os de cor laranja vão primeiro, depois os amarelos, depois os vermelhos e por fim os azuis, a peça mais alta ligeiramente curvada sob o teto branco pontilhado. Eles colocam a árvore em frente à janela, abrindo as cortinas para que as pessoas que passam diante da casa possam vê-la, tão entusiasmados quanto ficavam quando eram crianças. Eles a decoram com enfeites feitos por Sonia e Gógol na escola primária: castiçais de papel colorido, estrelas feitas com palitos de picolé, pinhas cobertas de glitter. Um sári *banarasi* rasgado de Ashima é amarrado em volta da base. No topo eles colocam o de sempre, um pequeno pássaro de plástico coberto de veludo turquesa, com garras de arame marrom.

Meias são penduradas em pregos na lareira. A que foi posta para Moushumi no ano anterior agora é posta para Ben. Eles bebem o champanhe em copos de isopor, obrigando Ashima a tomar um pouco também, e tocam a fita de Natal de Perry Como, de que seu pai sempre gostou. Provocam Sonia, contando a Ben sobre o ano em que ela recusou os presentes após fazer um curso de hinduísmo na faculdade, voltar para casa e protestar que eles não eram cristãos. De manhã cedo, a mãe, fiel às regras natalinas que os filhos lhe ensinaram quando eram pequenos, acorda e enche as meias com vales-presentes de lojas de discos, bengalas doces, saquinhos de moedas de chocolate. Ele ainda se lembra da primeira vez que os pais tiveram uma árvore na casa, por insistência dele, um objeto de plástico não maior que um abajur, exposto em cima da lareira. E, no entanto, sua presença parecia colossal. Como ele se empolgou com aquilo. Gógol havia implorado para que eles comprassem a árvore na farmácia. Lembra que a enfeitou sem muito jeito, com guirlandas, lantejoulas e um pisca-pisca que deixava o pai nervoso. De noite, até o pai entrar na sala e tirar o pisca-pisca da tomada, fazendo a pequena árvore escurecer, Gógol ficava ali sentado. Lembra-se do único presente embrulhado que ganhou, um brinquedo que ele mesmo tinha escolhido, a mãe pedindo que ele esperasse perto do mostruário de cartões enquanto ela pagava. "Lembra quando a gente costumava colocar aqueles pisca-piscas horríveis?", a mãe diz agora quando eles terminam, balançando a cabeça. "Eu não tinha nenhuma noção naquela época."

Às sete e meia a campainha toca, e a porta da frente é deixada aberta enquanto um fluxo de pessoas e de ar frio entra na casa. Há convidados falando em bengali, berrando, discutindo, falando uns por cima dos outros, o som de seus risos preenchendo os cômodos já lotados. Os croquetes são fritos no óleo crepitante e arrumados em pratos com uma salada de cebola roxa. Sonia os serve com guardanapos de papel. Ben, o futuro *jamai*, é apresentado a cada um dos convidados. "Nunca vou acertar todos esses nomes", Ben diz em certo momento para Gógol. "Não se preocupe, você nunca vai precisar", Gógol responde. Essas pessoas, esses tias e tios honorários com uma dezena de sobrenomes diferentes, viram Gógol crescer, estiveram ao redor dele em seu casamento, no funeral de seu pai. Ele promete manter contato com eles agora que a mãe está indo embora, não se esquecer deles. Sonia exibe seu anel de seis diamantes minúsculos em volta de uma esmeralda às *mashis*, que vestem seus sáris vermelhos e verdes. "Você vai ter que deixar seu cabelo crescer para o casamento", elas dizem a Sonia. Um dos *meshos* está usando um gorro de Papai Noel. As pessoas estão sentadas na sala de estar, sobre os móveis e no chão. Crianças vão parar no porão, as mais velhas nos quartos de cima. Ele reconhece seu velho Banco Imobiliário sendo jogado, o tabuleiro partido ao meio, o carro de corrida perdido desde que Sonia o derrubou dentro do aquecedor de rodapé quando era pequena. Gógol não sabe de quem são essas crianças — metade dos convidados é de pessoas de quem a mãe ficou amiga nos últimos anos, gente que estava no casamento dele mas que ele não reconhece. As pessoas falam do quanto passaram a adorar as festas de Natal de Ashima, que sentiram falta delas nesses últimos anos, que não vai ser a mesma coisa sem ela. Gógol percebe que eles passaram a depender da mãe dele para reuni-los, para organizar o feriado, para convertê-los, para introduzir a tradição àqueles que são novos. Isso sempre lhe pareceu uma coisa adotada, um acidente circunstancial, uma comemoração que na verdade não era para ser. E no entanto foi por ele, por Sonia, que seus pais se deram ao trabalho de aprender esses costumes. Era por causa deles que tudo isso chegara a acontecer.

De muitas maneiras, a vida de sua família parece uma série de acidentes, imprevistos involuntários, um incidente gerando o outro. Começou com o desastre de trem de seu pai, que o paralisou no começo, depois o inspirou a mudar-se para o mais longe possível, a construir uma nova vida do outro lado do mundo. Havia o desaparecimento do nome que a bisavó de Gógol escolhera para ele, extraviado em algum lugar entre Calcutá e Cambridge. Isso levou, por sua vez, ao acidente de ele receber o nome Gógol, que o definiu e o perturbou por tantos anos. Ele tentara corrigir essa aleatoriedade, esse erro. E, no entanto, não foi possível reinventar-se totalmente, romper com esse nome desencontrado. Seu casamento também tinha sido, de certo modo, um passo em falso. E o jeito como seu pai se fora, aquele tinha sido o pior acidente de todos, como se o trabalho preparatório da morte tivesse sido feito muito tempo antes, na noite em que ele quase morreu, e tudo o que lhe restasse fosse um dia ir embora, em silêncio. E, mesmo assim, esses eventos formaram Gógol, moldaram-no, determinaram quem ele é. Eram coisas para as quais era impossível se preparar, mas que faziam alguém passar uma vida inteira relembrando, tentando aceitar, interpretar, compreender. Coisas que nunca deveriam ter acontecido, que pareciam descabidas e equivocadas, eram essas que prevaleciam, que duravam, no fim das contas.

"Gógol, a câmera", a mãe berra por sobre a multidão. "Você tira algumas fotos hoje, por favor? Quero me lembrar deste Natal. No ano que vem, essa hora, eu vou estar tão longe." Ele sobe para pegar a Nikon do pai, que ainda está na prateleira de cima do armário de Ashoke. Não há praticamente mais nada lá. Nenhuma roupa pendurada. O vazio o perturba, mas o peso da câmera é sólido, reconfortante em suas mãos. Ele leva a câmera ao seu quarto para colocar uma pilha nova, um novo rolo de filme. No ano passado ele e Moushumi dormiram no quarto de hóspedes, na cama de casal, com suas toalhas dobradas e um sabonete novo em cima da cômoda, que a mãe sempre deixava para os hóspedes. Mas agora que Sonia está aqui com Ben, o quarto de hóspedes é deles, e Gógol está de volta ao seu quarto, com uma cama que nunca dividiu com Moushumi, nem com ninguém.

A cama é estreita, coberta por uma colcha marrom lisa. Ele pode esticar o braço e encostar no lustre branco fosco que pende do teto, cheio de mariposas mortas. As marcas do durex que já esteve grudado aos seus pôsteres estão visíveis nas paredes. Sua escrivaninha era a mesa quadrada dobrável no canto. Ali ele tinha feito suas lições de casa sob a luminária flexível. No chão há um tapete fino, de cor azul-pavão, um pouco grande demais, de modo que um dos lados fica dobrado na parede. As prateleiras e gavetas estão quase todas vazias. Miscelâneas de coisas indesejáveis já estão em caixas: trabalhos escritos no colegial, assinados por Gógol. Um relatório feito na escola primária sobre arquitetura grega e romana, colunas coríntias, jônicas e dóricas copiadas de uma enciclopédia em papel-vegetal. Conjuntos de lapiseira e caneta da Cross, discos que ele ouviu duas vezes e abandonou, roupas grandes demais, pequenas demais — que nunca pareceu valer a pena transportar para os apartamentos cada vez mais abarrotados que ele ocupou ao longo dos anos. Todos os seus livros velhos, aqueles que ele lia com a lanterna embaixo das cobertas, e os que ele tinha que ler para a faculdade, lidos só pela metade, alguns com adesivos amarelos nas lombadas dizendo USADO. A mãe vai doar todos eles para a biblioteca onde trabalha, para a venda anual de livros na primavera. Pediu-lhe para rever todos, conferir se não tem nada que ele queira guardar. Ele fuça a caixa. *A família Robinson*, *Pé na estrada*, *O manifesto comunista*, *Como entrar numa escola da Ivy League*.

E então outro livro, nunca lido, esquecido há muito tempo, chama sua atenção. A sobrecapa está faltando, o título na lombada, praticamente apagado. É um volume grosso de capa dura forrada de tecido, coberto por uma poeira de décadas. As páginas cor de marfim são pesadas, com um cheiro levemente azedo, sedosas ao toque. A lombada produz um leve estalo quando ele abre o livro na folha de rosto. *Contos de Nikolai Gógol*. "Para Gógol Ganguli", está escrito na página de guarda da frente, na letra tranquila do pai, em caneta esferográfica vermelha, com as letras subindo gradualmente em diagonal, como se otimistas, rumo ao canto superior direito da página. "O homem que lhe deu o nome dele, do homem que lhe deu o seu nome", está escrito entre aspas. Embaixo da dedicatória, que ele nunca tinha visto antes, está a data de seu aniversário e o ano, 1982. O pai ficara na soleira da porta, logo ali, ao alcance de um braço de onde ele está sentado agora. Deixara Gógol descobrir a dedicatória sozinho, nunca mais lhe perguntou o que tinha achado do livro, nunca fez menção alguma a ele. A letra o faz lembrar dos cheques que o pai costumava lhe dar durante toda a faculdade, e por anos depois, para ajudá-lo a viver, para pagar uma caução, para comprar seu primeiro terno, às vezes sem nenhum motivo. O nome que ele detestava tanto, ali escondido e preservado — essa tinha sido a primeira coisa que o pai lhe dera.

Aqueles que deram e preservaram o nome de Gógol estão longe dele agora. Um está morto. A outra, viúva, está prestes a partir de um jeito diferente, para morar, assim como o pai dele, num mundo separado. Vai telefonar para ele uma vez por semana. Diz que vai aprender a mandar e-mails. Uma ou duas vezes por semana, ele vai ouvir "Gógol" na linha, ver o nome digitado numa tela. Quanto a todas as pessoas que estão na casa, todas as *mashis* e os *meshos* para quem ele ainda é, e sempre vai ser, Gógol — agora que a mãe está se mudando para longe, com que frequência ele vai vê-los? Sem pessoas no mundo que o chamem de Gógol, por mais que ele próprio viva, Gógol Ganguli vai, de uma vez por todas, desaparecer dos lábios dos entes queridos e, assim, deixar de existir. No entanto, a ideia dessa extinção final não lhe proporciona sensação de vitória ou consolo. Não proporciona consolo algum.

Gógol se levanta e fecha a porta do quarto, abafando o barulho da festa que cresce lá embaixo, o riso das crianças que brincam na outra ponta do corredor. Senta-se de pernas cruzadas na cama. Abre o livro, olha uma ilustração de Nikolai Gógol, depois vê a cronologia da vida do autor na página oposta. Nascido em 20 de março de 1809. A morte de seu pai, 1825. Publica seu primeiro conto, 1830. Viaja para Roma, 1837. Morre em 1852, um mês antes de seu aniversário de quarenta e três anos. Daqui a dez anos, Gógol Ganguli terá essa idade. Ele se pergunta se vai se casar outra vez algum dia, se um dia terá um filho a quem dar um nome. Daqui a um mês vai começar em um novo emprego, numa empresa menor de arquitetura, e produzir seus próprios projetos. Há uma possibilidade, futuramente, de tornar-se sócio, de que a firma incorpore seu nome. E nesse caso Nikhil será perpetuado, publicamente divulgado, ao contrário de Gógol, escondido de propósito, legalmente reduzido, agora quase perdido.

Ele vira as páginas até o primeiro conto. "O capote." Daqui a poucos minutos a mãe subirá para procurá-lo. "Gógol", dirá, abrindo a porta sem bater, "cadê a câmera? Por que tanta demora? Agora não é hora de ler livros", ela vai ralhar, notando, com pressa, o volume aberto sobre a colcha, sem saber, como o filho todos esses anos, que o marido vive discreta, silenciosa e pacientemente entre suas páginas. "Tem uma festa lá embaixo, pessoas com quem conversar, comida para tirar do forno, trinta copos d'água para encher e alinhar no aparador. E pensar que nunca vamos estar todos juntos aqui outra vez. Se pelo menos seu pai pudesse ter ficado com a gente um pouco mais", ela vai acrescentar, com os olhos marejando por um instante. "Mas vem, vem ver as crianças embaixo da árvore."

Ele vai pedir desculpas, pôr o livro de lado, com um pequeno canto dobrado para marcar a página. Vai descer a escada com a mãe, juntar-se à festa lotada, fotografar as pessoas da vida de seus pais, nessa casa, uma última vez, amontoadas nos sofás, com pratos no colo, comendo com as mãos. Por fim, por insistência da mãe, ele vai comer também, sentado de pernas cruzadas no chão, e conversar com os amigos de seus pais, falar do novo emprego, de Nova York, de sua mãe, do casamento de Sonia e Ben. Depois do jantar vai ajudar Sonia e Ben a limpar dos pratos folhas de louro, ossos de carneiro e paus de canela, a empilhá-los nas bancadas e em duas bocas do fogão. Vai observar a mãe fazer o que o pai costumava fazer perto do fim de cada festa, colocar colheradas de chá de Lopchu em duas chaleiras. Vai observá-la dar as sobras para os outros levarem dentro das próprias panelas. Com o passar das horas noturnas, vai ficar distraído, ansioso para voltar para o quarto, para ficar sozinho, ler o livro que uma vez desprezou, que ele abandonou até hoje. Até momentos antes, o livro estava destinado a desaparecer de sua vida para sempre, mas ele o resgatou por acaso, como o pai tinha sido retirado de um trem esmagado quarenta anos antes. Ele se reclina na cabeceira, ajustando um travesseiro atrás das costas. Daqui a poucos minutos vai descer, juntar-se à festa, à família. Mas por ora a mãe está distraída, rindo de uma história contada por um amigo, sem saber da ausência do filho. Por ora, ele começa a ler.

AGRADECIMENTOS

GOSTARIA DE AGRADECER à John Simon Guggenheim Foundation por seu generoso apoio. Minha mais profunda gratidão também a Susan Choi, Carin Clevidence, Gita Daneshjoo, Samantha Gillison, Daphne Kalotay, Cressida Leyshon, Heidi Pitlor, Janet Silver, Eric Simonoff e Jayne Yaffe Kemi.

Sou devedora aos seguintes livros: *Nikolai Gogol*, de Vladimir Nabokov, e *Divided Soul: The Life of Gogol*, de Henri Troyat. As citações de "O capote" são da tradução de David Magarshack.[6]

6. Do russo para o inglês. (N.E.)

ESTE LIVRO, COMPOSTO NA FONTE FAIRFIELD
FOI IMPRESSO EM PÓLEN SOFT 80G NA IMPRENSA DA FÉ.
SÃO PAULO, BRASIL, JUNHO DE 2014.